ALLSEITS UNVOLLKOMMEN

STEFANO HARNEY / FRED MOTEN

ALLSEITS UNVOLLKOMMEN

Plantokratie und schwarzes Studium

Aus dem Englischen von Gerald Raunig

transversal texts
transversal.at

Für Manolo Callahan
(zur Erneuerung unserer Versammlungsgewohnheiten)

ISBN: 978-3-903046-34-4

Lektorin: Isabell Lorey
Satz: Niki Kubaczek
Wir danken Stevphen Shukaitis für die herausgeberische Arbeit am Originaltext und Minor Compositions sowie subtextos für die Kooperation. Die in der englischen Version von *All Incomplete* abgedruckten Fotografien von Zun Lee sind gemeinsam mit seinem Nachwort auf Deutsch in einem eigenen E-Book veröffentlicht:
https://transversal.at/allseits-unvollkommen-2

transversal texts ist Textmaschine und abstrakte Maschine zugleich, Territorium und Strom der Veröffentlichung, Produktionsort und Plattform - die Mitte eines Werdens, das niemals zum Verlag werden will.

Dieses Buch ist gedruckt, als EPUB und als PDF erhältlich.
Download: transversal.at
Umschlaggestaltung und Basisdesign: Pascale Osterwalder

transversal texts, 2022
eipcp Wien, Linz, Berlin, London, Málaga, Zürich
ZVR: 985567206
A-1060 Wien, Gumpendorferstraße 63b
contact@eipcp.net
eipcp.net ¦ transversal.at

Gefördert von: Stadt Wien Kultur; Foundation for Arts Initiatives; Bundesministerium Kunst, Kultur, öffentlicher Dienst und Sport.

Bundesministerium
Kunst, Kultur,
öffentlicher Dienst und Sport

Inhalt

VORWORT

Denise Ferreira da Silva

Jede Entscheidung bedeutet immer die Wahl eines Dings unter anderen; eine Wahl, die immer auch eine Wahl des Geringeren ist, weil kein Ding alle Anforderungen dessen erfüllen kann, was man Begehren nennt. Oder vielleicht ist es geringer, weil das, was wir Begehren nennen, nur das Vorhandensein einer Forderung ist, zu wählen, zu entscheiden, das eine, und nur das eine auszuwählen und vergnügt seines Wegs zu gehen. So oder so versagt der Algorithmus, das formale Entscheidungsinstrumentarium des logistischen Kapitals dort, wo er mit mehr arbeiten muss, als ihm angemessen ist, um sein Ding zu machen, zu wählen, zu entscheiden. Wenn die Eingabe nicht zu den Daten passt, gerät der Prozess ins Stocken. Eine Eingabe, jede Eingabe ist immer weniger als ein Ding. Sie ist niemals Rohmaterial; niemals einfach nur irgendetwas. Eine Eingabe bedeutet Daten, sie hat eine Form und einen Zweck. Sie ist immer bereit, in Beziehung zu sein, eine Verbindung herzustellen. Das bedeutet auch, dass die Eingabe, damit sie funktioniert, damit der Algorithmus sein Ding machen kann, als Teil in die Struktur passen und in der Lage sein muss, das Verfahren, dem sie unterworfen ist, zu ermöglichen, sie muss prozessierbar sein. Auf diese Weise kann eine Eingabe kein Ding sein. Sie ist immer ein Objekt.

Ungeachtet dessen, was Heidegger sagen würde, existiert das Ding nicht ausschließlich für das existenzielle Ding. Auch Descartes' Übung zur geistigen Ertüchtigung macht ein Ding nicht unmittelbar und unwiderruflich zur *res extensa*. Wie Kant erkannte, geht das Ding vielmehr darüber hinaus, was als Form, als Objekt oder Daten erfasst werden kann. Als solches steht ein Ding immer im Missverhältnis zur Struktur (und zwar weil es sich über die Grenzen der Eingabe hinaus erstreckt, weil es darin nicht seinen richtigen Platz findet) und verlangsamt das Verfahren bis zum Stillstand (weil was in ihm ist, über die Eingabe hinausgeht, weil was in ihm ist, keine Daten-Überflüsse zukünftiger Möglichkeiten sind). Das, was im Ding die Parameter von Form und Effektivität übersteigt, kann niemals in den Prozess eintreten, es sei denn, es ist bereits abgestoßen, ausgestoßen oder so gut wie tot.

Kein-Ding ist genauso ein Ding, wie irgendein Ding jedes-Ding ist. Was ist dann das Ding? Ein Ding ist nur diese unbegreifliche Unvollkommenheit, die auch Stefano Harney und Fred Moten freigiebig unserer Aufmerksamkeit darbieten. Unbegreifliche Unvollkommenheit ist dann nicht so sehr der Name für ein Etwas oder ein Irgendwo, von dem aus Widerstand versucht wird. Gegen die Knappheit und die juristischen und ethischen Begriffe, mit denen sie die Subjekte des Eigentums, der Souveränität oder des Begehrens eingekleidet hat, ist das *imperfectum* als *improprium* nur ein anderer Name für die materielle Fähigkeit (die Macht der Materie), die vielleicht das ist, was Stefano Harney und Fred Moten rechthervorbringend nennen, wofür ich Freigiebigkeit als Prinzip vorschlage.

I.

Nichtbegreifen, wie es in dieser Danksagung an Stefano und Fred gemeint ist, betont dieses Scheitern, weil es daran erinnert, wie Formalität und Effektivität sowohl nach Vollkommenheit streben als sie auch geben.

Das, was weder das eine noch das andere aufweist, kann nicht als vollständig, abgeschlossen, absolut oder perfekt angesehen werden. Es ist dann nicht begreiflich: Es erklärt sich nicht selbst, es legt nicht Rechenschaft für sich selbst ab, weder für alle seine verschiedenen Teile noch für sich als Ganzes. Das, was sich nicht sehen lassen kann, was keine richtigen Formen hat und nicht der geraden Linie folgt, ist unvollkommen, und als solches ist es kein Körper (denn die Idee eines Körpers gibt das Ganze vor, dem alle Teile zuzurechnen sind), und es ist nicht Welt (denn die Idee der Welt gibt einen Teil vor, der für das Ganze Rechenschaft ablegen kann). Uneigentliche Strukturen und verzerrte Verfahren sind selbst in der Aussage – Gödels Theoreme – nicht begreiflich, die die Unvollkommenheit der vorherrschenden Denkweise feststellt. Und zwar deshalb, weil sie keine Struktur (als Körper oder Welt oder System), keinen Teil (als Organ, Subjektivität oder Axiom) und keine Bewegung (als Blutkreislauf, Geschichtlichkeit oder Argumentation) hat. Das sind natürlich verschiedene Arten von Formen, Teilen und Bewegungen; aber alle drei zusammen ergeben die Idee der Entwicklung, in dem Sinn, dass die Bewegung, durch die die Teile verbunden sind, das Ganze aufrecht erhält oder zur Vollkommenheit bringt. Wie soll man ohne die Struktur und ihre Teile wissen, was zu verbessern ist? Was Verbesserung braucht? Was sie bereits erreicht hat? Wie kann das Ganze ohne ein Verfahren und sein Ergebnis subsistieren? Wie fügen sich die Teile zusammen, um eine Wirkung zu erzielen? Was bleibt von alleine bestehen? Und wie? Wie kann ohne ein Was und ein Wie eine Verbesserung stattfinden?

Ohne Struktur und Verfahren gibt es keinen Widerstand, nur Existenzen ohne Ziele, Elemente ohne Zweck und Intraferenzen ohne höhere oder niedere Motive. Oder wie die Lektüre von *Allseits unvollkommen* uns in Erinnerung zu rufen hilft: Alles besteht in der bloßen unbegreiflichen Unvollkommenheit oder in Compliance mit der tiefen Implikation, was dasselbe ist wie existenzielle Komplizität. In der Unangemessenheit, sei es als Bruch einer Regel oder als Verletzung eines Prinzips, gibt es keine Position und keine Voreingenommenheit, von der aus man sich der Verwandlung (d.h. der Korruption, die das in der Konstitution von allem implizierte Werden ist) widersetzen könnte, um darauf zu bestehen, das zu bleiben, was es nie gewesen ist oder werden wird, nämlich vollkommen. Dies ist die Gabe. In der Logistikalität ist es nicht so sehr das Wo und Wie und Wozu der Bewegung – all das betrifft die Verbesserung des Flusses –, sondern jenes Danach, das nicht notwendigerweise oder auch nur zufällig aus dem Vorhergehenden folgen oder dem Nachfolgenden vorausgehen muss. Die unbegreifliche Undercommons-Sozialität, das schwarze Studium mag uns einfach mitnehmen, ohne Plot oder Plan, als/in irdische Existenz, das heißt, nur geleitet von der Rechthervorbringung, die unter der unbegrenzten Freigiebigkeit der Existenz herrscht. Danke, Stefano und Fred!

II.

Das Paradox der politischen Korruption ist, dass sie die Modalität ist, durch die brutale Institutionalität aufrechterhalten wird. Das Paradox der biosozialen Korruption ist, dass sie die militante Bewahrung einer allgemeinen, generativen Fähigkeit zur Differenz und Diffusion konstituiert. Diese Paradoxien verbinden sich, um die Kante der Korruption zu vergolden, sie in eine Gabe zu verwandeln, die bereits doppelkantig war, die wir tragen oder anlegen können, als wäre sie der Stoff unserer Haut.

Von allen Dingen, von denen das Juridische und das Wissenschaftliche abhängen und denen sie anhängen, ist Eigentum vielleicht am offensichtlichsten und am wenigsten direkt. Es ist offensichtlich in dem Sinn, dass es etwas ist, das man hat, aber es ist nicht direkt, weil dieses Haben die Form eines Attributs (einer Qualität) oder eines Artikels (eines Ziels, eines Objekts oder eines Zwecks) annehmen kann. Unbegreifliche Unvollkommenheit verfehlt beides, da sie erkennen lässt, wie allem, was existiert, jener Teil fehlt, durch den jedes und alles mit/als/in etwas anderem existiert.

Angemessenheit, als sich auf eine Regel oder ein Prinzip beziehen, ruft notwendigerweise diese beiden Aspekte des Habens in Erinnerung, in ihrer Demontage bringt sie hoffnungslos das, was das Haben hat, hervor. Verbesserung, so schlagen Harney und Moten vor, ist sehr stark bedingt durch jene Figur – den Menschen, das Subjekt, das Humane oder die Menschheit –, deren Teile sich so verhalten, dass sie nicht nur zur Verkörperung der Vollkommenheit wird, sondern zum Körper/Geist, der fähig ist, andere existierende Dinge zur Vollkommenheit zu bringen. Das Ding mit dem Eigentum, also die juridisch-ökonomische Figur, die Vorrang vor jeder alternativen Beschreibung des Daseins hat, ist jedoch nicht eigenständig. Denn es war immer abhängig von kolonialen juridisch-ökonomischen Architekturen, und das „rassische“ ethisch-symbolische Arsenal, die

Verbesserung selbst, die angebliche Qualität und Fähigkeit zur Unterscheidung, war auch immer bedingt durch unsere Unangemessenheit.

Improprium, das, was ein Ding, irgendein Ding, jedes Ding geworden ist, wenn es vorangestellt wird, d.h. wenn es als (zeitlich und räumlich) vor dem *proprium* (dem cartesianischen Ding, wie es von John Locke und Adam Smith vorgestellt wurde) verstanden wird, könnte, wie sich herausstellt, die einzig akzeptable Bezeichnung für die ultimative Möglichkeitsbedingung der Kapitalakkumulation sein. Damit Verbesserung/Nießbrauch – die Qualität und Fähigkeit des Subjekts – möglich werden, ist es erforderlich, dass Unangemessenheit notwendig ist (als eine Qualität, die für ihr Anderes exklusiv ist), und umgekehrt ist es, damit sie möglich werden, erforderlich, dass Angemessenheit notwendig ist (als Qualität, die dem transparenten Ich innewohnt). Nur das *proprium*, das eigene, angemessene Ding, dasjenige, das die Vollkommenheit hat und kennt, ist in der Lage, die Vollkommenheit in/als Welt zu verwirklichen – Stefano und Fred erinnern uns daran, warum wir uns besser vor ihr in Acht nehmen sollten, sowohl vor der Vollkommenheit (als Bedrohung) als auch vor der Welt (aus der wir gerettet werden müssen). Aber weil ihre Angemessenheit in einem intrinsischen Vergleich artikuliert wurde, im Widerspruch zur exklusiven Unangemessenheit von allem anderen, weil es ohne sie keinen Sinn macht, kann das *proprium* nicht alle seine Teile verbessern; wenn es das tut, verwandelt es seine Flugbahn in eine Eschatologie.

Hier gibt es keine Äquivalenz. *Proprium* ist nicht die Bedingung für die Artikulation dessen, was in Gegensatz und Unterscheidung dazu *improprium* genannt wurde.

Denn die Gabe, an die Harney und Moten erinnern, ist die Unangemessenheit, d.h. diese beständige und kontinuierliche Re/De/Generierung, unsere Korruption, „generative Fähigkeit zur Differenz und Diffusion". Die grenzenlose Unangemessenheit der Dinge ist diejenige, die durch einen Knick genau die Berechnung re/de/generiert, die für die Verbesserung der Dinge gemacht ist.

III.

Wenn ihre Logistik sowohl annimmt als auch vorgibt, dass die kürzeste Strecke zwischen zwei Punkten eine gerade Linie ist, was, wenn unsere Logistikalität, vor und gegen sowohl die Annahme als auch die Vorgabe, eine kürzere Strecke in einer Kurve improvisiert – oder nicht einmal in einer Kurve, sondern in einem Knick? Der Knick ist weder Kurve noch Kreis, geschweige denn Linie. Tatsächlich wird von einem Knick oft gesagt, er sei eine Blockade. Und was ist eine Sammlung von Knicken, oder ein Kollektiv von Knicken, wenn nicht eine Dread oder Jam? Schaust du mich aus? Watch me? No, watch meh, motherfucker.

Sich durch Bestimmung des aktuellen Längen- und Breitengrads zu verorten, bedeutet, die Möglichkeit zu verpassen – und all das, was passieren könnte, aber nicht antizipiert werden kann, wenn man es versucht –, etwas inmitten/unter allem anderen zu finden, mit/in/aus dem es existiert. Diese Art des Ortens spezifiziert und verallgemeinert zugleich und folgt als solche der grundlegenden Karte dessen, was Kant in der *Kritik der Urteilskraft* unter seinem Gesetz der Spezifizierung der Natur vorsieht. Das Bild ist eines von unterscheidbaren Ganzheiten, innerhalb derer andere kleinere Ganzheiten liegen, von denen jede (mit Ausnahme der allgemeinsten, die er Natur nennt) ein Teil der größeren ist, innerhalb derer sie sich befindet, und von denen jede auch an der größeren teilnimmt.

Abstrakt betrachtet, nimmt diese Festlegung des Wo eines Etwas alles andere, was mit ihm existiert, aus der Betrachtung heraus. Sobald das geschehen ist, kann das Verschieben von etwas von einem Wo(-Ort) zu einem anderen (Ort) in Betracht gezogen werden, das heißt, es ist möglich, die Aufmerksamkeit wieder auf das Ganze zu lenken, auf den gesamten Kontext, in dem dieses Ding existiert. Aber an diesem Punkt, so erinnern Stefano und Fred, geht es nicht einmal mehr um das Ding, sondern um die Bewegung, das Bewegen des Dings und darum, wie man das macht. In der Logistik geht es, so stellen sie fest, um das Wo und Wie und Wozu der Bewegung, um den Fluss und seine Verbesserung, um die Verfahren, die ihn sicherstellen. Darüber können wir aber nur nach- und mitdenken, weil wir bei der Betrachtung dessen, was geschieht, statt uns auf das Was und das Wie zu konzentrieren, davon ausgehen, dass es nicht ungeschehen gemacht wird, und uns dann darauf konzentrieren, was es geschehen ließ (seine Wirkursache), oder darauf, wie es war, bevor und nachdem das, was es geschehen ließ, sich abspielte.

Wie wir jedoch den Algorithmus kennen, der etwas bewirkt, kann die Befehlslinie – um Korruption, Abweichung und unerwünschte Re/De/Generierung zu behandeln und zu verhindern – nicht für sich selbst Rechenschaft ablegen. Als solche öffnet sie sich, der allgemeinen unbegreiflichen Unvollkommenheit ausgesetzt, in deren Mitte sie sich befindet. Nicht vollständig unterscheidbar von allem, was sich in seinem

Allgemeinsten – im kleinsten und im größten entgrenzten Ganzen – findet, diffus unterschiedlich in seinen vielen Implikationen, schwindet und wandert der Fluss: Es kann sogar sein, dass das, was im Geschehen ist, vor dem stattfindet, was es überhaupt erst hervorgebracht hat. So verkorkst ist es in der Tat.

Die Logistikalität, unsere wandernden Wunder, bedroht die Logistik. Nicht, weil sie herumirrt, die (Verwerfungs-)Linien ignoriert, überschreitet und oben darüber hinwegtanzt. Nein! Harney und Moten erinnern uns: „Der Knick ist weder Kurve noch Kreis, geschweige denn Linie", sondern vielmehr „eine Sammlung von Knicken, oder ein Kollektiv von Knicken, wenn nicht eine Dread oder Jam." Die grenzenlose Unangemessenheit der Dinge ist das, was das Soziale in die schwarze Sozialität re/de/generiert, die die militante Praxis der *Diffunität* ist, das heißt, die gebende Unvollkommenheit.

IV.

In diesem Sinne geht es bei den Undercommons, wenn überhaupt, nur am Rande um die Universität; und es geht bei den Undercommons entscheidend um eine Sozialität, die nicht auf dem Individuum basiert. Wir würden sie auch nicht als eine beschreiben, die aus dem Individuum abgeleitet ist – bei den Undercommons geht es weder um das Dividuelle noch um das Prä-Individuelle oder das Supra-Individuelle. Undercommons sind eine Verbundenheit, eine Gemeinsamkeit, eine Diffunität, eine Geteiltheit.

Als ich in den letzten Monaten beim Lesen von *Allseits unvollkommen* die steigenden Infektionsraten verfolgte, und mit ihnen die wachsende Zahl von Menschen, die an COVID-19, der durch Sars-CoV-2 verursachten Krankheit, starben, konnte ich nicht umhin, mich zu fragen, wie hier Verbesserung am Werk ist, zum Beispiel in Brasilien und in den USA. Verbesserung, das wissen wir, bestimmt die Entscheidungen (der politischen Entscheidungsträger_innen und der Algorithmen), sterben zu lassen, die angesichts von Zahlen getroffen werden, die zeigen, um wen es sich handelt (die ökonomisch Enteigneten, die systemrelevanten Arbeitskräfte, diejenigen mit Vorerkrankungen, in den USA nicht ganz zufällig ein großer Prozentsatz der schwarzen, indigenen, Latinx-Bevölkerung des Landes). Es ist das operative Element hinter dem, was eine Anhäufung von Entscheidungen zu sein scheint, die zu einem Anstieg der Zahl der Infektionen und Todesfälle führte. Ich kann nicht anders, als mir darüber Gedanken zu machen, wie diese Argumentation ausgedrückt wird, welche Worte verwendet, welche vermieden werden. Unter anderen Begriffen wie Erfindung, Fortschritt, Zivilisation, Entwicklung ist Verbesserung auch bei den vorausgegangenen Entscheidungen am Werk, die zu ihrer ökonomischen Enteignung führten, zu ihren Vorerkrankungen, zu ihrer Beschäftigung in den Wirtschaftsbereichen, die während einer globalen Pandemie am stärksten gefährdet sind.

Angesichts dieser globalen Pandemie wird einmal mehr deutlich, wie Verbesserung das Management von Knappheit in Wirtschaft und Politik steuert. Da zu erwarten ist, dass das, was korrupt oder unangemessen ist, unfähig ist zu florieren, ist die logische Entscheidung, das zu schützen oder zu bewahren, was überleben und florieren kann. Was auch immer das ist, es ist in der Lage, sich zu verbessern – aus sich selbst heraus oder durch die Politik. Wie sonst lässt sich die bis dato undenkbare Entscheidung des Gesundheitswesens erklären, die älteren und unterversorgten COVID-19-Patient_innen von den Beatmungsgeräten fernzuhalten, um diese für die „Jüngeren“ und „Gesünderen“ zur Verfügung zu haben, also für die, deren (Ver-)Besserung diese Behandlung zur Folge haben würde. War es nicht dieselbe Logik, mit der die Regierungen in der Weltwirtschaftskrise 2007-2008 die Rettung von Großkonzernen und Banken rechtfertigten, weil sie „zu groß zum Scheitern“ waren? Im letzteren Fall waren sie zwar bereits gescheitert, aber sie waren (ihr Anteil an der Weltwirtschaft ist) zu groß, um sie sterben zu lassen. Was bedeutet das für den Rest von uns? Diejenigen, die zu klein sind, um zu florieren? Zu gebrechlich, um zu leben? Diejenigen, die nicht zählen, die in der Entscheidung und im Algorithmus (im Struktur-Verfahren, dem Algorithmus, der es stützt, der ihm sowohl ein Ziel als auch eine Evidenz gibt) als Null, Nichts, Kein-Ding, Kein-Körper erscheinen? Was ist mit ihnen? Wie können sie überhaupt existieren und bestehen, wenn sie wissen, dass ihre Zahl nie genannt wird, weil sie keinen Sinn macht, weil sie nicht in die Berechnung passt, weil sie aus der Reihe tanzt und verkehrt herum ist? Sie, wer?

Denn niemand sucht nach uns. Also suchen wir uns mit Husni-Bey und fragen uns, wie wir uns von der unendlichen Probe abgewandt haben und uns ihr wieder zuwenden werden, die das Studium verrückt macht, oder schwarz, indem wir mit denen zusammenstehen, die kein Standing haben, bis wir ihnen zugestimmt haben. Mit uns. Den Komplizitären. Den Verdammten. Wer entscheidet dann?

Die Existenz als unbegreifliche Undercommons-Sozialität, die uns *Allseits unvollkommen* bietet, hat nichts mit Zukommen oder Mitkommen zu tun. Ohne Plot oder Plan, als/im Fleisch oder Körper, sofern er als/in unaufhörliche/r De/Re/Komposition behandelt wird, was nichts anderes ist als irdische Existenz. Das ist nicht die Kraft des Gesetzes, der Linie, die verbindet, trennt und lenkt. Rechthervorbringung, die als die Qualität und Fähigkeit zu geben gelesen werden kann – nicht im Kontext einer Ökonomie (wie in der Verwaltung von Knappheit), sondern als Freigiebigkeit (wie in der Fülle des Regenwalds). Jene Freigiebigkeit finde ich in ihrer kämpferischen Praxis des Miteinander-Schreibens (wie auch mit all den anderen, mit denen sie mit-denken). Das ist für mich Freigiebigkeit, die auch der Weg der schwarzen Sozialität ist, in ihrer Unreinheit und Komplizität – danke, Fred und Stefano!

DER DIEBSTAHL DER VERSAMMLUNG

> Wenn ich auf die Frage „Was ist Sklaverei?" kurz „Mord!" antwortete, würde man meinen Gedanken sogleich verstehen. Es bedurfte keiner längeren Ausführungen, dass die Macht, dem Menschen das Denken, den Willen und die Persönlichkeit zu nehmen, eine Macht auf Leben und Tod ist und dass somit einen Menschen zu versklaven gleichbedeutend ist mit Mord. Warum also kann ich auf die Frage: „Was ist Eigentum?" nicht ebenso gut antworten: „Es ist Diebstahl!", ohne mit Sicherheit unverstanden zu bleiben? Und doch ist dieser zweite Satz nichts anderes als die Umschreibung des ersten.
> (Pierre-Joseph Proudhon)

1.

Der erste Diebstahl erscheint als rechtmäßige Eigentümerschaft. Dies ist der Diebstahl des fleischlichen, irdisch-erdigen Lebens, das dann im Körper eingekerkert wird. Aber der Körper, so stellt sich heraus, ist nur das erste Principal-Agent-Problem. Der Körper ist nur ein Aufpasser, ein Vertreter, ein Aufseher für den wirklichen Hausherrn, den wirklichen Eigentümer, das Individuum, in seiner giftigen, schwerfälligen Begrifflichkeit. Der rechtliche Begriff für dieses Principal-Agent-Problem ist Geist. In dieser Hinsicht ist die Bezeichnung „Geist/Körper-Problem" eher eine synekdochische Redundanz in der Abstraktion als eine Verwicklung oder gar ein Gegensatz von *anima* und Materie, Mama und Seele.

Von Erwin Schrödinger übernimmt Robert Duncan eine Formulierung, die in einer bestimmten Weise

Unordnung entstehen lässt. Schrödinger sagt: „Lebende Materie entzieht sich dem Verfall ins Gleichgewicht." Wenn also Proudhon recht hat, und Sklaverei, Mord, Raub und Eigentum eine Einheit sind, wenn das allgemeine Regime des Privateigentums am treffendsten als sozialer Tod erfasst wird – was ist, wenn Tod und Privateigentum jenes Gleichgewicht sind, von dem Schrödinger spricht? Was John Donne über Gottes souveräne Fähigkeit des Bewahrens sagt, ist ein Problem, das dazu gedacht gewesen sein wird, ein Problem zu lösen; und wenn Schrödinger davon spricht, sich dem Verfall ins Gleichgewicht zu entziehen, sagt er nicht, dass aller Verfall schlecht wäre. Die Korruption ist unser (verfemter) Anteil, unsere antologische Praxis, unsere exzentrische Zentrierung, wie M. C. Richards es formulieren würde. Wie wir uns dem Eigentum und dem Gleichgewicht entziehen, ist genau in jener Verweigerung der Verlustprävention gegeben, die wir Teilen, Reiben, Empathie, Haptikalität nennen: die Undercommons-Liebe des Fleisches, unsere wesentliche omnizentrische oder anazentrische Exzentrizität.

Im Gefolge der Entstehung einer solchen Unordnung ist jedes Ding Verlustprävention. John Locke erfindet die *tabula rasa* als Container für Eigenschaften – Eigenschaften des Geists und Eigenschaften als Eigentum des Besitzgeists. Selbsterkenntnis ist bei Locke Selbst-Besitz und Selbst-Positionierung. Sein Akkumulationsprozess ist Selbstverortung, denn man kann gar nicht anders, als dafür sesshaft zu werden. Vom ersten Moment an, der immer wiederzukehren scheint, ist alles Eigentum gesetzt, beginnend mit der Setzung/ Positionierung eines Körpers, um Eigentümerschaft und Eigentum und Eigentumsgeist zu verorten. Setzung und

Hinterlegung führen das Eigentum als Verkörperung ein, und ihr unumgängliches Ziel, gegeben im kontinuierlichen Rückzug, ist Verlust. Dies erfordert die Produktion einer Wissenschaft des Verlusts, das heißt die Wissenschaft des Weißseins, Logistik.

Jede Aneignung, jede Verbesserung ist eine Verknöcherung des Teilens. Diese Verknöcherung ist in und als Einhegung gegeben. Das erste abscheuliche Gefäß, das von und für die Logistik produziert wurde, ist nicht das Sklavenschiff, sondern der Körper – Begriff gewordenes Fleisch –, der das Individuum-in-Unterwerfung hervorbringt. Eine tiefgehende Bösartigkeit beginnt mit dieser Kolonisierung des gesetzten Körpers, der Bestimmung des gesetzten Geists und der Manipulation ihrer wechselseitig umhüllenden Redundanz in verschiedenen Abstufungen von Brutalität, gegeben in der toten, immerwährenden Bewegung des Willens zur Kolonisierung. Diese Einschließung, diese Besiedelung wird sich wiederholen, weil sie wiederholt werden muss. Jede Sklav_in wird jedes Mal der Spiegel gewesen sein, in dem das Selbst, indem es sich selbst sieht, in sich, als es selbst zur Existenz kommt, was eine allseits mörderische Fantasie ist.

Locke erfindet hier das Derivat, einen heruntergekommenen Teil des verfemten (An-)Teils, der bereit ist, auf die Macht dieses Anteils zurückzugreifen, aber nur, um mehr Derivate zu schaffen, um mehr Zonen der Enteignung zu schaffen, indem er Eigentum setzt, in der Leugnung des Verlusts, die dem Verlust vorangeht. Alles Eigentum ist Verlust, weil alles Eigentum Verlust des Teilens ist. In seiner Vorsätzlichkeit ist Eigentum Diebstahl; aber jenseits der Mordlust, die den Diebstahl in der Aneignung jedes einzelnen Geists/Körpers gewöhnlich begleitet, ist der Diebstahl, um den es hier geht, absoluter Serienmord, den wir nur überleben, insofern alles Eigentum durch Teilen verwundbar bleibt. Das bedeutet nichts anderes, als dass alles Eigentum flüchtig ist. Es flieht vor seiner eigenen Setzung, flieht vor dem Hinterlegt-Sein. Alles (Eigentum) lässt die hinterlegte Kaution verfallen. Teilen, Erschöpfung, Verausgabung, Derivation werden in der messbaren und rechenschaftspflichtigen individuellen Einheit des Derivats eingehegt und erstarrt gewesen sein. Aber das Teilen ist unser Mittel, die Mittel der Erde in uns und unsere Mittel in der Erde. Die Logistik scheint gewöhnlich Mittel über Zwecke zu stellen – alles ist, wie es dorthin zu bekommen ist, nicht was es ist –, und doch ist die Logistik eigentlich die Degradierung der Mittel, die allgemeine Abwertung der Mittel durch Individuierung und Privatisierung, was dasselbe ist. Sie ist die Wissenschaft der verlorenen Mittel, fortschreitend mit jedem Akt der Verlustprävention.

Wenn Locke das Derivat erfindet, dann ist Immanuel Kants Innovation der Hochfrequenzhandel. Und wenn Kant das Schicksal der Logistik umkehrt, indem er verkündet, dass die Zwecke (des Menschen), und nicht die Mittel wichtig sind, wird der Mensch, das ultimative Derivat, vollkommen logistisch eingerichtet. Der Mensch wird hochgehalten, nicht von Kant, sondern von der Logistik, einer Logistik, die den Schein eines freistehenden Subjekts erweckt. Ein menschliches Universum erscheint Kant, voll von dem, was er als menschliche Eigenschaften setzt. Kant spaziert über die Docks, überquert die sieben Brücken von Königsberg und überblickt die logistische Welt von einem Standpunkt aus, den er nie zu verlassen braucht. Dort kommt sein

Schiff mit jedem neuen Reisetagebuch und jeder ethnographischen Abhandlung herein, dort wird er Zeuge der Humanisierung des Fleisches. Die Logistik hat jetzt ein Subjekt, und das ist die „Rasse". Die Humanisierung des Fleisches ist die Rassifizierung des Fleisches. Es ist die Katastrophe, die über das Gattungswesen hereinbricht, eine Katastrophe, die nicht einmal Marx rückgängig machen kann. Deshalb ist die Logistik die Wissenschaft des Weißseins in der Wissenschaft des Verlusts und als Wissenschaft des Verlusts.

Das ist, wie uns Denise Ferreira da Silva lehrt, die Gefahr für Fleisch/Erde zur Zeit G.W.F. Hegels. Überwachung. Zugriff. Transparenz. Resilienz. Die globalisierte, generalisierte Verlustangst ist überall dort, wo die Logistik die Notwendigkeit sieht, unser verwickeltes Fleisch zu begradigen. Und wo immer die Logistik auf Monstrosität stößt, humanisiert sie sie. Nun bedeutet dunkel sein, wie uns Saidiya Hartman unterweist, verwickelt sein; gejagt sein, dem Subjekt des Zugriffs unterworfen sein. Wie kann man von uns, derartig unter-unterworfen, sagen, dass wir Personen sind? Fleisch/ Erde ist den Angriffen der globalen Verbesserung, des weltlichen Nießbrauchs ausgesetzt. Mit der Verbesserung produziert Hegel das Regelwerk, das Deregulierung genannt wird. Nichts wird der Entwicklung der „Rasse" im Weg stehen, nichts dem Rennen der Entwickler. Davor und durch es hindurch aufgereiht ist unsere Opazität, gegeben in und als unser *otium*, jene anteprogrammatische Unordnung, die R.A. Judy unsere Sprache nennt, aufgereiht, wie Fumi Okiji es tut und sagt, mit offenem Mund, in dem Fluch, der Verdammnis, der Unvollkommenheit, die wir teilen.

2.

In der Philosophie des Zen-Buddhismus ist das Ziel der Herz-Lehre *ji ji muge*, was mit „nicht blockiert" übersetzt werden kann. Nichts hält den Pfad, den Weg vom Fließen ab. Das Herz reist frei. Aber wenn das Herz frei reist, darf es sich nicht einbilden, dass es frei ist. Deshalb müssen wir *ji ji muge* auch mit „Nicht-Nicht-Blockade" übersetzen. Der Unterschied zwischen Nicht-Blockade und Nicht-Nicht-Blockade ist sowohl unendlich klein als auch unendlich. Doch wo ist diese Unterscheidung zu finden? Wir haben diese Unterscheidung in der Differenz zwischen Diversität und allgemeinem Antagonismus oder zwischen Berührung und Haptikalität oder vielleicht am ausdrücklichsten zwischen Logistik und Logistikalität gesucht.

Denn was soll man davon halten, wenn heute gerade die Wissenschaft der Logistik die Herz-Lehre des Zen-Buddhismus am meisten verwirklicht zu haben scheint? Es ist die Wissenschaft der Logistik, die vom unblockierten Fluss träumt und versucht, diese Träume in die Realität umzusetzen. Harte Logistik und weiche Logistik arbeiten zusammen. Das Yang der neuen Seidenstraße und das Yin des Algorithmus träumen gemeinsam davon, nicht blockiert zu werden.

Wenn dies wahr ist, sollten wir uns Sorgen machen. In ihren Ursprüngen und ihren zeitgenössischen Mutationen ist die Logistik eine regulierende Kraft, die sich gegen uns, gegen die Erde stellt. Logistik beginnt im Verlust und in der Leere. Und sie beginnt in einem grundlegenden Irrtum namens Raumzeit. Der Verlust, der das Eigentum ausmacht, konkret das Eigentum an Privatbesitz, der Verlust des Teilens, der Verlust der

Erde und die daraus folgende Gestaltung der Welt, geht einher mit dem Irrtum, dass das, was privatisiert worden ist, leer ist und durch das Eigentum selbst, durch die Eigenschaften gefüllt werden wird, durch die in es hineingelegten Eigenschaften. Diese Leere wird mit einem Inneren gefüllt werden. Diese Leere wird durch die Logistik bestätigt, durch die Mobilisierung, den kolonisierenden Trieb dieses Inneren, wo Eigentum in einen leeren Raum importiert wird.

Wiederum hat dies seinen Anfang bei Locke, oder zumindest können wir bei ihm wieder beginnen. Lockes Begriff des Geists als *tabula rasa* – oft als aufklärerische Bewegung weg von der Vorherbestimmung dargestellt – ist eine Projektion dieser Leere, die besessen und gefüllt werden muss. Damit diese Leere zu Privateigentum werden kann, muss sie mit den Koordinaten von Raum und Zeit gefüllt und in ihnen verortet werden. Der Raum entsteht als Abgrenzung dessen, was mein ist, und die Zeit beginnt mit dem Moment des Diebstahls und der Auferlegung, in dem es mein wurde. Der individuelle Geist und seine Reifung aus der *tabula rasa* heraus markieren diese erste Unterwerfung. Die aufklärerische Innerlichkeit entstand – um mit Hayden White zu sprechen – mit diesem *emplotment*, dieser Kerbung von Zeit und Raum, mit dieser Trennung von dem, was geteilt wird. Aber Innerlichkeit gibt es nur für den besitzenden Geist. Denn was es diesem Geist erlaubt, von sich selbst Besitz zu ergreifen, ist seine Fähigkeit, Eigentum zu fassen, als etwas, das er nun als jenseits seiner selbst setzt. Er hält das, wovon er weggenommen wird, für das, was er braucht, um sich selbst zu erschaffen, und er braucht es nicht nur, sondern begehrt es zwanghaft, unaufhörlich, unersättlich ohne Ende. Mit anderen Worten findet die Kerbung von Zeit und Raum in den Geist durch die Kerbung von Zeit und Raum auf der Erde statt, in einer Umwandlung von Leere in Welt, und gleichzeitig wird diese Kerbung als eine Erfüllung des Geists verstanden, als seine innere Bestimmung in und von dem, was nun als Körper begriffen werden kann. Ist es zu sprunghaft zu sagen, dass an dieser Stelle untrennbar Logik und Logistik beginnen?

Deshalb kann man den aufklärerischen Denker Locke nicht von Locke, dem über „Rasse" schreibenden Autor der berüchtigten Kolonialverfassung der Carolinas trennen. Eigentum war eine Rückkopplungsschleife – je mehr du besitzt, desto mehr besitzt du dich selbst. Je mehr Logistik du einsetzt, desto mehr Logik bekommst du; je mehr Logik du anwendest, desto mehr Logistik brauchst du. Wie Hortense Spillers sagt, war der transatlantische Sklavenhandel die Lieferkette der Aufklärung. Er war eine nie endende Suche und Unterwerfung, denn Eigentum ist immerwährender Verlust. Wenn Gilles Deleuze sagt, die Macht sei traurig, können wir das Gleiche vom Eigentum sagen, in dem das unmittelbarste Gefühl des Verlusts des Teilens liegt. Dieses Gefühl des Verlusts übersetzt sich in eine teuflische Besessenheit von Verlustprävention. Die Logistik entpuppt sich ebenso als Wissenschaft der Verlustprävention wie als Wissenschaft, Eigentum durch die Leere hindurch zu bewegen und auf ihrer Reise die Welt zu machen, indem sie sie füllt. Das bedeutet nicht, wie in der anarchistischen Tradition, dass wir im Gehen die Straße machen. Es geht darum, alles, was auf dem Weg liegt, in eine koordinierte Zeit und einen koordinierten Raum für das Eigentum zu verwandeln.

Durch solches Ergreifen, solches Erfassen, solche Verlustprävention operiert die Niederträchtigkeit des atlantischen Sklavenhandels, der ersten massenhaften, teuflischen, gewerblichen Logistik. Schon diese Rückkopplungsschleife des Eigentums erfährt mit jeder Kerbung einen weiteren Verlust, den Verlust des Teilens. Im Aufnehmen des europäischen Erbes von „Rasse“ und Sklaverei, das nach Cedric Robinson mit dem Klassenkampf in Europa in den Jahrhunderten direkt vor Locke entstand und bis in Lockes eigene Zeit hineinreichte, wird heute jedoch ein doppelter Verlust erlebt, eine Intensivierung der Rückkopplungsschleife des Eigentums (und dessen, was wir die Subjektreaktion nennen). Diese üble Kerbung der Afrikaner_innen wird als potenzieller Verlust von Eigentum erlebt, das fliehen kann. In diesem doppelten Verlust des Teilens – gegeben im Eigentum-Besitzen und in der Auferlegung des Eigentum-Seins – entsteht die tödlichste, den Planeten bedrohende Krankheit des Spezies-Seins: Weißsein. Und aus diesem Grund können wir sagen, dass Logistik die weiße Wissenschaft ist.

Das ist es, was viele Weiße – die Leute, die, wie James Baldwin sagt, denken, dass sie weiß sind oder dass sie es sein sollten – tun, wenn man sie sieht, wie sie geradewegs an einer Warteschlange vorbeigehen und sich niedersetzen, oder sich in die Mitte eines überfüllten Raums bewegen, oder lauter sprechen als die um sie herum, oder einen Gehweg blockieren, während sie mit ihrem kleinen Kind über „Wahlmöglichkeiten“ diskutieren. Indem sie aus Praxis Theorie machen, kerben sie sich, wie man es ihnen beigebracht hat, und etablieren die Raumzeit von Besitz und Selbstbesitz im Eigentum. Jeder Schritt, den sie tun, ist die Behauptung einer

Stellung, ein Herausstampfen der Welt aus dem irdischen Dasein in das rassifizierte kapitalistische Menschsein. Es wird umso ausgeprägter, je mehr es bedroht ist, verzehrt von seiner eigenen Rückkopplungsschleife, und es produziert immer schärfere Subjektreaktionen angesichts dieser Bedrohung. Das ist der alte/neue Faschismus: nicht die Anonymität des dem Führer Folgens, sondern die Subjektreaktion auf die Führung, die sich ebenso gut als liberale Abweichung von ihrem Ruf wie als vermeintliche Opposition zum repetitiven Locke'schen Gleichschritt ihres Rufs imaginieren kann.

In Zeit und Raum der Kerbung ist der kürzeste Abstand zwischen zwei abstrakten und dimensionslosen Punkten – die Leerstellen, die beschworen werden, um als Welt oder Welten oder Teile von Welt ge- und erfüllt zu werden – eine gerade und dimensionslose Linie. Mit etwas Einbildung ist das Schachtelnest der Natur eine Lieferkette, eine Handelspartnerschaft, ein Vorankommen von Handlangern im Gefolge eingebildeter Souveränität. Aus dieser engen Geometrie gehen die Grundbausteine der Wissenschaft der Logistik als brutalistische Geografie hervor. Das Problem des Handlungsreisenden betrifft die Frage, wie man diese Idee – dass die kürzeste Entfernung zwischen zwei Punkten eine gerade Linie ist – erweitern kann, wenn es mehrere Ziele und Haltepunkte gibt. Natürlich hat die Logistik oft erkennen müssen, dass diese leere Erde Blockaden enthält und ihr den Zugriff verwehrt. Aber die Wissenschaft baut sich auf, um diese Blockaden zu überwinden und diesen Zugriff durchzusetzen. Die Logistik zielt darauf ab, uns zu begradigen, uns zu entwirren und uns für ihren Nießbrauch, ihren verbessernden Gebrauch zu öffnen; ein solcher Zugriff auf uns verbessert wiederum die Flusslinie, die gerade Linie. Und was die Logistik für den kürzesten Abstand zwischen uns hält, erfordert, uns als Körper in den Raum zu kerben, wo Innerlichkeit auferlegt werden kann, selbst wenn die Fähigkeit zur Innerlichkeit verweigert werden kann, in der ständigen Messung und Regulierung von Fleisch und Erde.

3.

Wenn Shoshona Zuboff in *Das Zeitalter des Überwachungskapitalismus*[1] die Innerlichkeit gegen die räuberische Wirtschaftslogik des Überwachungskapitalismus verteidigen will, erfahren wir viel darüber, wie Logistik heute funktioniert. Zuboff argumentiert, dass die Informationstechnologie heute ihr Geld mit dem Sammeln, Abpacken und Verkaufen von großen Datenmengen über unser Alltagsverhalten verdient. Facebook oder Google verdienen also nicht, wie gemeinhin angenommen, Geld, indem sie mit Werbung auf deinen Geschmack oder dein Verhalten abzielen. Nach Zuboff haben sie kein Interesse an uns als Individuen, was aber nicht bedeutet, dass ihre Methoden nicht auch individuieren. Vielmehr sind es die gebündelten Daten, auf die es ankommt, weil sie nicht dazu verwendet werden, unsere Spuren zu verfolgen, sondern dazu, unser Verhalten zu verändern. Sie merkt außerdem an, dass das Eingreifen in die Bündel sogar noch wertvollere Datenbündel liefert. Facebook spioniert dich nur insofern aus, so Zuboff, als es uns ausspioniert; und wenn wir sein

1 Shoshona Zuboff, *Das Zeitalter des Überwachungskapitalismus*, aus dem Englischen von Bernhard Schmid, Frankfurt/Main, New York: Campus 2018.

Rohmaterial und sein Produkt sind, dann ist ihre Verwendung des Begriffs der primitiven Akkumulation gerechtfertigt. Problematisch ist, dass dieses Argument von einem Kapital ohne Arbeit auszugehen scheint, wobei die Arbeit durch einen Algorithmus ersetzt wird, der sich selbst ausgeführt haben wird. Von der italienischen Autonomia und von jahrhundertelanger afrikanischer Theoriebildung, die den Alptraum der totalen Subsumtion erfahren hat, den Zuboffs Annahme der abwesenden Arbeit erweitert, lernen wir allerdings, dass auch wir Rohmaterial, Produkt und Arbeit sind. Unsere Arbeit bringt diese ökonomische Logik, oder jede ökonomische Logik zum Laufen. Und was ist die Natur unserer Arbeit im Überwachungskapitalismus? Logistik. In der zwanghaften Selbstverwaltung „unserer" Klicks und Strokes hegen wir die Überdeterminierung, die von der Logistik festgelegt wird. Durch und als eine Reihe von Anwendungen, die wir anwenden – auf und unter einem Feld von Plattformen, die wir errichten –, konzentriert unsere Arbeit die Produktionsmittel immer weiter mit dem Ziel, uns schlicht und ergreifend daran zu hindern, uns umeinander zu sorgen, aufeinander zu schauen, und uns dazu zu bringen, uns gegenseitig anzusehen, was bedeutet, uns um sie zu sorgen.

Je mehr wir uns mit Zuboff – auch in ihrer Begrifflichkeit – auseinandersetzen, desto mehr stellen wir fest, dass die andere Seite der Modifizierung die Prävention ist. Einen Teil einer Bevölkerung in eine Richtung zu bewegen, bedeutet, sie daran zu hindern, sich in eine andere Richtung zu bewegen. Bald scheint es in dieser Logistik des Überwachungskapitalismus ebenso sehr um Blockade wie um Fluss zu gehen, was natürlich damit vereinbar wäre, dass wir nicht nur Rohmaterial, nicht nur Produkt, sondern auch vergesellschaftende Arbeit sind. In jedem Fall werfen die Blockaden des Überwachungskapitalismus, des logistischen Kapitalismus im Allgemeinen, eine Frage auf: Wenn ihre Logistik sowohl annimmt als auch vorgibt, dass die kürzeste Strecke zwischen zwei Punkten eine gerade Linie ist, was, wenn unsere Logistikalität, vor und gegen sowohl die Annahme als auch die Vorgabe, eine kürzere Strecke in einer Kurve improvisiert – oder nicht einmal in einer Kurve, sondern in einem Knick? Der Knick ist weder Kurve noch Kreis, geschweige denn Linie. Tatsächlich wird von einem Knick oft gesagt, er sei eine Blockade. Und was ist eine Sammlung von Knicken, oder ein Kollektiv von Knicken, wenn nicht eine Dread oder Jam? Schaust du mich aus? *Watch me? No, watch meh, motherfucker*.

Womit wir bei der Geschichte von Leonard Percival Howell wären.[2] Als ob Versklavung, Indentur und Herrschaft nicht schon genug gewesen wären, wurden die Imperialisierten auch noch mit Namen versehen. So zog Howell es vor, sich Gangunguru Maragh zu nennen, kurz Gong, oder noch kürzer Tuff Gong. Gong kam aus einem Ort namens Clarendon auf Jamaica. Nicht ganz Jamaica ist für den Zuckeranbau geeignet, aber dieser Teil schon. Nach der Abschaffung der Sklaverei behielten die Briten ihre böse Vorliebe für Süßes, und so verdoppelten sie, wie an so vielen Orten im Empire, das, was Édouard Glissant den „raketenartigen Nomadismus"

---

2 Wir entnehmen diese Kurzbiografie einem viel detaillierteren und anschaulicheren Text. Vgl. Michael A. Barnett, D.A. Dunkley, Jahlani A.H. Niaah (Hg.), *Leonard Percival Howell and the Genesis of Rastafari*, Mona: The University of the West Indies Press 2015.

der Konquistadoren nennt[3], in Clarendon mit den vom indischen Subkontinent Verschleppten, die in der kalten Logistik und den brutalen Algorithmen der Kolonialität angesiedelt, abgesiedelt, umgesiedelt und zugleich in ihr als Vertragsknechte zur Indentur verdingt wurden. Gong, der in Marcus Garveys Organisation gearbeitet und die Welt bereist hatte, war, nachdem er sich regelmäßig mit der anglikanischen Kirche in Jamaica angelegt hatte, auf der Suche nach einem antikolonialen Glauben. Er wusste, dass die Kirche – die Kirche der Logistik, das „Christentum" der Überwachung, die wahre Religion der Kolonialherrschaft – den Glauben, den er suchte, nie ertragen würde, jenen Glauben, den er fand und gründete, als er sich den aufständigen Obdachlosen seiner Heimat zuwandte. In den hinduistischen Vertragsknechten aus Indien sah er den Beweis, dass jedes Volk seine wahre Religion finden muss. Er verbrachte Zeit mit ihnen in Clarendon, beobachtete aufmerksam ihre Teezeremonien mit Ganja und ihre Ital-Diäten. Er nannte sich nach ihrer Sprache Gan oder Gyan für Weisheit, Gun für Glaube, Guru für Lehrer und Maragh für König. Bald machte sich Gangunguru Maragh daran, die aus seiner Sicht wahre Religion des schwarzen Menschen aufzubauen.

Er selbst trug nie Dreadlocks, aber mit seinen Dreads-tragenden Anhänger_innen gründete er in Sligoville ein Dorf namens Pinnacle, das die britischen Behörden als sozialistisch bezeichneten. Sie versuchten wiederholt, es zu zerstören, und sie sperrten Gong in ihre neu eröffnete psychiatrische Anstalt. Aber der Rastafarianismus konnte

3 *Nomadisme en flèche*, vgl. Édouard Glissant, *Poétique de la Relation. Poétique III*, Paris: Gallimard 1990, 24.

weder zerstört noch eingesperrt werden, was man bedenken sollte, wenn man in Slave Island, dem Vorort des alten Colombo in Sri Lanka sitzt. im 16. Jahrhundert hatten die Portugiesen Afrikaner_innen hierhergebracht, aber die Küste von Colombo und die von Ostafrika schauten immer schon wechselseitig aufeinander. Wie uns Vijay Prashad und May Joseph lehren, haben afrikanische Maharadschas auf Thronen in Indien gesessen, und der Handel und kulturelle Austausch zwischen Sri Lanka und Ostafrika ist uralt.[4] Und doch war es nicht diese gerade Strecke zwischen zwei Punkten, diese direkte Reise von Südasien nach Ostafrika, die Gong oder seine verdingten Genoss_innen in den Dörfern von Clarendon zurücklegten, um beieinander zu sein. Der Knoten, das Knäuel, die Umarmung; der Zug, die Jam, der Knick, auf den sie trafen und den sie trugen, ist die kürzere Strecke, wo *watch meh* bedeutet: schau mit mir eine Stunde lang, während wir uns noch einmal alle versammeln.

Das Zen-Herz reist ohne Blockade. Wir könnten aber auch sagen, es reist mit nichts, das es blockiert. Und wie wir zunächst aus der taoistischen Philosophie wissen, ist das Nichts nicht Leere. Es ist nicht Raum. Wenn das Zen-Herz durch das Nichts reist, ist das Nichts sein ständiger Begleiter. Das Nichts ist die Blockade, durch die es reist, auf der es steht, in der es hängt. Die Blockade, die aus der Nicht-Blockade eine Nicht-Nicht-Blockade macht. Nichts, Null, Knoten gibt dem Zen-Herz seine richtungslosen Richtungen,

---

4 Vgl. May Joseph, *Nomadic Identities. The Performance of Citizenship*, Minneapolis: University of Minnesota Press 1999, und Vijay Prashad, *Everybody was Kung Fu Fighting. Afro-Asian Connections and the Myth of Cultural Purity*, New York: Beacon Press 2002.

seine wandernden Synkopierungen, seine engmaschig-offenen pansynkretischen Praktiken, die uns Besuch und Erneuerung erlauben, indem sie uns dazu verpflichten. Der unschaubare Ort, den wir schaffen, wenn wir miteinander schauen, nachdem wir uns geweigert haben, einander auszuschauen, das eine und das andere verweigert haben, wird geteilt, entblockiert, entladen in einen Knick, die Nicht-Nicht-Blockade unseres gestrandeten Strangs.

Watch meh, kürzere Strecke, *ji ji muge*!

WIR WOLLEN EINE PRÄZEDENZ

1.

Unser Präsident, unser verblendeter und heruntergekommener und dämonischer Souverän, welche Form auch immer diese Abstraktion unserer abstrakten und völlig fiktiven Gleichwertigkeit angenommen haben wird, ist ein Punkt ohne Eigenschaften auf einer langen und hoffnungslos geraden Linie von billigen Imitaten. Es ist wie bei Richard von Bordeaux, der tun kann, was er will, außer sich selbst davon abzuhalten, zu tun, was er will, und der seine eigene Absetzung (getarnt als Serienmord, der den friedlichen Übergang der Macht und ihrer vulgären Zeremonien ausmacht) wie einen genetischen Makel mit sich herumträgt, wie die illegitimen, aber unvermeidlich vererbbaren Bolingbroke-Arschloch-Ambitionen, die ihn mit immer verkümmerteren Fähigkeiten zur Selbstreflexion zurücklassen. So dass in all seiner singulär fokussierten Begrenzung und Befähigung, im relativen Nichts des Gefängnisses, das er Welt nennt, der allumfassenden und vollkommen zu besiedelnden Sphäre, auf der er die ganze Zeit herumtrampelt, während er für einen unmöglichen Bogen tödlicher und unmöglicher Bilder posiert, unser Präsident, welchen auch immer ihr jemals wolltet oder nicht wolltet, einer nach dem anderen in merkbarem imperialem Niedergang, nur ein kranker, unsicherer Kopf in einer hohlen Krone ist, der uns dazu bringt, ihm beim Sprechen darüber zuzusehen, wie er uns töten wird, und uns dann dazu bringt, ihm dabei zuzusehen, wie er uns tötet.

2.

Was wir wollen, hängt, so sagt man gewöhnlich, immer damit zusammen, was wir nicht haben. Zoe Leonard hat darüber gesprochen, was wir wollen, allerdings auf eine schräge Art, im dimensionslosen Unendlichkeitsraum, in dem wir nicht einmal herumkriechen können, wenn wir uns durch das Reiben und Surren der Stadt als Espenhain im Spätherbst bewegen, in den Bergen, gehalten und nicht gehalten auf dem Grund des Meeres. Sie spricht über das, was wir wollen, im Verhältnis zu dem, was wir haben, wenn das, was wir haben, die ganze Erfahrung des Nicht-Habens ist, des geteilten Nichts, des Nichts-Teilens. Sie spricht über ein gemeinsames Unterprivileg, und aus ihm heraus, aus dem Privileg des gemeinsamen Untergrunds, in und aus dem Reichtum einer Prekarität, die von Hand zu Hand geht, wie eine sorgende Umarmung. Seht euch all den Reichtum an, den wir haben, sagt sie, darin, dass wir verloren haben, dass wir gelitten haben, dass wir gelitten worden sind, dass wir einander gelitten haben, als wären wir einander kleine Kinder, als wären wir ineinander verliebt, als hätten wir einander so sehr geliebt, dass die eine und der andere nur noch weggehen kann. Wir wollen eine_n Präsident_in, sagt Zoe, die das alles mit uns geliebt und verloren hat, die unser kleines Alles geteilt hat, unser kleines Nichts. So etwas, das allgemeine und generative Nichts, das mehr und weniger als politisch ist, wäre noch nie dagewesen, ohne Präzedenz. Vielleicht will sie gar keine_n Präsident_in, vielleicht will sie eine Präzedenz, das unendlich neue Ding des absoluten Nicht-Dings, seine Zen-Xenogenerosität, seine queere Reproduktivität, die als unregierte und unregierbare Sorge und Umarmung in der Abwesenheit eines Anfangs nicht aufhört anzufangen.

3.

Ist es möglich, das zu wollen, was man im Leiden geworden ist, sowohl in der Abwesenheit des Wahlrechts als auch in seinen Tiefen, ohne das zu wollen, was es ist, zu leiden? Kann man wollen, was es ist, alles zu sein, und wollen, was es ist, ganz zu sein, ohne zu wollen, was es ist, vollkommen, komplett, fertig zu sein? Ist es möglich, die allgemeine Unvollkommenheit zu begehren, ohne dieses scheinbar unerträgliche Verlangen, durchbohrt, zerrissen, gebrochen zu werden? Anstelle der_s Präsident_in, die wir wollen und nicht wollen, haben wir Cedric Robinson, den wir erst vor kurzem verloren haben. Er schreibt:

> Würde ein Dämon oder Gott uns zu einem boshaften Spiel nötigen, in dem wir eine Transgression gegen Nietzsche erdenken, die so tief und grundlegend für sein Naturell und sein Projekt ist, dass sie den Boden aufbricht, auf dem seine Philosophie steht, könnte man es nicht besser tun als mit folgender Konstruktion: eine Gesellschaft, in deren Matrix zum Zweck der Aufhebung und Neutralisierung jener Kräfte, die der individuellen Autonomie entgegenstehen, die konstruierte Realität eingewoben ist, dass *alle gleichermaßen unvollkommen sind.* Hier wird um eine Logik gerungen. Ist es nicht so, dass das Entstehen der Macht als Instrument der Sicherheit in der menschlichen Organisation von vielen als *Folge* und *Antwort* auf die Verhältnisse von Ungleichheit und gefühlter gesellschaftlicher

> Entropie gesehen wird? Wird nicht individuelle Autonomie, selten genug unter der ersten Bedingung und gefährdet durch die zweite, in der endgültigen Konstruktion entfremdet? Und erfordert die Aufrechterhaltung der Autonomie nicht sogar logischerweise ein Gewächshaus der Sicherheit, ähnlich dem, das für die Entwicklung der Macht erforderlich ist – ist also Autonomie nicht in gewissem Maße eine Variante der Macht?
>
> Dann würde das Prinzip der Unvollkommenheit – als Abwesenheit von abgetrennter organistischer Integrität –, wenn es in einer Metaphysik den Platz der Ungleichheit in der politischen Philosophie einnehmen würde, der menschlichen Gesellschaft ein Paradigma zur Verfügung stellen, das subversiv wäre gegenüber der politischen Autorität als archetypischer Lösung, als Vorschrift für die Ordnung.[5]

Wie können wir die US-amerikanische Demokratie – die Brutalität unserer Verbesserung, die Bösartigkeit der Weisen, wie von uns Gebrauch gemacht wird – besser verstehen denn als die Praxis des privatisierten Interesses an Ungleichheit, ausgedrückt in der Theorie der abstrakten Gleichheit jedes vollkommenen Individuums, deren ständige Wiederholung brutal das allgemeine Interesse an einer Gleichheit reguliert, die in und als eine absolute Unvollkommenheit gegeben ist, die sich der Individuierung entzieht? Wie können wir begreifen, dass die gegenseitige Interinanimierung unserer Knechtschaft und unserer Freiheit – und damit unseres Liberalismus und unseres Protests – die metaphysische Grundlage einer nationalen politischen Philosophie ist, die *wir unter*

---

5 Cedric J. Robinson, *The Terms of Order. Political Science and the Myth of Leadership*, Chapel Hill: University of North Carolina Press 2016, 196f.

Missachtung der von uns gewollten Präzedenz in Anspruch nehmen? Wie können wir diesen Anspruch von uns weisen, nachdem wir gelernt haben zu wollen, dass die Ordnung, von der unser erzwungenes Begehren abgeleitet ist, in der Unordnung von Allem (Nichts), was wir haben, ersäuft? Wie können wir die Physik unserer Umgebung intensiver fühlen, unsere soziale Ästhetik, die Schwerkraft unserer Liebe und unseres Verlusts, unsere geteilte, radikal ausgelotete, radikal gesendete Unvollkommenheit? Was würde es bedeuten, wenn wir sagen würden, dass wir zur Politik keine Haltung einnehmen können – selbst nicht die alte und ehrenwerte „Ich wähle nicht, weil ich Marxist_in bin"-Position? Was wäre, wenn wir sagen würden, dass wir keine Optionen haben, dass wir hier nicht einmal die Option keiner Option haben? Wir denken, das wäre gut. Zoe lässt uns loslegen: *Weg*zudenken von dem, was wir wollen, bedeutet, mit Leichtigkeit das Nicht-Sein und das Nicht-Haben zu bewohnen, *hier*.

NIESSBRAUCH UND GEBRAUCH

1.

Die Idee, dass die Moderne streng genommen die Globalisierung Europas ist, nennt Tsenay Serequeberhan den Prätext der europäischen Aufklärung, jenen „metaphysischen Glauben oder die Idee, dass die europäische Existenz anderen Formen des menschlichen Lebens qualitativ überlegen ist".[6] Dieser metaphysische Glaube ist in der Idee von Europa als geografischer und geopolitischer Verkörperung und Ausnahme begründet. Die europäische Ausnahme ist zweifellos genau untersucht worden. Kritiker_innen des Kolonialismus und seiner zügellosen Episteme, allen voran Sylvia Wynter, haben festgestellt, dass man das sich selbst besitzende, die Erde besitzende Individuum nicht produzieren kann, ohne die Figur des Menschen zu produzieren, dessen wesenhafte Inhumanität in seinem rastlosen Theoretisieren und Praktizieren von „Rasse" offensichtlich wird. Denn wie könnte ein sich selbst besitzender, erdbesitzender Mensch *nicht* zu einer sich selbst besitzenden Gruppe gehören, die in und auf einer sich selbst besitzenden Welt instanziiert ist, einem absoluten und zugleich expansiven Ort? Die sich selbst besitzende, die Erde besitzende Gruppe grenzt sich von anderen Gruppen ab – insbesondere, und das ist das Wesentliche, durch gewaltsame

6 Tsenay Serequeberhan, „The Critique of Eurocentrism and the Practice of African Philosophy", in: Emmanuel Chuckwudi Eze (Hg.), *Postcolonial African Philosophy. A Critical Reader*, Cambridge: Blackwell 1997, 143 und 142.

Speziation jener Gruppen, die (sich selbst und die Erde) nicht besitzen. Die Kosten dieser Speziation, die sich durch Invasion und Einschließung vollzieht, fallen denjenigen zu, denen die, die eins sein wollen, auf Grundlage von Blut und Boden die Zugehörigkeit versagen – denjenigen, deren Versagen dabei, Ausnahme zu sein (sein zu wollen), ein sub- oder voreuropäisches (südliches oder östliches oder *negro*- oder Immigrant_innen- oder Terrorist_innen-)Problem darstellt. Was bedeutet es, sich einzubilden, man sei (Ausnahme) geworden? Es wird für Europa das Geschenk seines eigenen, insularen und zugleich unbegrenzten Orts gegeben haben, und seiner eigenen singulären und unterteilbaren Zeit. Diese transzendentale Vergütung, in der die Gabe als das Gegebene und das Gegebene als die Gabe konzeptualisiert wird, wird Europa (die) Welt als Ort und Zeit der Ausnahme gewährt haben. Aber jemand wird Europa ausgenommen haben müssen, um den ständig entstehenden Zustand seiner Ausnahme zuzulassen, um seinen politisch-theologischen Grund und dessen Atmosphäre zu sakralisieren. Jemand wird Europa (den Europäer_innen) die Fähigkeit gegeben haben müssen, eins zu sein. (Irgend-)Jemand wird dem Menschen die Fähigkeit gegeben haben, eins zu sein, eine Vollkommenheit, die gewesen sein wird, als wäre sie gegeben. Nicht trotz, sondern gerade deswegen sprechen wir in Anlehnung an Frantz Fanon von demselben „Europa, das nicht aufhört, vom Menschen zu reden", als einer „Lawine von Morden", einer blutigen Geschichte der Sklaverei und des Kolonialismus, die nahelegt, dass die Ausnahme immer nur unzureichend gewährt und unfreiwillig angenommen wird, dass sie das illusorische Objekt der Unfähigkeit eines leeren Willens zur Selbstbestimmung ist.

Wenn die Behauptung der europäischen Ausnahme ihre Un/Möglichkeitsbedingung ist, dann ist die Lawine der Morde die expressive Ausführung dieser Behauptung.

Die Ausnahme ist eine Kategorisierung, die man sich nur um den Preis der Einbildung erlaubt, dass sie von einem Anderen gewährt wurde. Den eigenen Exzeptionalismus zu deklarieren, bedeutet nicht, sich selbst auszunehmen, auszuschließen oder zu entschuldigen, das alles sind transitive Konstruktionen. Der Exzeptionalismus imaginiert das Intransitive und schreibt die Handlung Anderen zu, und, was noch wichtiger ist, er schreibt eine ursprüngliche Art von Macht jemand anderem zu. Und hier sehen wir, wie der Prätext, den Serequeberhan identifiziert, tatsächlich in einem doppelten Sinne vor-gegeben ist – er muss gegeben sein, aber um gegeben zu sein, muss er auch gewährt worden sein. Hier gibt es keinerlei Dialektik. Vielmehr könnten wir sagen, dass nur der Europäer jemals sowohl Herr als auch Sklave gewesen ist. Das ist sein Drama. Es wird im Körper gespielt und in der Welt, die er haben muss, aufgeführt. Die Ausnahme wird eine Macht gewesen sein, die von einem Anderen an Selbste gegeben wurde, die, indem sie die Macht und das zu ihr gehörige Wissen annahmen, in diesem Geben und Nehmen ihre eigene Bestätigung erhalten haben sollen. Aber der Prätext ist nie wirklich begründet, nie wirklich gewährt, nie wirklich gegeben. Europa wird immer wieder durch das abgeschafft, was es zu umhüllen sucht, was seinerseits und außer der Reihe Europa umhüllt. Was den Europäer selbst in seiner Mitte umgibt, ist die einheimische Informant_in, die Gayatri Spivak als einen Gründungstext für eine Welt der Ausnahme identifiziert, gegen, aber dennoch innerhalb des allgemeinen Antagonismus von irdischer Anarrhythmie und Verlagerung. Die Paradoxie des Prätexts besteht also darin, dass das Ausnahmesein ebenso wenig genommen wie gegeben und ebenso wenig beansprucht wie gewährt werden kann. Diese Gleichzeitigkeit von Herr-Sein und Sklave-Sein ist der statische, omnizidale Niedergang der Souveränität. Das ist es, was es bedeutet, an den Kampf um die Freiheit gekettet zu sein, ein „rationales" Instrument, das an Ort und Stelle Amok läuft, als die ewig erstarrte Bewegung des Menschen.

2.

Was bedeutet es, für Verbesserung einzutreten? Oder noch schlimmer, für das einzutreten, was im Geschäftsleben „Verpflichtung zur kontinuierlichen Verbesserung" heißt? Es bedeutet, für die brutale Speziation von allem zu stehen. Für die Speziation einzutreten, ist der Beginn eines teuflischen Nießbrauchs. Die Verbesserung kommt zu uns durch eine Innovation im Landbesitz, wo das individuelle Eigentum, abgeleitet aus der Steigerung der Produktivität des Bodens, im immerwährenden und damit festgesetzten Werden der Miniatur der Ausnahme gegeben ist. Das heißt, dass die Fähigkeit zu besitzen – und das erste Derivat dieser Fähigkeit, der Selbst-Besitz – von Anfang an mit der Fähigkeit verwoben ist, produktiver zu werden. Um verbessert zu werden, produktiver gemacht zu werden, muss das Land gewaltsam auf seine Produktivität reduziert werden, auf die regulative Minderung und Verwaltung der irdischen Generativität. Speziation ist diese allgemeine Reduktion der Erde auf Produktivität und die Unterwerfung der Erde unter

Herrschaftstechniken, die bestimmte Produktivitätssteigerungen und -beschleunigungen isolieren und erzwingen. In dieser Hinsicht zwingt der (notwendigerweise europäische) Mensch in und als Ausnahme die Speziation sich selbst auf, in einer Operation, die ihn der Erde ent- und ausnimmt, um seine vermeintliche Herrschaft über sie zu bestätigen. Und so wie die Erde gewaltsam spezifiziert werden muss, um in Besitz genommen zu werden, muss der Mensch sich selbst gewaltsam spezifizieren, um diese Art von Besitz zu vollziehen. Das heißt, dass die Rassifizierung in der Idee der Herrschaft über die Erde selbst präsent ist, in der Idee und im Vollzug der Ausnahme, in den Grundzügen des Besitzes durch Verbesserung. Formen der Rassifizierung, die Michel Foucault, wie auch in besonderer Weise und am anschaulichsten Cedric Robinson im mittelalterlichen Europa identifizieren, werden mit dem modernen Besitz durch Verbesserung *nießbrauchbar* gemacht. Spezifizierte Menschen werden endlos verbessert durch die endlose Arbeit, die sie auf ihrem endlosen Weg zur Menschwerdung leisten. Dies ist der Nießbrauch des Menschen. Eigentumsrechte an Land an die Steigerung seiner Produktivität zu knüpfen, bedeutete im frühneuzeitlichen England, die Biodiversität zu beseitigen und eine Spezies zu isolieren und zu züchten – Gerste oder Roggen oder Schweine. Lokale Ökosysteme wurden aggressiv umgestaltet, sodass die monokulturelle Produktivität die anakulturelle Generativität erstickte. Die entstehende Beziehung zwischen Speziation und Rassifizierung ist die eigentliche Konzeption und Konzeptualisierung des Siedlers. Der Erhaltung dieser Beziehung gilt seine Nachtwache und sein Feierabend. Für den Einschließer wird Besitz durch Verbesserung hergestellt – das betrifft Landbesitz wie Selbstbesitz. Die Aufklärung ist die Universalisierung/Globalisierung des Imperativs zum Besitz und des daraus resultierenden Imperativs zur Verbesserung. Diese Produktivität muss sich jedoch immer mit ihrer widersprüchlichen Verarmung auseinandersetzen: mit der Zerstörung ihrer Biosphäre und ihrer Entfremdung in oder sogar von ihrer Verwicklung, die beide zusammen die Liquidierung des menschlichen Differenzials sicherstellen, die bereits in der Idee des Menschen selbst, in der Ausnahme, gegenwärtig ist. Für eine derartige Form der Verbesserung einzutreten, bedeutet die Beschwörung einer Politik, die der Differenz, also dem Reichtum, dessen gleichzeitige Zerstörung und Akkumulation die Politik operationalisieren soll, Entleerung zuschreibt. Diese Zuschreibung eines vermeintlich wesentlichen Mangels, einer unvermeidlichen und vermeintlich natürlichen Minderung, wird Seite an Seite mit der Auferlegung von Besitz-durch-Verbesserung durchgesetzt. Politik zu machen bedeutet, jedem und allem Speziation aufzuerlegen, Verarmung im Namen der Verbesserung aufzuzwingen, das universelle Gesetz des Nießbrauchs des Menschen zu beschwören. In diesem Kontext ist die kontinuierliche Verbesserung, wie sie mit der Dekolonisierung und insbesondere mit der Niederlage des nationalen Kapitalismus in den 1970er Jahren aufkam, die kontinuierliche Krise der Speziation in der Umgebung des allgemeinen Antagonismus. Das ist der Widerspruch, den Robinson ständig beschwört und mit jener Art von tiefem und feierlichem Optimismus analysiert hat, der aus dem Mitsein und aus dem Dienst an deinen Freund_innen kommt.

3.

Am Ende des Films *Devil in a Blue Dress*, der auf dem gleichnamigen Roman von Walter Mosley basiert und den Robinson uns mit Freude lesen und sehen lehrte, erscheint deutlich das persistente Leben – das unter der Herrschaft der Speziation überlebt; das die Speziation umgibt, die es umhüllt; das die Speziation verletzt, von der es durchzogen ist; das die Speziation vorwegnimmt, die sein Ende ist – eines Viertels mit gepflegten Rasenflächen, kleinen Familienhäusern und den Schwarzen, die darin leben. Die letzte Zeile des Films verleugnet und bestätigt zugleich die permanente Krise der Speziation. „Ist es falsch, mit jemandem befreundet zu sein, von dem man weiß, dass er schlechte Dinge getan hat?“, fragt der Protagonist des Films, Easy Rawlins. „Alles, was du hast, sind deine Freund_innen“, antwortet Deacon Odell. Das ist richtig. Das ist alles. Morgen könnte die Polizei wiederkommen oder die Bank, und die Gewalt der Speziation mitbringen, gegen die es nur diese konstante und allgemeine Ökonomie der Freundschaft gibt – nicht die Verbesserung, die in Eins-zu-eins-Beziehungen gegeben sein wird, sondern die militante Bewahrung dessen, was du (verstanden als wir) hast, in gemeinsamer Enteignung, die die einzig mögliche Form des Besitzes ist, des exzessiven Habens von jeder_m Habenden. Weder die Globalisierung des Besitzes durch Verbesserung noch das Erreichen des Ausnahme-Seins ist möglich. Wir leben die Brutalität und in der Brutalität ihres Scheiterns, das ein Scheitern in und als Derivation ist. Außerdem ist die souveräne Deklination (die in einer Variation von Silvas Grammatik als Gott: Patriarch – Besitz-Individuum – Bürger_in gegeben ist) ein Derivat – ein starres, verdinglichtes, verbrieftes Verständnis von Differenz. In der Zwischenzeit erinnert uns *Devil in a Blue Dress* in den Szenen, die konstant auf Easys Veranda, in Joppys Bar und in John's Place (dem illegalen Club über Hattie Maes Lebensmittelladen) spielen, immer wieder daran, dass es darum geht, wie Manolo Callahan sagen würde, unsere Gewohnheiten der Versammlung zu erneuern, was eine Wende, einen Schritt weg vom Derivat bedeutet. Wir studieren nicht das Scheitern, genauso wenig wie Easy irgendeinen Job studiert. Wir versuchen nicht, in die Deklination einzutreten, die das initiiert, was sie impliziert: die (notwendigerweise gescheiterte) Trennung, Speziation und Rassifizierung – die Einschließung und Besiedlung – der Erde. Das Spiel ist, wie Callahan und Nahum Chandler uns lehren, die Entsedimentierung, die Entblätterung, die Erneuerung der irdischen und untrennbaren Versammlung, der gewohnten Jam, durch und in der Differenzierung dessen, was weder geregelt noch verstanden werden wird. Alles, was wir haben, sind wir in diesem fortwährenden Weggeben von allem. Und, wie auch Robinson großartig Sorge trug, uns in seiner kritischen Bewunderung von Easys Freund Mouse zu lehren, der immer im Begriff ist, jemandem die Nase wegzublasen, hängt alles von unserer Bereitschaft ab, es zu verteidigen.

4.

In der berühmten Passage über die Sklaverei in den *Grundlinien der Philosophie des Rechts* erscheint das „noch nicht" des Universellen – die Phase der bloßen

„Natürlichkeit der Menschen" – als ein zweifelhaftes und unbrauchbares Heilmittel:

> Hält man die Seite fest, dass der Mensch an und für sich frei sei, so verdammt man damit die Sklaverei. Aber dass jemand Sklave ist, liegt in seinem eigenen Willen, so wie es im Willen eines Volkes liegt, wenn es unterjocht wird […]. Die Sklaverei fällt in den Übergang von der Natürlichkeit der Menschen zum wahrhaft sittlichen Zustande; sie fällt in eine Welt, wo noch ein Unrecht Recht ist. Hier *gilt* das Unrecht und befindet sich ebenso notwendig an seinem Platz.[7]

Dieses „noch nicht" des Universellen, der Weltgeschichte, wird anschließend verstärkt, wenn Hegel sagt: „Aus derselben Bestimmung [des absoluten Rechts] geschieht, dass zivilisierte Nationen andere, welche ihnen in den substanziellen Momenten des Staats zurückstehen […], als Barbaren […] betrachten und behandeln."[8] Zunächst wendet sich Hegel aber sofort von der ersten Passage ab und den Themen der „Besitznahme" und des „Gebrauchs der Sache" zu. Diese „natürliche Wesenheit" – die Sache – existiert nur für ihren Besitzer, denn da „diese realisierte Äußerlichkeit der Gebrauch oder die Benutzung, die ich von ihr mache, ist, so ist *der ganze Gebrauch* oder Benutzung *die Sache in ihrem ganzen Umfange*".[9] Doch dann stößt Hegel, gerade nachdem er paradoxerweise die notwendige Rechtschaffenheit des notwendigen Unrechts der Sklaverei in der fortschreitenden Geschichte behauptet hat, auf ein Problem.

---

7 G.W.F. Hegel, *Grundlinien der Philosophie des Rechts,* Frankfurt/Main: Suhrkamp 1986, 126.

8 Ebd., 507f.

9 Ebd., 130.

> Wenn der ganze Umfang des Gebrauches mein wäre, das abstrakte Eigentum aber eines anderen sein sollte, so wäre die Sache als die meinige von meinem Willen gänzlich durchdrungen und zugleich darin ein für mich Undurchdringliches, der und zwar leere Wille eines anderen.[10]

Hegel nennt dies ein Verhältnis des „absoluten Widerspruchs" und führt dann die römische Idee des *usufructus*, des Nießbrauchs ein.[11] Theoretisch geht es ihm um das feudale Eigentumsrecht mit seinem geteilten Besitz. Zugleich geht es ihm auch um denjenigen in der „Natürlichkeit der Menschen", der es verabsäumt hat, sich, wie Hegel es in der Betrachtung, die dem Abschnitt über die Sklaverei vorausgeht, formuliert, „in Besitz" zu nehmen und „das Eigentum seiner selbst" zu werden.[12] Nießbrauch erfordert es, dass diese natürliche Entität dem Aspekt ihrer Nützlichkeit, „dem *Utile* [...] nachgesetzt wird".[13] Hegel spricht von römischem und feudalem Eigentum, aber sein Anliegen ist die Weltgeschichte,

---

10 Ebd., 131f.

11 Vgl. ebd., 132: „In den *Institutiones*, libr. II, tit. IV, ist gesagt: 'Ususfructus est ius *alienis* rebus utendifruendi salva rerum *substantia*.' Weiterhin heißt es ebendaselbst: 'ne tamen in universum *inutiles* essent proprietates *semper* abscendente usufructu, *placuit*, certis modis extingui usumfructum et ad proprietatem reverti.' – *Placuit* – als ob es erst ein Belieben oder Beschluss wäre, jener leeren Unterscheidung durch diese Bestimmung einen Sinn zu geben. Eine proprietas *semper* abscendente usufructu wäre nicht nur inutilis, sondern keine proprietas mehr." Die Übersetzung der lateinischen Stellen lautet: „Nießbrauch ist das Recht, eine *fremde* Sache zu gebrauchen und Früchte aus ihr zu ziehen unter Erhaltung der *Substanz* der Sache." – „Damit die Besitztümer durch *fortwährende* Trennung vom Nießbrauch nicht überhaupt *unnützlich* seien, *ist festgelegt worden*, dass der Nießbrauch unter bestimmten Umständen erlischt und zum Besitztum zurückkehrt."

12 Ebd., 122.

13 Ebd., 133.

diese (notwendigerweise europäische) Welt, in der ein Unrecht noch immer Recht ist. Es geht ihm um die Frage, wie man zu eigenem Eigentum wird, und um den Nießbrauch, der dieses Projekt initiiert und irritiert. Es ist ein illusorischer und undurchdringlich leerer Wille, der die Verbesserung gewährt und heimsucht.

5.

In dem Moment, wo man sagt, es ist meins, weil ich daran gearbeitet und es verbessert habe, oder man sagt, ich bin ich, weil ich an mir gearbeitet und mich verbessert habe, beginnt man einen Krieg. Und indem man den Ursprung dieses Kriegs fälschlicherweise der Natur zuschreibt, schreibt man diesen Krieg dann als (Anti-)Gesellschaftsvertrag fest.

Der (Anti-)Gesellschaftsvertrag und die Öffentlichkeit, die er schafft, sind, so sagt man, eine Reaktion auf Feudalismus und Absolutismus. Aber das ist nur die halbe Wahrheit, und sie ist noch dazu recht ungenau. Vielleicht ist es besser, sich den (Anti-)Gesellschaftsvertrag so vorzustellen, dass er, wie Angela Mitropoulos sagt, nicht in Opposition zum Absolutismus entstand, sondern als Demokratisierung der Souveränität. Selbst das mag eine ungewollt anarchische Qualität gehabt haben, wenn sich jeder Mann als König betrachtete. Aber der (Anti-)Gesellschaftsvertrag reagiert nicht nur auf den Absolutismus und reflektiert ihn zugleich, indem er jedes Haus, jedes Schloss, jede Hütte zu einem Spiegelkabinett macht, sondern er taucht auch als eine Möglichkeit auf, die Gewalt des europäischen Menschen zu erklären und zu rechtfertigen. Von Adam Ferguson bis

Immanuel Kant versuchen alle zu erklären, warum die Afrikaner_innen, Asiat_innen und indigenen Völker, die ausgerottet und versklavt werden, um so viel weniger kriegerisch sind als die Europäer_innen. Die Kreuzzüge verleiteten die Europäer_innen zu dem Glauben, ihre Brutalität sei Teil des Menschseins und keine Ausnahme, auch wenn sie gerade durch den Religionskrieg auf den Geschmack von Blut kamen, den sie nicht ignorieren konnten. Der (Anti-)Gesellschaftsvertrag entsteht also weniger, um dem Absolutismus entgegenzutreten, als vielmehr, um den offensichtlichen historischen Exzeptionalismus der europäischen Barbarei einzuhegen. Offensichtlich konnte die Welt nicht um Gut und Böse herum geordnet werden, ohne dass das verheerende Folgen für Europa gehabt hätte. Diejenigen, die den (Anti-)Gesellschaftsvertrag entwerfen, verkennen die Kriege, die er auslöst: Kriege der Souveräne gegen die Vertragspartner_innen, der Vertragspartner_innen untereinander und der Vertragspartner_innen gegen diejenigen, die Bryan Wagner als „dem Tausch unterworfen, aber nicht Partei des Tausches“[14] beschreibt, die, die nicht eins sind, die unzählbar und nicht haftbar sind, selbst wenn sie akkumuliert, selbst wenn sie finanzialisiert worden sind. Vielleicht wäre der (Anti-)Gesellschaftsvertrag in dieser Hinsicht sogar besser als etwas zu verstehen, das gegen eine Geschichte der Revolte auftrat: Die Bauernaufstände, die den europäischen Feudalismus zu Grabe trugen und die Robinson als „sozialistischen Austausch“ versteht, der den anthropologischen (Unter-)Grund des Marxismus ausmacht, sind

14 Bryan Wagner, *Disturbing the Peace. Black Culture and the Police Power after Slavery,* Cambridge: Harvard University Press 2009, 1.

die Revolte der Natur, die von jenen betrieben wird, die für die Natur einstehen sollen, nachdem sie philosophisch in einen im Wesentlichen paradoxen Naturzustand zurückversetzt wurden durch diejenigen, die die Unterordnung der Natur unter und innerhalb der sozio-ökologischen Katastrophe der Verbesserung zu organisieren versuchen.

Das heißt wiederum, dass die politische Hälfte der Geschichte, in der der Gesellschaftsvertrag als Verbesserung und nicht als deren ge(n)ozidale Auferlegung verstanden wird, falsch und unvollkommen ist. Der (Anti-) Gesellschaftsvertrag ist nicht nur eine politische Theorie, sondern auch eine ökonomische Praxis: die Praxis der rechtlichen Regulierung und Antisozialisierung des Tausches in der Auferlegung der Verbesserung. Der Gesellschaftsvertrag spezifizierte insbesondere die Individuierung seiner Parteien. Nun müssen Individuen sich formieren, um einen Vertrag eingehen zu können. Und der ökonomische Vertrag entsteht nicht im Tausch, sondern aus der Idee, dass Eigentum von der Verbesserung kommt. Folglich ist es nicht einfach das Individuum, sondern das zur Selbstverbesserung fähige Individuum, das den Vertrag eingehen muss und kann. Das sich selbst verbessernde Individuum kann auch als das sich selbst akkumulierende Individuum gedacht werden: nicht besitzend (das ist Stillstand ohne Bewegung), nicht erwerbend (das trägt immer noch die Spur des anarchischen Tausches), sondern selbst akkumulierend – das heißt, Eigentum sammelnd, um das Eigentum zum Einsatz zu bringen, einschließlich und vor allem Eigentum in Form der Eigenschaften des Selbst, die eingesetzt und verbessert werden können, während sie als ewig und absolut gesetzt werden. „Eigenschaften des Selbst" ist hier kein

Wortspiel. Zu den Eigenschaften, die akkumuliert und zum Einsatz gebracht werden können, gehören „Rasse", Religion und Geschlecht, aber auch Klasse, Ansehen, Vertrauen, Sparsamkeit, Zuverlässigkeit und Pünktlichkeit. All diese Eigenschaften können zur Verbesserung verwendet werden, wobei Verbesserung bedeutet, zu besitzen und noch mehr zu besitzen, und so eine weitere Anhäufung von sich selbst, anderen und der Natur in Gang zu setzen, um das alles zum Einsatz bringen zu können.

Vielleicht kann man es so formulieren: Eigentum entsteht in Europa als Nießbrauch, in der Verbesserung des Bodens, die es gewährleistet und rechtfertigt. Es wird durch das Regime erweitert und verbreitet, das der Gesellschaftsvertrag im Selbstbesitz definiert, der seine vollendete Form im Individuum angenommen haben wird – jene brutale, spröde Kristallisation einer immer und notwendigerweise unvollkommenen Verschmelzung von Subjekt und Objekt. Unablässig an der Aufgabe arbeitend, alles, einschließlich sich selbst, der Arbeit zu unterwerfen, ist der Europäer der Nießbrauch des Menschen. Die endlose Verbesserung des Menschen, in der die Notwendigkeit als absolute Kontingenz erzwungen wird, ist im europäischen Denken auf das bösartige Erfassen seiner Objekte, einschließlich seiner selbst, fixiert. Die geschichtliche Entfaltung dieser Fixierung auf das Fix(ier)en, das mörderische Wechselspiel von Vereinnahmung und Verbesserung, ist in und als Gewalt der *Selbst*verbesserung in der *Selbst*akkumulation gegenüber all dem gegeben, was sich beim Rendezvous von Differenzierung, Unvollendung und Affizierung zeigt. Die sich ständig verändernde Aktivität dessen, was dem, was als das Selbst erscheint, als kontinuierliche

Demontage der Idee des Selbst selbst und seiner ewig prospektiven Vervollkommnung-in-Verbesserung erscheint, kann aus der kurzsichtigen und unmöglichen Perspektive des Selbst nur mit einer widerlichen Kombination aus Regulierung und Akkumulation beantwortet werden. Derjenige, der akkumuliert, tut dies auf Kosten dessen, was er für seine Anderen hält – Frauen, Sklav_innen, Bäuer_innen, Tiere, die Erde selbst. So ist der Gesellschaftsvertrag als Vertrag zwischen den Verbessernden und Akkumulierenden in das Fleisch derjenigen eingeschrieben, die nicht Partei des antisozialen Tauschs unter den Bedingungen des antisozialen Vertrags, des (Anti-)Gesellschaftsvertrags sein können und sich auf jeden Fall weigern, es zu sein. So sehr die Vertragspartner_innen in einer Strategie vereint sind, alles dem Nießbrauch zu unterwerfen, was für den antisozialen Tausch keine (zählbare, individuierte) Partei sein kann oder sein wird, so sehr widmen sie sich in der Zwischenzeit auch dem gegenseitigen Töten, dem Krieg in und als ihrer geliebten Öffentlichkeit, der im Namen der Verbesserung dieser Öffentlichkeit und ihrer Probleme – das heißt ihrer Bewohner_innen – geführt wird. Der Krieg des sich selbst akkumulierenden Individuums, seine totale Mobilisierung gegen die Unzählbaren und gegen seine Nächsten unter dem Zeichen des Eigentums als Verbesserung, um einen Rückfall ins Natürliche zu verhindern, lässt gerade die Prämisse des (Anti-)Gesellschaftsvertrags unersetzlich werden.

Und jeder Untervertrag innerhalb des (Anti-)Gesellschaftsvertrags muss zur Verbesserung führen. Es geht nicht darum, dass beide Parteien mit dem, was sie getauscht haben, zufrieden sind. Ein solcher Vertrag ist nicht einfach nur schlecht gemacht, sondern steht im

Widerspruch zur gewünschten Identität der Vertragspartner_innen. Und hier können wir es andersherum formulieren: Der Gesellschaftsvertrag wurde von den politischen Theoretikern auch als Vertrag zwischen denjenigen entworfen, die zur Selbstverbesserung fähig sind, oder zu dem, was sie Fortschritt nannten, und deshalb war er im Wesentlichen destruktiv gegenüber Vorstellungen von Tausch, die man bei feudalen Rebell_innen antrifft (Robinsons *An Anthropology of Marxism* ist hier aufschlussreich) oder jenen, die man bei Afrikaner_innen antrifft, die gewöhnlich lieber woanders hinzogen, als in einen Konflikt einzutreten, um eine Verbesserung zu erreichen (Robinsons *Black Marxism* ist hier aufschlussreich).[15] Ferguson und Kant sagen beide, dass es im Krieg um die Verbesserung der europäischen „Rasse" geht. Und Robinson lehrt uns, dass dies als gewaltsame innereuropäische Rassifizierung der Differenz vollzogen wird, ein fortwährend barbarisches Fest, in dem Invasion und die Instanziierung der Verbesserung als militärisch erzwungene Äußerlichkeiten zuerst Europa und dann die Welt produzieren, als tote und tödliche politische Körper, Monster, deren mechanisierte, drohnenartige Simulationen des Geists das Soziale mit der Art von Latex-Leutseligkeit und latenter Drohung regulieren, die man gemeinhin mit Polizeikommissar_innen und Universitätsrektor_innen verbindet. Antisoziale Geselligkeit ist die Grundlage des Gesellschaftsvertrags. Letztlich ist Verbesserung Krieg, weshalb Öffentlichkeit Krieg ist und das Private – in seiner anti- und

---

15 Vgl. Cedric J. Robinson, *An Anthropology of Marxism*, Chapel Hill: The University of North Carolina Press 2019 [2001] und *Black Marxism. The Making of the Black Radical Tradition*, Chapel Hill: The University of North Carolina Press 2021 [1983].

ante-individuellen Unreinheit, als Refugium auch unter ständigem Druck – ein Vordach.

Der (Anti-)Gesellschaftsvertrag wird vom ökonomischen Vertrag heimgesucht, der kein Tauschvertrag ist, wie man ihn vielleicht in der Freundschaft findet, sondern ein Vertrag, der auf dem Anspruch auf Eigentum an sich selbst, an anderen und an der Natur basiert, der immer daran gebunden ist, wie viel mehr man aus sich selbst, aus anderen und aus der Natur machen, das heißt in und durch sie akkumulieren kann. Mit anderen Worten: Das sich ausdehnende Universum des Eigentums nahm eine vertragliche Form an, die nicht, wie manchmal angenommen wird, auf freie Individuen beschränkt war – also auf das europäische Subjekt, das sich der europäische Theoretiker einbildete; es ist vielmehr eine vertragliche Form, die ein breites Spektrum an Kontakt als materiellen Grund ihres exklusiven und ausschließenden Netzwerks erfordert. Was es wirklich gefährlich macht, ist, dass es sich niemals von dem befreien konnte, wovon es sich unterscheiden wollte; wirklich gefährlich für es ist, dass das, was gezwungen ist, seine Ausnahme zu gewährleisten, den Vertrag verweigern kann, für den es dritte (oder unzählbare oder Nicht-)Partei ist. Tausch hingegen ist eine Praxis, die die Akkumulation an und als Beseitigung ihrer Quelle – des sich selbst verbessernden Individuums – verhindert. Stattdessen geht es beim Tausch, gegeben in und als die differenzielle und differenzierende Verwicklung des sozialen Lebens, selbst unter den mächtigsten Formen von Zwang und Regulierung, um ein soziales Optimum.

6.

George Clinton lehrt uns dies:

> Ich bin immer gespannt, welchen Tanz sie tanzen werden, denn der Tanz verändert sich dauernd. Aber ich vertraue auf die Tatsache, dass Funk auf den Hintern wirkt. Wenn ich also jemanden irgendeine Art von Tanz tanzen sehe, versuche ich immer herauszufinden, welchen Groove es braucht, damit sich der Hintern so bewegt. Ich bin wirklich ein Hinternologe. Ich schaue mir das nicht nur an, weil es gut aussieht, sondern um mit meiner Musik sicherzustellen, dass der Hintern an sein Optimum kommt.[16]

Und Jacques Derrida lehrt uns zu fragen:

> Wann werden wir für eine Erfahrung der Freiheit und der Gleichheit bereit sein, die auf diese Freundschaft, aus Achtung vor ihr, die Probe macht und schließlich gerecht, gerecht jenseits des Rechts, das heißt dem Maß ihres Unmaßes gemäß wäre?[17]

Es ist bloß so, dass wir diese beiden Lektionen nur lernen konnten, indem wir zuerst von Robinson gelernt haben, dass das soziale Optimum aus dem sozialen Reichtum hervorgeht, der nur hervortritt, um dann, optimalerweise in aller Güte, aber auch unter absolutem Zwang, zurückzutreten, als die Bewahrung der sozioontologischen Totalität in Freundschaft. Wie er freuen wir uns darauf, auf das Optimum zurückzukommen, das wir nie verlassen haben.

---

16 George Clinton im Gespräch mit Jeff Mao, zit. in Matthew Trammell, „How to Stay Cool as Fuck Forever, According to George Clinton“, *The Fader,* 14. Mai 2015, http://www.thefader.com/2015/05/14/how-to-stay-cool-as-fuck-forever-according-to-george-clinton.

17 Jacques Derrida, *Politik der Freundschaft*, aus dem Französischen von Stefan Lorenzer, Frankfurt/Main: Surhkamp 2002, 409.

LASST UNSERE MIKES IN RUHE

Daughter of Zion, Judah the Lion
He redeemeth, and bought us with his blood ...
John the revelator, great advocator
Gets 'em on the battle of Zion
(Blind Willie Johnson)

When my brother fell
I picked up his weapons.
I didn't question
whether I could aim
or be as precise as he.
A needle and thread
were not among
his things
I found.
(Essex Hemphill)

When we walk down the street
We don't care who we see or who we meet
Don't need to run, don't need to hide
'cause we got something burning inside
we've got love   power
it's the greatest power of them all
we've got love   power
and together we can't fall.
(Luther Vandross)

At times, this land will shake your understanding
of the world
and confusion will eat away at your sense
of humanity
but at least you will feel normal.
(Vernon Ah Kee)

Der Rebellator

In *UponWestminster Bridge* läuft Mikey Smith als Jaywalker durch die Sprache.[18] Es ist 1982, der Beginn des logistischen Kapitalismus. Das Fließband schlängelt sich aus der Fabrik und in seinen Mund. Und er kann es nicht glauben, *he cyaan believe it.* Er will es nicht glauben. Er will nicht zur Arbeit gehen. Er kommt aus dem Eigentum. Er war schon mal da. Er ist gekommen, es ungeschehen zu machen. Er ist umgezogen, um zu entfugen. Die Versammlung in seinem Mund tanzt aus der Reihe.

Mit dem Aufkommen des logistischen Kapitalismus ist, was nie fertig wird, nicht mehr das Produkt, sondern die Produktionslinie, und nicht die Produktionslinie, sondern ihre Verbesserung. Im logistischen Kapitalismus ist es die ständige Verbesserung der Produktionslinie, die nie aufhört, die nie getan ist, die ständig ungeschehen gemacht wird. Die Soziolog_innen haben einen flüchtigen Blick auf diese Linie geworfen und meinten, sie sähen Netzwerke. Die Politikwissenschafter_innen nannten diese Linie Globalisierung. Und es waren die Wirtschaftsprofessor_innen, die sie als Business Process Reengineering bezeichneten und auspreisten. Mikey wusste es besser.

Mikey schwenkt zurück auf die andere Straßenseite, wo Louise Bennett sitzt, und spricht darüber, wie sie ihn inspiriert hat. Wir sehen sie in einem Clip, wie sie mit ihren Worten Rechte ungerecht werden lässt, Anwältin einer auseinandergenommenen Sprache, die offen dafür ist, zu respektieren, was man mag, und zu mögen, was man respektiert. Jetzt sind ihre Worte überall, wie ein

---

18 Anthony Wall, *Upon Westminster Bridge*, BBC Television, 1982, https://youtu.be/NE3kVwyY2WU. Der Titel ist auch der Titel eines Gedichts von William Wordsworth.

Flüstern von einem Baumwollbaum, und das müssen sie auch sein. Und die Logistik, also der Zugriff, ist überall – wiederum, weil sie es sein will.

Aber nicht nur die Logistik; und nicht nur irgendeine Art von Zugriff. Die kapitalistische Wissenschaft der Logistik kann durch eine einfache Formel dargestellt werden: Bewegung + Zugriff. Aber der logistische Kapitalismus unterwirft diese Formel dem Algorithmus: totale Bewegung + totaler Zugriff. Der logistische Kapitalismus will den totalen Zugriff auf deine Sprache, die totale Übersetzung, die totale Transparenz, den totalen Wert aus deinen Worten. Und dann will er mehr. Vor der Aufstandsbekämpfung in Queen Mary, University of London, nannten wir das postkolonialen Kapitalismus. Wie fühlt es sich an, ein Problem in der Lieferkette von jemand anderem zu sein? Was ist ein koloniales Regime anderes als die Auferlegung von psychopathischen Protokollen des totalen Zugriffs auf Körper und Land im Dienst dessen, was man heute Lieferketten-Management nennt? Das Problem des 21. Jahrhunderts ist das Problem der *color line* der Versammlung.

Dieser logistische Kapitalismus, dieser postkoloniale Kapitalismus, nutzt den gespeicherten, gestohlenen, historischen Wert von Worten, um seinen Standpunkt durchzusetzen. Mikey würde nicht auf diese Weise sprechen. Er sah, was kommen würde, indem er nicht richtig erinnerte, was gekommen war. Mikey bewegte sich als Jaywalker durch sein Publikum, das sich falsch durch seine Worte hindurch hörte. Mikey hob eines Abends die Hände zum Kampf und kapitulierte vor uns. Er kämpfte, und indem er kämpfte, kapitulierte er vor dem, was M. Jacqui Alexander unseren „kollektivierten

Selbstbesitz" nannte[19], er kapitulierte vor unserer Haptikalität, die zugleich unsere kollektivierte Enteignung ist. Denn ein Rebellator, ein Prophet-Rebell, verteidigt unsere Partialität, unsere Unvollkommenheit, unsere Hände, die enteignet sind, um einander in der Schlacht um Zion hochzuhalten. Mikey war ein Rebellator in der Schlacht von Zion. Mikey, der Rebellator, sabotiert eine Wort-/Wordsworth-Zeile.

Mikey spricht mit C.L.R. James auf einem Bett in Brixton in South London, in einem unaufgeräumten Zimmer, Linton Kwesi Johnson steht daneben. Du musst dich durch die Sprache bewegen, weil die Sprache die Linie durch dich bewegt. Die Linie bewegt sich jetzt, das Fließband, die Flusslinie, die High Line, und das heißt du. Du bewegst dich zur Arbeit, wie du es immer getan hast, aber jetzt arbeitest du auch, während du dich bewegst. James erzählt ihnen, dass er früher Wordsworth geliebt hat und es immer noch tut, aber erst als er in die Karibik zurückkehrte, wurde ihm klar, was in dieser Poesie fehlte, weil etwas anderes in dieser Poesie überall war. James spricht von Sprache als Herrschaft; Mikey hat bereits mit Sprache als erzwungener Verbesserung in der Produktion zu tun, an der neuen und verbesserten Linie, wo der Mann seinen Männern Befehle gibt. Mikey arbeitet an einer alten, neuen, offenen, geheimen Logistikalität, geboren im Laderaum, zusammengehalten im Verlust und im Verlorensein, und James gibt ihm ein paar Unkoordinaten mit auf den Weg, ein Seekapitän wie Ranjits Vater, jetzt hoch an Land, tief, verschifft, gestrandet auf einem Bett in Brixton,

19 M. Jacqui Alexander, *Pedagogies of Crossing. Meditations of Feminism, Sexual Politics, Memory, and the Sacred*, Durham: Duke University Press 2005, 328.

in einem unaufgeräumten Zimmer. Mikey arbeitet nicht daran, die englische Sprache zu verbessern. Er arbeitet daran, sie zu entkräften.

Mikey Smith dereguliert das Englisch der Königin in „Mi Cyaan Believe It“, und er sorgt sich nicht darum, unvollkommen zu sein. Er läuft als Jaywalker durch das Englisch der Königin und instituiert ein Soundsystem, dem sich ihr Standard unterwirft, gleich da auf der anderen Seite, unten also. Er geht dort hinüber, gerade jetzt, auf der Gully-Seite. Mikey, der Rebellator. Er sagt, dass sie „eine ganze Zeit unruhig waren, sie sollten zur Ruhe kommen.“ Aber es gibt keine Ruhe im Zugriff; der Zugriff stört die Unruhe, die er zu stehlen und stillzustellen kam. Dies ist die Frühzeit des logistischen Kapitalismus, mit James auf dem Bett, im industriellen Kapitalismus gealtert, und all dem Siedlerkapitalismus, der sich unter ihnen in London in der harten roten Erde abgesetzt hat. In einem unaufgeräumten Zimmer instituieren sie. Sie sind das Offline-Institut der neuen Linie, die neue Poetik der Anti-Linie, die antilleanische, multi-matrilineare Zerstreuung von Drum and Bass and Grain gegen den Strich des organisierten Sprechens, und sie fangen die Logistik im Querverkehr der Logistikalität, in der ständigen Verletzung des Fußgängerübergangs durch den Querverkehr, in der Verletzung der sanktionierten Kreuzung, der geregelten, hegemonialen Frist. Mikeys mehr und weniger als rechtwinkliges Ausbrechen *cyaan believe*, kann diese verwaltete Störung nicht glauben und versaut sie immer wieder als Feld hypermusikalischen Verweilens, gekreuzt zwischen Kreuzen und Vergessen, Widersprechen und falschem Erinnern, Offenbaren und Rebellieren, in Verweigerung des Glaubens. Schau in die falsche Richtung, bevor du über die Straße gehst. Beweg' dich in die falsche Richtung, wenn du über die Straße gehst. So ähneln wir uns, so sammeln wir uns.

Wenn wir uns bewegen, bewegen wir uns hin zum Zugriff, d.h. wir versammeln und zerstreuen uns aufs Neue. Und im logistischen Kapitalismus bewegt sich das Fließband mit uns, indem es sich durch uns bewegt, greift es auf uns zu, um sich zu bewegen, und bewegt uns, um zuzugreifen. Wir können den Zugriff nicht verweigern, denn der Zugriff ist es, wie wir rollen und weiterrollen, in und als unsere Undercommons-Affizierbarkeit, wie Silva sagen würde.[20] Aber wir lassen den Zugriff brennen, und das lieben wir, die Linie, die in der Demontage jedes einzelnen Produkts demontiert wird, unsere erneute Versammlung in der allgemeinen Zerstreuung, unsere gedisste Versammlung offline auf der Linie, verirrtes Bleiben, gestrandet unter dem Strang, in Ruhe nur in der Unruhe, mit all den falschen Bewegungen, weil unsere Montagen und Demontagen nicht dieselben sind wie ihre. Sie wissen, manchmal besser als wir, dass sich falsch zu bewegen oder sich nicht zu bewegen jetzt nicht mehr nur Behinderung für die Logistik oder ein Hindernis für den Fortschritt ist. Sich falsch zu bewegen oder sich nicht zu bewegen ist Sabotage. Es ist ein Angriff auf das Fließband, eine Subversion des logistischen Kapitalismus. Sich falsch zu bewegen heißt, dem Kapital den Zugriff zu verweigern, indem wir in dem allgemeinen Zugriff bleiben, den das Kapital begehrt und verschlingt und verweigert. Sich falsch zu bewegen, sich um nichts zu bewegen, heißt, unsere eigene Sache des

20 Denise Ferreira da Silva, „No-Bodies. Law, Raciality and Violence", *Griffith Law Review* 18(2), 2009, 214.

Nicht-Habens zu haben, des Aushändigens und Ausgehändigt-Werdens; es ist unser ständiges Aufbrechen – vor und gegen es, so wurde uns gesagt – unseres ständigen Zusammenkommens. Aber mit der kritischen Infrastruktur, die die neue Linie ist, und mit der resilienten Reaktion, die sie schützt, sind Jaywalkers, die mitten auf der Straße gehen, nicht mehr nur Landeier im Weg der Logistik, Bauerntölpel im Verkehr, sondern Saboteur_innen, Terrorist_innen, Dämon_innen. Jaywalkers sabotieren nicht durch Exodus oder Okkupation wie einst ein_e Maroon oder ein streikender Bergarbeiter oder ein_e Geistertänzer_in. Jaywalkers stören die Produktionslinie, die Arbeit der Linie, das Fließband, die Flusslinie, indem sie Ungleichheit des Zugriffs für alle fordern. Wenn die Linie nicht anhält, um dich verschnaufen zu lassen, stehen Jaywalkers herum und sagen, dass das heute aufhört. Jaywalking ist für sich selbst schon gedisste Versammlung. Auf solche Sabotage steht die Todesstrafe. Wir wissen nicht wirklich, was wir instituieren, wenn wir nicht instituieren, aber wir wissen, wie es sich anfühlt.

Der totale Wert und seine Gewalt sind nicht nur nie verschwunden, sondern sie sind, wie Silva sagt, die Grundlage der Gegenwart als Zeit, die Bedingung der Zeit, der Welt als Zeit-Raum-Logik, die auf der ersten schrecklichen Logistik des Verkaufs, der ersten Massenbewegung des totalen Zugriffs beruht.[21] Nun treibt uns die kontinuierliche Verbesserung zum totalen Wert, macht alle Arbeit unvollkommen, bringt uns dazu, uns zu bewegen, um zu produzieren, zwingt uns, online zu gehen. Wir sind befreit von der Arbeit, nur um mehr zu arbeiten, härter zu

21 Vgl. Nahum Dimitri Chandler, *Toward an African Future. Of The Limit of the World*, Living Commons Collective 2013, 81.

arbeiten. Wir werden gewaltsam eingeladen, unser Recht auf Verbindung auszuüben, unser Recht auf freie Rede, unser Recht zu wählen, unser Recht zu evaluieren, unser Recht auf richtige Individualität, damit wir die Produktionslinie verbessern können, die durch unsere liberalen Träume läuft. Freiheit durch Arbeit war nie der Kampfruf der Sklav_innen, aber wir hören ihn heute überall um uns herum. Kontinuierliche Verbesserung ist das metrische und metronomische Messgerät des Aufschwungs. Diejenigen, die sich nicht verbessern wollen, diejenigen, die nicht mit der korrekten neurotischen Korrektheit kollektivieren und individualisieren wollen, diejenigen, die dasselbe noch einmal tun, diejenigen, die revidieren, diejenigen, die den Witz erzählen, den man schon gehört hat, und das Essen kochen, das man schon gegessen hat, und den Spaziergang machen, den man schon gegangen ist, diejenigen, die planen, zu bleiben und sich weiter zu bewegen, diejenigen, die sich weiter falsch bewegen – das sind diejenigen, die alle zurückhalten und die Produktionslinie versauen, die uns alle verbessern soll. Sie mögen es, unvollkommen zu sein. Sie mögen es, unvollkommen zu sein und sich gegenseitig unvollkommen zu machen. Man sagt, ihre Unvollkommenheit sei eine Abhängigkeit, eine schlechte Angewohnheit. Man sagt, sie seien parteiisch, lückenhaft, skizzenhaft. Ihnen fehlen Koordinaten. Sie sind kollektiv unkoordiniert im totalen Rhythmus. Sie sind un(selbst)genügend.

Paolo Freire meinte, dass unsere Unvollkommenheit das ist, was uns Hoffnung gibt.[22] Unsere Unvollkommenheit neigt uns zueinander. Für Freire können wir umso

22 Paolo Freire, *Pädagogik der Autonomie*, aus dem brasilianischen Portugiesisch von Ivo Tamm, Münster u.a.: Waxmann 2008, 47-49.

weniger lieben und geliebt werden, je mehr wir uns als vollkommen, fertig, ganz, individuell betrachten. Ist es zu viel, dies andersherum zu formulieren? Und mit Freire zu sagen, dass Liebe die Undercommons-Selbstverteidigung des Unvollkommen-Seins ist? Dies scheint jetzt gerade besonders wichtig zu sein, wenn wir zunächst eingeladen und dann gezwungen werden, uns mit unserer Unvollkommenheit auseinanderzusetzen und sie zu verbessern, wenn uns gesagt wird, wir sollten unduldsam und peinlich von ihr berührt sein. Wir müssen unversehrt sein. Man sagt uns, wir sollten unsere Begeisterung steigern, weil wir ganz versaut sind. Aber zu unserer Verteidigung: Vollkommen zu sein, lieben wir nur in einer schlichten Unvollkommenheit, die sie demontiert, erledigt, angeeignet und die Linie hinuntergeschickt hätten. Ja, wir haben wirklich etwas dagegen zu arbeiten, weil wir wirklich etwas dagegen haben zu sterben.

Der Berater

Der Berater ist nicht da, um Lösungen anzubieten, Innovationen vorzuschlagen oder gar Ratschläge zu geben. Der Berater existiert, um im Zeitalter des logistischen Kapitalismus Zugriff zu demonstrieren. Der Berater ist kein Ideologe. Die Ideologie funktioniert hier nur für den Berater selbst. Er ist nachweislich der Einzige, der seinen Schwachsinn glaubt, aber zum Glück für ihn ist das nicht der Punkt, nicht sein Punkt. Der Berater nimmt den Zugriff auf die Arbeitsplätze wörtlich, er demonstriert ihre Offenheit, indem er in ihrer Mitte auftaucht, wie eine Drohne. Eines Tages kommt man zur Arbeit, und da sitzt er neben der Chefin. Nichts, was sie sagt oder tut, ist so wichtig wie diese Demonstration des Zugriffs. Was der Berater in das genötigte, ausgesetzte

Korps der Arbeiter_innen einführt, ist der Algorithmus. Der Berater trägt den Algorithmus in sich, der im Namen der Vollkommenheit Gewalt ausübt. Wenn der Berater seine algorithmische Ladung mitbringt, ist der Körper der Arbeiter_innen erledigt, diese unerwünschte und ständig aufs Neue besetzte Einschließung. Wir werden durch die Arbeit, in der Arbeit des Algorithmus vervollkommnet, befreit. Wir werden erledigt und fertiggemacht durch eine Demontage, die der Berater erzwingt und aggressiv verkörpert, die von und für sich selbst war, von und für uns selbst, die Demontage, die wir immer wieder vollziehen angesichts jeder souveränen Invasion, jeder gewaltsamen Zuschreibung von Worten und Wert und Werk. Der Berater vervollkommnet, um auf die private Schleife eines vereitelten Wunsches nach Unversehrtheit zugreifen zu können. Den Algorithmus der Arbeit interessiert nicht das Produkt oder gar die Organisation, sondern die unendliche Krümmung der Produktionslinie. Der Algorithmus der Arbeit ist eine Demonstration innerhalb einer Demonstration. Mit dem Zugriff kommt (die Notwendigkeit der) Verbesserung, die immer die Form einer Forderung nach mehr Zugriff annimmt. Wie die Einführung des Beraters innerhalb der Organisation den Zugriff demonstriert, demonstriert die Einführung des Algorithmus die Verbesserung. Der Algorithmus ist die Maschine der Selbstverbesserung; als solche ist er die einzige Maschine, die neue Maschinen macht. Zwischen ihm und dem Menschen, der einzigen anderen Maschine, die neue Maschinen macht und sich dabei selbst verbessert, steht ein Spiegel – der die geteilte Exklusivität der Selbstvorstellung markiert und instanziiert, diesen beängstigenden, albernen, Stuart Smalleyschen binären Solipsismus.

Der Spiegel zwischen dem Menschen, dem Spiegel und *dem* Menschen, dem Spiegel des Menschen, ist der Algorithmus. In der Zwischenzeit macht das Inhumane, das unser fleischliches Innewohnen und Einwohnen in der allgemeinen Mechanik einer allgemeinen Geringschätzung der Selbstreflexion ist, Maschinen, weil es sich nicht verbessern will. Vor dem Algorithmus kamen die Maschinen von den Streiks, vom Widerstand, von der Sabotage. Maschinen, die vom Algorithmus gemacht werden, warten nicht auf den Klassenkampf.

Der Algorithmus der Arbeit unterwirft jeden Arbeitsprozess auf der Produktionslinie der Demontage, Entfugung und Nichtvollendung, um zu fordern, dass er besser vollendet, besser zusammengefügt, besser montiert wird. Er hinterlässt keine verbesserte Organisation, sondern eine Metrik, die sicherstellt, dass die Organisation niemals zufrieden sein wird. Die Metrik misst alles an der letzten Instanz und stellt sicher, dass die letzte Instanz sich nie einstellt. Die Metrik verlangt mehr Zugriff, mehr Messung des Zugriffs, mehr Bewegung, mehr Versammlung, mehr Messung der letzten Instanz, die in und als Einschließung gegeben ist. Der Berater spricht immer noch, aber es ist jetzt egal, was er sagt. Der Algorithmus der Arbeit ist angekommen, der algorithmische Überschuss ist viral geworden. Wenn der Siedler im Geschrei der ursprünglichen Akkumulation nicht zu hören war, und der Bürger im Lärm der Maschinen nicht zu hören war, so ist der Berater nicht zu hören in den Clicks der Metriken. Mikey hörte dieses Geräusch und ging in die andere Richtung, einen anderen Weg, so dass der Algorithmus nicht durchkommen konnte, so dass wir ihn hochhalten und weitergeben konnten.

Chandler erinnert uns an einen Begriff, den W.E.B. Du Bois gefunden und angewandt hat: demokratischer Despotismus. Wenn der Berater den Zugriff nicht demonstrieren kann und deshalb der Algorithmus die Verbesserung nicht demonstrieren kann, ruft der Berater nach der Police, wie einst (und immer noch) der Bürger nach dem heteropatriarchalen Nationalismus oder der Siedler nach der rassistischen *manifest destiny*. Die Police ist über all das hinweg, auch wenn all das nicht vorbei ist. Die Police tritt an, um zu diagnostizieren, was den Zugriff blockiert, und was den Zugriff blockiert, sind „diese Leute". Was stimmt nicht mit diesen Leuten in Detroit, die Wasser wollen, diesen Leuten in British Columbia, die Land wollen, diesen Leuten in Manila, die einen Platz zum Bleiben wollen? Die Police sagt, dass mit diesen Leuten etwas nicht stimmt, weswegen der Berater keinen Zugriff bekommt. Aber es ist genau andersherum. Dem Berater wird der Zugriff verweigert – diese Leute verweigern ihm den Zugriff –, weil sie den allgemeinen Zugriff-im-Antagonismus, den er verweigert, umarmen. Und so muss die Police gerufen werden. Selbstverteidigung wird zur Krankheit. Liebe wird zum Problem, weil Liebe das Problem ist, die Selbstverteidigung des Verfügbaren. Aber, hey, vielleicht kann Governance helfen, das heißt, vielleicht sind diejenigen, die Selbstverteidigung praktizieren, bereit, sich selbst zu diagnostizieren, sich selbst zu reflektieren, sich selbst zu verbessern! So oder so wird die Police verbieten, oder die Police wird in Stellung gebracht werden – als Demokratie, als demokratischer Despotismus, wo jeder die Chance bekommt zu sagen, bei diesen Leuten stimmt etwas nicht. Der demokratische Despotismus ist die Auferlegung der Police und ihrer gewaltsamen Möglichkeiten und Unmöglichkeiten auf die, bei denen etwas nicht stimmt, denen Unrecht angetan wird.

Denn die Sache ist die, dass der Berater nicht falsch liegt, der Algorithmus der Arbeit nicht falsch funktioniert, der Police-Abzocker nicht falsch diagnostiziert. Wir sind es, die falsch liegen, mit uns stimmt etwas nicht, deshalb wird uns auch Unrecht angetan. Wir sind unvollkommen. Außerdem haben sie die Idee der Unvollkommenheit von uns! Ein anderes Wort für Unvollkommenheit ist Studium, oder genauer gesagt, Revision. Der Berater bekommt diese Revision von uns, vom Studium, von unseren opulenten gegenseitigen Revisionen aus der Existenz, als Existenz. Das Studium ereignet sich, und es hört nicht auf. Im Studium engagieren wir uns bewusst und unbewusst. Wir revidieren, und zwar immer wieder. Dabei geht es nicht nur darum, Verbesserung als kapitalistische Effizienz wahrzunehmen. Das ist zu leicht abzutun. Es geht um die Verbesserung selbst, das Zeitkonzept, den moralischen Imperativ, das ästhetische Urteil, also um die kapitalistische Verbesserung, die in und auf dem schwarzen Fleisch gründet, seiner weiblichen Informalität. Die Revision hat kein Ende und keine Verbindung zur Verbesserung, geschweige denn zur Effizienz.

Der Berater fügt und entfügt also Institutionen, kann aber nicht auf das instituierte Leben zugreifen, kann das schwarze Leben nicht erschließen, kann das queere Leben nicht bloßlegen, kann die feministische Planung um den „Küchentisch“ nicht offenbaren, wie Barbara und Beverly Smith es nannten und Tiziana Terranova es erneut aufruft, wenn sie bestimmte Paradoxien von Freiheit und Zwangsvollstreckung in kleinen General

Intellects des surrealen Lebens erörtern.[23] Er kann nicht auf offene Geheimnisse zugreifen, kann nicht unvollkommen machen, was schon unvollkommen ist, kann nicht deformieren, was immer schon informell ist, und doch können sie es nicht glauben, und das führt zum staatlichen Ausnahmezustand, der unter solchen Namen wie Resilienz und Bereitschaft bekannt ist. Wenn der demokratische Despotismus versagt, muss schlicht Despotismus im Namen der Demokratie durchgesetzt werden. Resilienz ist der Name für die gewaltsame Zerstörung von Dingen, die nicht nachgeben, nicht in die Form zurückkehren, sich nicht beugen, wenn Zugriff verlangt wird, nicht flexibel und fügsam sind. Anzuhalten, wenn man zum Anhalten aufgefordert wird, und sich weiterzubewegen, wenn man zum Weiterbewegen aufgefordert wird, beweist Resilienz und Beherrschung; aber die gebrochene, brechende, gedisste Versammlung erweist sich als offen, heimlich, und entfugt sich im vereinnahmten, aber unverfügbaren Blick, für uns, hin zu uns, als unvollkommen und viel mehr als vollkommen. Ihre daimonische Aufführung kann nicht individuiert werden und wird nicht aufgeführt werden.

Hold she

Es geht nicht darum, wer dich niederhält, wenn du versuchst, Jaywalker zu sein; es geht darum, wer dich hochhält. Das ist die Frage der Haptikalität. Die Polizei

---

23 Vgl. Barbara Smith, Beverly Smith, „Across the Kitchen Table. A Sister-to-Sister Dialogue", in: Cherríe Moraga, Gloria Anzaldúa (Hg.), *This Bridge Called My Back. Writings by Radical Women of Color*, Kitchen Table/Women of Color Press 1983, 123-140; Tiziana Terranova, „Free Labor. Producing Culture for the Digital Economy", in: Marc Bousquet, Katherine Wills (Hg.), *The Politics of Information. The Electronic Mediation of Social Change*, Alt-X Press 2003, 99-121.

kann nicht halten, was bereits gehalten wird. Gleichzeitig ist das, was bereits gehalten wird, alles, was wir halten können. Das ist unsere haptische Institution. Wenn du Mama dabei zusiehst, wie sie ein Lied anhört, bist du instituiert. Wie bei dem Michael-Jackson-Song, den sie lautgedreht hat, um mir das Tanzen beizubringen.

Auf Zun Lees Foto wird sie festgehalten, aber sie ist ungehalten. Sie beugen sie, weil Zugriff und Logistik danach streben, eins zu sein. Je mehr sie von der Polizei, dem Fotografen, der Betrachter_in erfasst wird, desto mehr wird sie verschifft. Aber je mehr sie verschifft wird, desto mehr wird sie gehalten, desto mehr wird sie ausgehändigt.

Sie können unsere Hände nicht sehen, und das ist dämonisch für sie. Die Hände der Rebellator_innen werden nicht zu den Bullen hochgehalten, sie werden zu uns hochgehalten, sie halten uns hoch. Alle Hände, all diese Münder müssen für sie dämonisch aussehen, und queer. Es ist queer, sich in solche Hände zu begeben, die kommen können, von solchen Händen hochgehalten zu werden, die dich erreichen können.

Nur weil es keine Regeln für unseren Zugriff gibt, heißt das nicht, dass wir nicht wissen, was zu tun ist. Wir wissen, wie man einer Dancehall-Queen folgt. Wir wissen, wo sie studiert. Wir halten uns an das, wo sie studiert. *We hold she.*

Mehr als mein verdammtes Selbst

Wie können wir einen Genozid überleben? Wir können diese Frage nur ansprechen, indem wir studieren, wie wir den Genozid überlebt haben. Im Interesse der Imagination dessen, was existiert, gibt es ein Bild von Michael Brown, das wir ablehnen müssen zugunsten eines anderen Bilds, das wir nicht haben. Das eine ist eine Lüge, das andere unverfügbar. Wenn wir uns weigern, das Bild eines einsamen Körpers zu zeigen, die Umrisse des Raums, den dieser Körper gleichzeitig einnahm und verließ, dann tun wir das, um ein rechthervorbringendes schwarzes soziales Leben zu imaginieren, das mitten auf der Straße entlangläuft – für eine Minute, aber nur für eine Minute versammelt sich unüberwacht eine andere Stadt, tanzend. Wir wissen, dass es da ist und hier und real; wir wissen, dass das, was wir nicht haben können, die ganze Zeit passiert.

Unsere Inschriften tragen eine Analytik des Verlorenen und Gefundenen, des Gefallenseins und Aufsteigens, die sich brennend in und als Name von Michael Brown in Erinnerung bringt. Zunächst, dass es eine soziale Erotik des Verlorenen und Gefundenen in der Verweigerung des Standings durch das Gefallensein gibt. Wir fallen, damit wir wieder fallen können, und das ist es, was Aufstieg für uns wirklich bedeutet. Fallen heißt, seinen Platz zu verlieren, den Platz zu verlieren, der eine_n ausmacht, der einsmacht, den Ort des Seins aufzugeben, das heißt, des Einzelnseins. Diese radikale Heimatlosigkeit – seine kinetische Indigenität, seine irreduzible Queerness – ist die Essenz des Schwarzseins. Diese Verweigerung, einen Platz zu finden, ist darin gegeben, was es ist, stattzufinden. Michael Brown ist der jüngste Name des andauernden Ereignisses des Widerstands vor und gegen die sozioökologische Katastrophe. Die Konstituierung der Moderne im transatlantischen Sklavenhandel, im Siedlerkolonialismus und in der Entstehung des Kapitals in und mit dem Selbst, dem Staat und all den anderen Apparaten der Souveränität, ist *die* Sozialökologische Katastrophe. Michael Brown gibt uns einmal mehr Anlass, darüber nachzudenken, was es heißt, die Katastrophe zu ertragen, den und im Genozid zu überleben, durch unkartografierbare Differenzen als eine Reihe von (Nicht-)Lokalitäten zu navigieren, die sich am Ende – entweder ganz bis ans Ende oder als unsere fortwährende Verweigerung von Anfängen und Enden – immer verweigern werden, eingenommen worden zu sein. Fallen ist eine anakatastrophische Verweigerung des Falls und damit der Welt, die insofern die Vereinnahmung der Erde ist, als sie immer ein Bild war, das eingefroren und aus der bildlichen Bewegung herausgenommen wurde. Auf dem Spiel steht die Macht der Liebe, die gegeben ist, wenn man die Straße hinunterläuft, als offener Ungehorsam gegen den (rassifizierend-kapitalistischen, siedler-kolonialen) Staat und seine Zugriffe, insbesondere seinen Zugriff auf die Fähigkeit, Recht zu machen (und zu brechen).

Gegen die Monopolisierung der Zeremonie durch den Staat sind die Zeremonien klein und verschwenderisch; wären sie nicht überall und immer, wären wir tot. Die Trümmer, die kleine Rituale sind, sind nicht abwesend, sondern verstohlen, eine Reihe von liedhaften Vernarbungen, wenn Leute ein Zeichen geben, eine Hand schütteln. Aber was ist, wenn wir gemeinsam fallen *können*, weil wir gefallen sind, weil wir wieder fallen müssen, um in unserem gemeinsamen Gefallensein fortzufahren, in der Erinnerung, dass das Fallen in einem Verhältnis der *Apposition* zum Steigen steht, dass ihre Kombination im Herumhängen gegeben ist, als das Geben von Pause, Unterbrechung, Verweilen im Vorhof, Untersuchungshaft, Laderaum, Halt, Halten im Interesse des Reibens, Abklatsch-Reflex und -Reflexion der mütterlichen Berührung, eine mütterliche Ökologie des Handauflegens, des Behandelt-, Ausgehändigt-, Überliefertwerdens, die übernatürliche Zerstreuung des Aufziehens. Hemphill verkündigt mit Nachdruck die Sozialität, der Luther Vandross Zuflucht gewährt.[24] Gefallenes, aufgestiegenes, trauer-/morgenvolles Überleben. Wenn Schwarze sterben, dann gewöhnlich, weil wir uns durch Widerspruch lieben; gewöhnlich, weil wir verliebt sind, ob wir kämpfen oder fliegen, ob Kampf oder Flucht hochgehalten werden als Kapitulation. Man bedenke Michael Browns generatives Stattfinden und Wiederstattfinden als Verweigerung des Falls, als Verweigerung des Standings. Das geht aber nur, wenn man sich – und jetzt müssen wir eine Formulierung von Ah Kee missbrauchen – in schwarze Weltlosigkeit hineinversetzen will.[25] Unsere Heimatlosigkeit. Unsere Staatenlosigkeit. Unsere Selbstlosigkeit. Nichts davon ist unser oder kann unser sein.

Der Staat kann nicht mit uns leben, und er kann nicht ohne uns leben. Seine Gewalt ist eine Re-Aktion auf diesen Zustand. Der Staat ist nichts anderes als ein Krieg gegen seine eigene Bedingung. Der Staat führt Krieg gegen seine eigenen Quellen und Ressourcen, in

---

24 Vgl. Essex Hemphill, „When my brother fell", in: ders. (Hg.), *Brother to Brother. New Writings by Black Gay Men*, Washington: Redbone Press 2007, 137; Luther Vandross, „Power of Love/Love Power", *Power of Love*, CD, Epic EK 46789, 1991. Siehe dazu auch die Motti dieses Kapitels.

25 Vernon Ah Kee schreibt in *Whitefellanormal* (DVD, 30 sec, 2004): „Wenn du dich in die Welt des schwarzen Mannes hineinversetzen willst, in seine Geschichte, in seine Farbe und auf dem Niveau, auf dem du ihn derzeit wahrnimmst, dann wisse, dass du nie mehr als Mittelmaß sein wirst." Wir möchten Rachel O'Reilly dafür danken, dass sie uns auf die Arbeit von Ah Kee aufmerksam gemacht hat (vgl. „Compasses, Meetings and Maps. Three Recent Media Works", *LEONARDO*, 39(4), 2006, 334-339).

gewaltsamer Reaktion auf seine eigene Un/Möglichkeitsbedingung, die das Leben selbst ist, die die Erde selbst ist, die Schwarzsein nicht so sehr als Name vertritt, als ein Name unter anderen, der nicht nur ein weiterer Name unter anderen ist. Dass wir überleben, ist Schönheit und Zeugnis; es ist, durch oder innerhalb welcher Wertzuschreibung auch immer, weder abzutun noch zu übersehen noch abzuwerten; dass wir überleben, ist unbewertbar. Gleichzeitig ist es aber auch unzureichend. Wir müssen erkennen, dass lange schon Kriegszustand herrscht, der Status des rassifizierend-sexistischen, kapitalistischen, Siedler-kolonialen Staats. Seine Brutalitäten und Militarisierungen, seine regulativen Banalitäten werden ständig aktualisiert und überarbeitet, aber sie sind nicht neu. Wenn überhaupt, dann müssen wir strategischer über unsere eigenen Innovationen nachdenken und erkennen, dass der Kriegszustand ein reaktiver Zustand ist, eine Maschine zur Regulierung und Kapitalisierung unserer Innovationen im/für das Überleben. Deshalb ist das Beunruhigendste an Michael Brown (aka Eric Garner, aka Renisha McBride, aka Ahmaud Arbery, aka Sandra Bland, aka Trayvon Martin, aka Eleanor Bumpurs, aka Emmett Till, aka George Floyd, aka Breonna Taylor, aka Tyisha Miller, aka ein endloser Strom von Namen und abwesenden Namen), wie wir auf ihn reagiert haben, wie wir ihn missverstanden haben, und die Quellen dieses Missverständnisses, die ein Verlangen nach Standing, nach Stillstand innerhalb der staatlichen Kriegsmaschine manifestieren und verdinglichen, die, entgegen der landläufigen Meinung, ihren Untertanen die Staatsbürgerschaft nicht bei der Geburt, sondern erst beim Tod verleiht, was der angemessene Begriff für die Einbindung in ihre im eigentlichen

Sinn politischen Grenzen ist. Die Strafverfolgung von Michael Brown, wie der angemessene technische Begriff für die Ermittlungen der Grand Jury gegen Darren Wilson, die Drohne, lautet, ist, wie unser Tag vor Gericht aussieht und immer ausgesehen hat. Der gefährdete, entblößte, unbestattete Körper – der Körper, der im Tod seinen Status als Körper gerade in und mittels der Vorenthaltung der fleischlichen Zeremonie erhält – ist, wie politisches Standing aussieht. Das ist die Form, die es annimmt und behält. Dies ist eine sophokleische Formulierung. Das Gesetz des Staats ist, was Ida B. Wells zu Recht Lynchjustiz nennt. Und wir erweitern es in unseren Einsprüchen gegen es.

Wir müssen aufhören, uns so sehr darum zu sorgen, wie es uns tötet, reguliert und akkumuliert, und uns mehr darum sorgen, wie wir es töten, deregulieren und zerstreuen. Wir müssen unser Überleben lieben und ehren, das in unserem Widerstand liegt, das unser Widerstand ist. Wir müssen unsere Verweigerung dessen, was verweigert wird, lieben. Aber insofern diese Verweigerung begonnen hat stehen zu bleiben, insofern sie begonnen hat, Standing anzustreben, steht sie in der Notwendigkeit der Erneuerung, jetzt, selbst wenn die Quellen und Bedingungen dieser Erneuerung immer undurchsichtiger werden, immer mehr in die Regulierungsapparate verwickelt sind, die eingesetzt werden, um sie zu unterdrücken. In solchen Momenten müssen wir die Wahrheit mit einer gewissen Bösartigkeit und sogar einer gewissen Grausamkeit aussprechen. *Black lives don't matter*, schwarze Leben zählen nicht, was eine empirische Aussage nicht nur über schwarze Leben in diesem Kriegszustand ist, sondern auch über Leben. Das heißt, dass Leben keine Rolle spielen; und das sollten sie auch nicht. Es ist die Metaphysik des individuellen Lebens in all seiner Immaterialität, die uns überhaupt erst in diese Situation gebracht hat. Michael Brown lebte und bewegte sich innerhalb eines tiefen und sich entwickelnden Verständnisses davon:

> Wenn ich diese Erde heute verlasse, dann wisst ihr wenigstens, dass ich mich mehr um andere kümmere als um mein verdammtes Selbst ...

Aber wir müssen uns überlegen, wie und was es bedeutet, dass sein Testament sich in einen derartigen Ausdruck von Trauer und Empörung über den Nichtanlass der Nichtanklage gewandelt hat:

> Nennt mich ruhig „Dämon", aber ICH WERDE mein *verdammtes Selbst* lieben.

Wir leiden mit, aber auch unter diesem Ausdruck unseres Leidens. Denn dieser Ausdruck unserer Nichtanerkennung des Dämonischen – wie brutal auch immer die Polizei und/oder die *polis* in ihrer Seelenlosigkeit es uns zuschreiben oder in uns einschreiben – bedeutet, dass einstige Rechtschaffenheit freiwillig ihre Waffen niederlegt, wenn sie die rechthervorbringende Kraft in der Wahl demobilisiert. In der Zwischenzeit ist Michael Brown wie ein weiterer Fall und Aufstieg durch den Menschen – gekommen und gegangen, als Unterbrechung und Bruch, nicht um uns daran zu erinnern, dass schwarze Leben zählen, sondern dass schwarzes Leben zählt; dass das absolute und unbestreitbare Schwarzsein des Lebens zählt; dass dies kein Werturteil ist, sondern eine Beschreibung eines Tätigkeitsfeldes, das die weltliche Unterscheidung zwischen dem Organischen und dem Anorganischen verwischt. Die Innovation unseres Überlebens ist gegeben in der Umarmung dieser daimonischen, intern reich differenzierten Choreographie, ihrer Lumpen-Kontaktimprovisation, die verdunkelt wird, wenn der Klassenkampf in den Black Studies das schwarze Studium als Klassenkampf zu unterdrücken droht.

Wie sehr haben die Black Studies als bürgerliche Institutionalisierung des schwarzen Studiums die Art und Weise bestimmt, wie wir den Kriegszustand, in dem wir zu leben versuchen, verstehen und bekämpfen? Wie haben sie bestimmt, wie wir die komplexe Nicht-Singularität verstehen, die wir jetzt als Michael Brown kennen? Es wäre falsch zu sagen, dass Michael Brown im Tod mehr als er selbst geworden ist. Das war er bereits, wie er selbst sagte, im Echo von so viel mehr als ihm selbst. Er war bereits mehr als das, indem er weniger als das war, indem er der Geringste von ihnen war. Michael Brown auf eine Chiffre unseres unerfüllten Wunsches zu reduzieren, mehr als das zu sein, für unsere seriell unerreichte und konstitutionell unerreichbare Staatsbürgerschaft, bedeutet, sich auf eine Art konterrevolutionäre Brutalität einzulassen; es bedeutet, am makabren, vampirischen Verzehr seines Körpers teilzuhaben, des Körpers, der zu seinem wurde, obwohl er nicht er wurde, im Tod, in der reduktiven Stasis, der sein Fleisch unterworfen wurde. Michael Browns Fleisch ist unser Fleisch; er ist Fleisch von unserem Fleisch in Flammen.[26]

Am 9. August 2014 wurde, wie jeden Tag, wie an einem beliebigen anderen Tag, schwarzes Leben, im Einverständnis und ausgesandt, in irreduzibler Sozialität nicht allein zu sein, dabei erwischt, wie es – mit

---

26 Vgl. Theodore Harris und Amiri Baraka, *Our Flesh of Flames*, Philadelphia: Anvil Arts Press 2008.

rechthervorbringender Fruchtbarkeit – mitten auf der Straße entlanglief. Michael Brown und seine Jungs: schwarzes Leben, das Recht bricht und macht, gegen und unter dem Staat, selbstlos ihn umgebend. Sie hatten auf die melancholische Berufung verzichtet, auf die wir sie jetzt reduzieren, Berufung auf Staatsbürgerschaft und Subjektivität und Humanität. Dass sie das getan hatten, ist die Quelle von Darren Wilsons genozidaler Instrumentalisierung in der Verteidigung des egoistischen Staats. Sie befanden sich im Kriegszustand, und sie wussten es. Außerdem waren sie Krieger in aufrührerischer, unvollendeter, unvollkommener Schönheit. Was uns bleibt, ist der Unterschied zwischen der Art und Weise von Michael Browns Tanz, seinem Fall und Aufstieg, seiner andauernden Nicht-Performance, und den wohlmeinenden Protesten bloßer Bittsteller_innen, die vergeblich in der kläglichen, minimalen, zeitweiligen Blockade dieser oder jener Autobahn nach Energie suchen, als ob die bloße Besetzung etwas anderes wäre als die (umgekehrte) Verschärfung der Forderung nach Anerkennung, die tatsächlich das „business as usual" begründet. Anstatt unsere Sorge auf die Frage wie wir leben und atmen zu verschwenden, müssen wir unsere Weisen und Wege verteidigen, indem wir sie beharrlich praktizieren. Es geht nicht darum, auf die Straße zu gehen; es geht darum, wie und weswegen wir auf die Straße gehen. Was wäre es und was würde es für uns bedeuten, rechthervorbringend auf die Straße zu gehen, auf der Straße zu leben, hier und jetzt eine andere Stadt zu versammeln?

Gegen die tote Staatsbürgerschaft, die ihnen auferlegt wurde, gegen den Körper, zu dem der Staat sie machen wollte, und anstelle der Bilder, die wir ablehnen und nicht haben können, geht es indes hier um ein Bild unserer Einbildung. Das ist Michael Brown, sein/ihr Abstieg, Aufstieg, Zeremonie, Fleisch, Animation in und von der mütterlichen Ökologie – Michael Browns Innovation, als Kontakt, in der Improvisation. Kontaktimprovisation ist, wie wir den Genozid überleben.

> wir sind nicht (von) selbst hierhergekommen. schwarz nimmt wie schwarz nahm. wir waren offensichtlich schon neben unseren selbsten. letztendlich waren wir oberhalb von uns selbst in dieser zum schoß gewordenen narbe, diesem schoßartig narbenden offenen offen gestimmten schrei, schwester, kannst du meine form bewegen? nahm, hatte, gibt. weil er nicht auf sich selbst gestellt war, ist er in uns gegangen. wie wir darüber hinweggekommen sind, dass wir nicht hierhergekommen sind, ist mehr als das zu wollen in der weise, wie wir uns selbst tragen, wie wir uns selbst hineintragen in den rest, in den wir gegangen sind. hier, nicht hier, gekauft, ungekauft, brachten wir uns selbst mit, und so konnten wir unsere selbste weggeben. das ist mehr, als sie uns nehmen können, selbst wenn es mehr ist, als wir hinnehmen können.

UNSCHAUBAR, UNSCHAUBAR

1.

Was kann nicht geschaut werden? Was verstößt gegen die Idee von Sicherheit und Überwachung, macht diese Idee unmachbar? Schließt die Wache kurz, lässt sie überfließen und überhitzen und entfacht ihren Zorn? Diese Wachtkette, die Police-Fragen zulässt wie: Wer überwacht die Überwacher_innen? Gewaltenteilung. Nein, wir sind gebounced. Die Unschaubaren sind die Unerträglichen. Wer stimmt nicht zu, sich ausschauen zu lassen, sondern wird stattdessen unschaubar? War immer unschaubar, aber nicht im Verhältnis zu allem Schaubaren? War nie da, nie eine Bevölkerung, sondern erklärt wider das Ausgeschaut-Werden: *Watch meh now!*? Wir sind das, für mehr + weniger als für uns gegenseitig, was wir sind. Wen kannst du nicht anschauen? Wen schaust du an, Arschloch? *Who'd rather go blind*?

2.

Auch Sicherheit und Überwachung können in all ihren Erscheinungsformen nicht geschaut werden. Es ist nicht nur so, dass wir es nicht wollen; es ist auch so, dass sie, wenn wir es täten, unweigerlich verschwinden würden. Einer der Gründe, warum wir diesen Scheiß nicht schauen können, ist sein ständiges Übersehen dessen, was es nicht schauen kann, dessen, was nicht geschaut werden wird, nämlich uns, die wir zueinander „schau mich an!" sagen, ohne jemand im Besonderen zu sein. Dieses Übersehen ist eine brutale Form des Überwachens. Es hinterlässt einen Spureneffekt, einen Rückstand, das Übrige. Es nimmt den Raum ein, den es im Übersehen desavouiert, wie ein großer alter Gentrifizierer, ein hipper Siedler, der mit der privat-öffentlichen Polizei und dem weltlichen, deiktischen Rahmen; der, der sich einbildet, er überliste sich ständig selbst mit bestimmten geometrischen Manövern – wie dem Triangulieren oder dem Einnehmen der Mitte oder dem Übernehmen einer Schule im Namen der MINT-Fächer. Das Übrige hasst nicht nur den Platz, den es einnimmt, sondern auch die Leute, die es vertritt, indem es sie übersieht und überwacht. Es hält sie für bedauernswert und ist in seiner Senilität dumm genug, das auch noch zu sagen. Sein Spiel von Positionierung und Räumung ist der Ort, an dem Überwachung und Missachtung konvergieren. Man könnte diese Konvergenz MSBNC-Sehen nennen, aber das lässt alle möglichen aufdringlichen Gentry-Dekolonisator_innen vom Haken. Wir sehen euch, sagen sie. Wir sind die Nachtwache. Eh klar, Künstler_innen und so.

3.

Marx sagt irgendwo, dass der Kriminelle das Strafrechtssystem produziert. Was wird durch die Kriminalität produziert, also durch uns, die wir Gesetze produzieren, die dazu gemacht sind, gebrochen zu werden? Ruft die Kriminalität mit ihrem Aufruf zur allgemeinen Unordnung nicht die Ordnung ins Leben? Wenn wir, die wir Gesetze produzieren, die gebrochen werden sollen,

Politik produzieren oder aber ins Leben rufen, dann fallen wir notwendigerweise vor die Politik, jenseits und außerhalb der Politik. In der Tat fallen wir, mit anderen Worten, außerhalb, unter und um den Ausnahmezustand herum, der das Wesen der Politik und ihr Ziel ist. Uns auszuschauen heißt, in die Politik zu fallen; mit uns zu schauen heißt, mit uns aus der Politik herauszufallen; es heißt, uns in die Arme zu fallen. Und sie könnten uns niemals schauen, ohne sich in uns zu verlieben, in uns, die wir sie hochhalten, indem wir uns gegenseitig hochhalten. Ihre Zerstörung ist tödlich. Sie sind der Abfall, der Zuflucht und Heimsuchung abweist. Sie fallen über uns her, wenn ihre Augen auf uns fallen. In unserem Gefallensein sind wir befallen von ihrer aufrechten Haltung. Schwarzsein ist nicht wegen des Weißseins unschaubar, weil das Weißsein dieser Unschaubarkeit bedarf oder weil das Weißsein es nicht sehen kann; es ist nicht unsichtbar oder überwacht oder in dunkler Unterwachung umgangen oder überspitzt oder ersehnt; es unterliegt nicht der (Farb-)Korrektur, selbst in der totalen, gebrochenen Allgegenwart der Institution, obwohl das Unschaubare als all das gedeutet werden kann. Schwarzsein ist unschaubar, weil es keine Möglichkeit gibt, es zu schauen, die nicht in ihm ist, keine Möglichkeit, es von außen zu schauen, das heißt von seinen anti-schwarzen und weltlichen Auswirkungen her: Politik, Police, Legalität.

4.

Es war einmal ein Künstler, der Anwalt war. Er war überzeugend in seiner Verdopplung, zeigte sich immer, indem er seine Selbste mit meta-anklägerischem Eifer zur Schau trug. Daran war nichts Beunruhigendes. Es war für das Gefüge beruhigend, wie ein Stützpfeiler. Er sagte nur „Watch me!" zu ihnen, und sie liebten es und sagten es durch ihn, und er war verschlüsselt, lange bevor er die Notwendigkeit zur Geheimhaltung erklärte. In dieser Rücksicht, die ohne Rücksicht ist, spielte er einen Agenten von unten, und wir waren nicht einmal für ihn vorhanden. Wir zeigen uns nicht für ihn, wenn er in Uniform den Weg hinaus zeigt. Er hält den hoch, den er nicht aus den Augen lassen kann, und wir werden indirekt beaufsichtigt von einem Überbleibsel, einem Aktivisten in einem Spiegelsaal. Er übersieht uns. Er verpasst all die kleinen Unterschiede, die wir fühlen. Unser Fleisch ist unser. Sein Wille ist nicht der seine. Wir reichen herum. Er sieht weg. Er kann uns nicht schauen. Wir werden Ihn nicht schauen.

AL-KHWĀRIDDIM SAVOIR-FAIRE IST RINGSUMHER

Es gibt einen Rhythmus, der eine Welt macht, und die Zeit und der Raum, die dieser Rhythmus platt schlägt, bitten die Individuierung hinein in diese Welt. Diesen Rhythmus gibt es seit fünfhundert Jahren. Jetzt klingt er für sich selbst aber, als wäre er der einzige Rhythmus, der Rhythmus der Welt und der Individuen, die danach streben, in dieser Welt zu leben. Es ist der Rhythmus der Produktion von Waren durch Waren, der an seinem Ursprung innerlich gespalten ist. Der erste Schlag lässt jede Ware getrennt sein, begrenzt, isoliert von der nächsten. Der zweite Schlag macht jedes Ding gleich mit jedem anderen Ding. Der erste Schlag vereinzelt jedes Ding. Der zweite Schlag macht alles gleich. Zeit und Raum ordnen diesen Rhythmus und werden durch ihn geordnet. Es ist ein Siedler-Rhythmus, dieses Eins-Zwei der kapitalistischen Produktion, ein Rhythmus von Bürger und Untertan, von Dividuierung und Individuierung, von Genozid und Gesetz. Er klingt dadurch hervor, dass er jede andere Bewegung des Beats enteignet. Er behauptet, dass nichts anderes gehört werden kann, dass nichts anderes gefühlt werden muss. Er ist, kurz gesagt, ein tödlicher Rhythmus, wie Fanon am Ende von *Die Verdammten dieser Erde* warnte. Aber dieser Rhythmus wurde immer in die Mitte des allgemeinen Antagonismus gestellt und von ihm heimgesucht, von der Kakophonie der Beats, Linien, Falsette und Brummtöne, von Hüften, Füßen, Händen, von Glocken, Geläut und Gesang, von einem Undercommons-Track. Im Herzen seiner Produktion steht eine gewisse Unvereinzelung, eine gewisse Differenzierung, die nicht trennen will, ein unbegrenzter Trost gegen die Isolation, eine haptische Resonanz, die diesen tödlichen Rhythmus möglich und unmöglich macht, der Undercommons-Track, der vor der aufkommenden Logistik dieses tödlichen Rhythmus' auf der Flucht bleibt und sie erschöpft.

Doch dieses Schlagen von Ware auf Ware beharrt heute auf einer Welt wie nie zuvor, wickelt seine Schläge um die Erde, auf der das Fest verbindlich ist. Und es dringt tief in das ein, was nicht verletzbar oder gar in seine Zeit und seinen Raum zu zwingen schien. Sein Eins-Zwei wird zu einem Null-Eins, Null-Eins, während es Gedanken, Affekte, Fleisch, Informationen, Nerven in immer präzisere und minutiösere Attribute der doppelten Trennung sortiert. Kurz gesagt, dieser Rhythmus wird zu einem Algorithmus. Jedes Ding, das er erfasst, jedes Ding, in das er eindringt, jedes Ding, das er besiedelt, wird mit einem Takt versehen, der gezwungen ist, sich überall zu hören, sich überall zu fühlen. Dieser Zwang fährt tiefer in die Körper, die er aktiviert, die Information, die er zirkulieren lässt, die Nerven, die er zu neuen Verbindungen, neuen Netzwerken der Vereinzelung und Äquivalenz befeuert. Seine Arbitrage öffnet diese Vereinzelung im vermeintlich Unteilbaren, Ganzen, Singulären, und das Öffnen dieser Vereinzelung schließt ihn dann in der Äquivalenz ein, reinigt ihn für den nächsten Takt an den neuen Rändern seines rabiaten Trommelns. So zwingt auch seine Zeit und sein Raum jedes Ding in die Klaustrophobie seines Welttakts, jedes Ding, das nicht flüchtig ist, ist verloren.

Geformt zu sein bedeutet, in diesem Rhythmus geformt zu sein, algorithmisch verfasst zu sein, gezwungen zu sein, diesen Rhythmus aufzunehmen, ihn aber auch zu entwickeln, zu verbessern, zu exportieren und zu importieren, was bedeutet, dass algorithmisch verfasst zu sein nicht nur heißt, geschlagen zu werden, sondern zu schlagen. Dieses geschlagene Schlagen könnte als synaptische Arbeit bezeichnet werden. Um dem Zwang des logistischen Kapitalismus zu entsprechen, ist es notwendig, diesen Beat nicht nur aufzunehmen, sondern ihn zu verbessern, nicht nur für diesen Rhythmus verfügbar zu sein, sondern diesen Rhythmus verfügbar zu machen, mit diesem Rhythmus zu attackieren, sich in diesem Rhythmus gegen die umgebende Informalität durchzusetzen, die dieses Null-Eins, Eins-Zwei entsiedelt, mit einer Militanz, die weder Eins noch seine Abwesenheit ist. Was bedeutet synaptische Arbeit? In erster Linie: diesem Rhythmus, der tötet, geöffnet zu werden, unfreiwillig, gezwungenermaßen, willkürlich. Aber dieser Moment der Äquivalenz, der Verkörperung als Subjekt, des ausbeutbaren Nervs und Affekts verfugt sich mit einer heruntergekommenen Vereinzelung, einem Impuls, die Schläge zu ertragen, um würdig zu sein, die Peitsche zu halten, einem Impuls, den Rhythmus in die Erde zu kerben, mit dem Rhythmus zu regulieren, vagabundierende Beats gegen flüchtige Grooves zu formen. Das Land zu verbessern, das Volk zu erneuern, diese alten Schlachtrufe über dem tödlichen Rhythmus kehren intensiv, invasiv, im Innern der synaptischen Arbeit wieder, die immer damit beginnt, zum eigenen Rhythmus den Takt zu geben, indem sie eine Eins zum Eignen gibt. Der Drummer ist vereinzelt, und doch indifferent.

Der Rhythmus operiert in der Form einer Linie. Diese Linie ist zwei, null und eins. Sie ist ein Fließband, auf dem das Gleiche gemacht wird und das Gleiche verbessert wird, wie im Liebeswerben um Differenz, bis es wieder gemacht wird. Die mit einem Kommentar weitergeleitete E-Mail ist das alltägliche *kaizen* dieses Rhythmus'. Aber auch dieses Beispiel ist trügerisch, denn es geht hier nicht um Aktion, sondern um Contenance, um Benehmen, um algorithmische Komposition. Verbesserung findet in synaptischer Arbeit meist nicht durch Machen statt, sondern dadurch, dass mehr für die Ausbeutung verfügbar gemacht wird, eine ursprüngliche Akkumulation der Sinne und die Enteignung von Intention, Aufmerksamkeit und Spannung. Der Rhythmus operiert in der Form eines Fließbands, das durch die Gesellschaft, durch die soziale Fabrik läuft, nicht um etwas Bestimmtes, sondern um sich selbst herzustellen. Die Produktionslinie ist ihr eigenes Produkt. Das war der wahre Sinn von Kaizen, die Verbesserung der Verbesserung: Metrik, algorithmische Komposition für sich selbst. Das bedeutet, dass immer eine weitere Verbindung hergestellt, eine weitere Null-Eins durch diese Verbindung geöffnet werden muss. Jede Verbindung wird zu einer Arbitrage, jeder Nerv ist spekulativ, wenn er in Synapse mit einer anderen Verbindung feuert, vereinzelt, äquivalent, wieder vereinzelt in der nervösen Metrik der Verbesserung. Gegenüber allem Undercommons-Metrum ist diese Metrik sowohl neurologisch als auch pathologisch. Und sie muss dieses flüchtige Metrum unbedingt weiter verfolgen, im Zwang, diesen Rhythmus verfügbar zu machen und für ihn verfügbar zu werden, überall, die ganze Zeit, wo und wann dieser tödliche Takt geschlagen wird.

Das ist die Logistik der algorithmischen Komposition und der Rhythmus des logistischen Kapitalismus, der sich die Erde vorstellt und durch diese Vorstellung die Erde in eine Welt einhüllt und einschließt, die bis ans Ende der Erde läuft und das Ende der Erde ist. Die Logistik regiert den Planeten, sie läuft der Erde und der Logistikalität hinterher, die sich als Vermögen auf dieser Erde entwickelt hat. Die Logistik erweitert, expandiert, akkumuliert den Raum und die Zeit eines Kapitalismus, der im algorithmischen Null-Eins-Zwei-Beat über die Erde getrieben wird. Und damit nötigt sie der Erde die Welt auf. Wenn Logistikalität das ortsbezogene Vermögen ist, auf der Erde zu leben, dann ist die Logistik die Regulierung dieses Vermögens im Dienst der Herstellung der Welt, der Null-Eins-, Eins-Zwei-Welt, die den allgemeinen Antagonismus des Lebens auf der Erde verfolgt. Die Welt stellt sich als die Weise dar, auf der Erde zu leben, wie sich das Individuum als die Weise darstellt, in der Welt zu leben. Als Individuum in der Welt zu leben, heißt also, logistisch zu sein, und logistisch zu sein heißt, sich in einem Rhythmus anzusiedeln, der tötet, diesen Rhythmus auszuschlagen über den Undercommons-Track, der sein eigenes Metrum hält (und es immerzu weggibt). Zu sagen, dass synaptische Arbeit eine gewisse Verfügbarkeit verallgemeinert, bedeutet auch zu sagen, dass sie, insofern sie Derivation, Reduktion, Residualität ist, inmitten ihres Drangs, mehr zu sein und sich ständig zu verbessern, nicht anders kann, als weniger zu sein. Und das betrifft auch die verzweifelten und gefährlichen Akte der Individuierung, der globalen Analyse, der Police, der Besiedlung, einer schließlich imperialen Antipathie gegen die Empathie – eine Resonanz, die offen war, bevor sie geöffnet und nachdem sie eingeschlossen wurde.

Das, was man das soziale Leben der Dinge nennen könnte, ist nur insofern wichtig, als es uns erlaubt, uns vorzustellen, dass das soziale Leben keine Beziehung zwischen den Dingen ist, sondern vielmehr jenes Feld des Reibens und Reißens, das arbeitet, während es die Arbeit von niemandem ist, nichts, in seinem absoluten Reichtum. Eine solche (soziale) Arbeit ist überhaupt keine Arbeit, aber der Wahnsinn bleibt bestehen; Reiben und Reißen treten zwar in Erscheinung, aber keinesfalls wie eine Erscheinung, als etwas, worüber Ungenauigkeit uns so zu sprechen zwingt, als wäre es ein bestimmtes Ding, das nicht nur vereinzelt, sondern rein wäre. Spezifischer, fast schon erlöserisch, möchten wir es eine Linie nennen, oder einen Takt, aber es wird nicht erscheinen. Ani*mater*ialer Riddim, der den Rhythmus schneidet, die Methode schneidet, – die Überbevölkerung des Metrums durch die Mikrotonalität, der Zaum*, der den Raum* mit einem extrarationalen, hyperganjischen, dancehall-sanskritischen, anachorasmiatischen, al-Mash'schen, all-vermanschten Summen erfüllt, der Ersatz-Groove, in dem wir uns befinden, der entwertete und unbewertbare lokale Aufstand – gehorcht unserer liebevollsten Anrufung nicht. Dieses Geschenk des Geists gibt sich selbst weg, und Null-Eins/Eins-Zwei bleibt verbittert zurück.

Die Undercommons sind keine Koalition. Sie sind ein absolut offenes Geheimnis, ohne professionelle Ambitionen. Die Entwertung des lokalen Aufstands nimmt die Form des Vergessens an, das sich dann manifestiert als Trauer um die Massenbewegung, die es nie gab, eine träumerische Zusammenballung von Unentehrten, eine Auferstehung von dieser oder jenem, der oder die oder das nicht mehr da ist, wie eine Art unternehmerisches Nachleben. Michael Porter sagt, die grundlegende strategische Frage sei, wie man sein Unternehmen aus dem Markt herausbringt. Dieser Exodus nimmt die Form des

Kommandos an, der willkürlichen Macht, Police zu machen, aber auch der Regulierung und Steuerung von Externalitäten. Die Police sagt: Ich habe mich festgelegt, also kann ich euch helfen. Währenddessen besetzen wir die Planung. Beweise nicht; verbessere nicht; zeige nicht einmal. Das ist der romantische Traum vom mobilen Grill. Wir bereiten den Feuertisch aus dem Ölfass, eine Immanenz (jene Interinanimation von Grenze und Überschreitung), die immer da ist als etwas, das mehr und weniger ist als es selbst, weil der Linientakt so viel mehr und weniger ist und sich auszubreiten und zu wandern scheint wie ein Überlauf, wie eine weder singuläre noch plurale Aktivität der aggressiven Begrenzung oder Abgrenzung in (der Verletzung von) jedem Ort, überall, aber extraterritorial, in Berührung, aber weit draußen, die schicken, aber entzauberten *bons temps* der Verschifften, die vage fühlen, wie ihr Nachleben fleischlich und von unregelmäßigem Austausch geprägt ist.

Der Algorithmus ist die – regelmäßige, maßstäbliche – Auferlegung der unmöglichen Aufgabe der geteilten Abstraktion. Mary Pat Brady zeigt, wie das schlechte Gefühl der Skalierung und die schlechten Gefühle, die das Verlangen nach Skalierung erfordert und hervorruft, Implikationen dieser geteilten Abstraktion, dieses abstrahierten Teilens, dieser vereinzelnden Metaphysik der Individuierung sind, die in elektronischem Gleichschritt und brutalem (Single-)Line Dance als vernetzte Komposition der Taktdisziplinierung gegeben ist.[27] Auf der anderen Seite ist Algoriddim kontaktimprovisatorische Gewalt gegen das Null-Eins/Eins-Zwei, eine Störung

27 Mary Pat Brady, *Scales of Captivity. Racial Capitalism and the Latinx Child*, Durham: Duke University Press 2022.

seiner Protokolle, die den binären Rhythmus des eisernen Systems bilden, wie Adorno es treffend beschrieben und ungenau zugeschrieben hat. Wenn die Sinne in ihrer Praxis zu Theoretikern werden, findet eine Zersetzung des Individuums statt; Fleisch/Schwarzsein als Ende/Tod des Individuums ist die Zersetzung des Individuums. Der Übergang von der Logistik zur Logistikalität – von der erzwungenen Verfügbarkeit („in the flesh", wie Hortense Spillers es ausdrückt) zu einer Mechanik der Undercommons-Haptikalität – ist selbst gespenstische Aktion auf Distanz, die äußeren Affekte und Effekte des Intramuralen. Wir untersuchen die Beziehung zwischen dem Intramuralen, wie Spillers es bearbeitet, und der Verwicklung, wie Silva sie bearbeitet. Sie hauchen der Empathie Agonie ein und der Ethik Empathie, und wir fühlen das; sie weben Differenz ohne Trennung, und wir kleiden uns damit. Mit dem Interesse, wirklich nützlich zu sein, studieren wir den kleinen internen Kontakt und die für beide Seiten vernichtende Strahlung verschiedener Quartette, die von den Einen ungehört bleiben, du weißt schon, den Null-Einen/Eins-Zweien, die Anteile haben, die daran interessiert sind, sie selbst zu sein, im Interesse einer Art von Besitz, als ob Besitzen ein Modus der Verteidigung wäre. Die einzige Verteidigung ist Offenheit. Das einzige Besitzen ist nicht zu besitzen. Gib alles weg, bis du nichts hast. Gib es alles weg, bis du nichts bist. Du musst es aufgeben. Du kannst es nicht in die Hand nehmen; du musst hoffen, gegen alle Hoffnung, dass es dich in die Hand nimmt. Das ist es, was die (Null-)Eins(-Zweien) als Stehlen bezeichnen, wenn weder Selbst noch Welt zu fassen sind, d.h. je eher du eines von beiden zu fassen bekommst, desto näher kommen wir dem Verschwinden. Aber du weißt schon, alles war schon da, in verwaschenen Linien, im *got to give it up*. Angesichts dieses Stehlens von Gestohlenem ist das, was wir weiterhin in ihnen erhalten, ihr Wegstehlen, in der Undercommons-Versammlung, in der Dichte, in den unterschiedlichen Schärfen des Ziehens und Überziehens, des spekulativen, anarchitektonischen, antinationalen, profanationalen Zeichnens, der parabolischen Wendungen und exzentrischen, zentrifugalen, extrazirkulären Erträge des Atemholens, das dem Atem entkommen ist, in und aus sich selbst, außerhalb des Maßstabs, über (und unter) der Herrschaft, (gegenüber und) gegen die Herrschaft. Unser hoch-tiefes monastisches Nichts ist unrechtwinkliges Verschwommmmm, außer der Linie und außer der Runde und außer der Reihe, vielfach vertagt, gequert, gedreht, getwerkt, gezüngelt, unser unkorrallierter Choral.

Also machen wir einen Crossfade, Zo, wo die sozialen Kompetenzen der Anti-Sozialen nicht mit der Sozialität der mehr + weniger als Kompetenten mithalten können, deren einziges Problem ist, dass sie kein Problem haben. Der Scheiß, den sie soziale Kompetenzen nennen, ist ein Algorithmus für das Management von Anti-Sozialität. Die Null-Einsen, die nur dort sein können, wo die anderen sind, können sich nicht mit den mehr + weniger als Einen vergleichen, die überall sind. Die Ordnung der sensorischen Integration ist die Emergenz und Hierarchisierung der Dinge, was ein primitiver Scheiß ist für die mehr + weniger als Einen, die im Nebel sind, die in der Mitte sind, die die Unordnung abmischen. Du der Mixer, kleiner Mixmaster in der Mine, der mit Liebe gräbt. Wir lieben dich, sagt es nicht mal ansatzweise. Wir denken, wir haben uns gefunden, ist nicht mal nah dran. Die Überbevölkerung des Metrums. Die

Überfüllung. Die Formung der Grube. Die Ausformung des Fitness-Studios. Die nicht-invasive, unbewachsene Lichtung. Die subatomaren Bäume. Das kosmologische Festmahl. Die gekünstelte Jam. Die Null-Einsen wollen eine vorgegebene, nachvollziehbare, wohlüberlegte Formel für etwas, das nur in einer provisorischen, revisorischen Praxis funktioniert, wo wir kein Problem haben, wo das Problem in Genauigkeit und Unreinheit verschwindet, wo wir uns im Takt bewegen müssen wie im Tanz. Mann! Sogar bei Eliot, der sich von gewissen Bankier-artigen Tendenzen wegstiehlt, als ob sie von Olson gestohlen wären, sogar in seiner phallo-projektiven Umarmung des Offenseins und Geöffnet-Werdens, ist ringsumher Savoir-faire![28]

28 Mehr zum Thema Savoir-faire, siehe *Klondike Kat #1*, https://youtu.be/qAXZb7qLKp4.

EINE PARTIALE ERZIEHUNG

Totale Erziehung

Ist es nicht so, dass wir es heute mit einer totalen Erziehung zu tun haben? Der Begriff stammt aus Foucaults klassischen Passagen über das moderne Gefängnisregime. Bekanntlich verwendet ihn Foucault, um über die Unterweisung von Gefangenen in jedem Aspekt des Alltagslebens und der täglichen Routine zu sprechen. Foucault schreibt über das Gefängnis: „Es hat die gewaltigste Maschine zu sein, um dem pervertierten Individuum eine neue Form einzuprägen. Sein Vorgehen ist der Zwang einer totalen Erziehung."[29] Und so führt er diese Unterweisung, die gegen die Perversion gerichtet ist, weiter aus:

> „Im Gefängnis kann die Regierung über die Freiheit der Person und über die Zeit des Häftlings verfügen. Von daher begreift man die Macht der Erziehung, die nicht nur an einem Tag, sondern in der Abfolge der Tage und selbst der Jahre für den Menschen die Zeit des Wachens und des Schlafes, der Tätigkeit und der Ruhe, die Zahl und die Dauer der Mahlzeiten, die Qualität und die Menge der Speisen, die Natur und das Produkt der Arbeit, die Zeit des Gebetes, den Gebrauch der Sprache und sozusagen auch des Denkens regeln kann [...]."[30]

Foucault betonte nun, dass jede Forderung nach einer Reform des modernen Gefängnisses eine Forderung

---

29 Michel Foucault, *Überwachen und Strafen. Die Geburt des Gefängnisses*, aus dem Französischen von Walter Seitter, Frankfurt/Main: Suhrkamp 1994, 302. Übers. leicht angepasst.

30 Ebd. Foucault zitiert hier Charles Lucas' *De la réforme des prisons* von 1838.

nach mehr Unterweisung war, weil diese Unterweisung die Reform „pervertierter" Körper darstellte – Körper, die zuvor keine solche Disziplin hatten. Reform produzierte mehr Unterweisung. Unterweisung erzeugte mehr Zwang oder Disziplin. Die Disziplinierung bestätigte lediglich die zugrundeliegende Perversion dieser Körper und rief zu mehr Reform auf, die wiederum zu mehr Unterweisung aufrief, um die durch die Disziplinierung bestätigte Perversion zu reformieren. Dieser Prozess spiegelt sich darin wider, wie Foucault das Oxymoron des pervertierten Individuums gebraucht, ein Oxymoron, das dennoch Quelle der totalen Erziehung ist: Perversion verstößt gegen das Prinzip des Individuums, indem sie dessen genaue Grenzen und Gebote nicht einhält, und so ist das pervertierte Individuum ein fortwährender Übergriff, der die totale Erziehung ins Leben ruft.

In Foucaults Darstellung erscheint die Perversion als Abkehr (von der Wahrheit), die in gewisser Weise vorgängig ist, bereits vorhanden. Eine vorgängige Wendung. Eine bereits gegebene Wendung, die eine Begradigung erfordert, die zur Reform aufruft. Unterweisung ist die Weise, wie wir begradigt werden, insofern sie die Weise ist, wie eine_r begradigt wird. Die Korrektur beginnt mit der Zuschreibung des Körpers selbst, damit, dass der Körper dem Fleisch auferlegt wird; die Zuschreibung der Perversion an den spezifischen Körper, die seine Korrektur rechtfertigt, folgt aus seiner Isolierung und manifestiert sich als Diebstahl des Körpers, der von jenen auferlegt wurde, die ein Recht auf Unterweisung beanspruchen, insofern es *ihre* eigenen Körper sind, die *sie* angeblich sowohl beansprucht als auch transzendiert haben. Die Zuschreibung des Körpers, die Auferlegung eines begrenzten und eingeschlossenen Selbstbesitzes, eines vereinzelten Selbst, das dem Besitz unterworfen ist, einem Besitz, der entweder im Diebstahl oder im Handel aktiviert und bestätigt wird, könnte man als die erste Reform, die erste Verbesserung bezeichnen, insofern sie die Möglichkeitsbedingung einer Reform oder Verbesserung ist. Die Zuordnung des Körpers zum Fleisch ist der erste Streifen der langen, harten, quälend geraden, quälend begradigten Reihe. Unterweisung ist Einordnung, ist Begradigung. Unterweisung offenbart dabei das wesentliche Verhältnis zwischen Verbesserung und Verarmung, zwischen dem Privaten und der Privation im Herzen der totalen Erziehung. Der Reichtum der Perversion wird zum Profit der Erziehung.

Heute scheint es nur mehr wenige Beispiele für Foucaults totale Erziehung in Gefängnisregimen zu geben. Das Programm der Reform, das Programm der Gefangenenverbesserung wurde fast überall durch eines der reinen Bestrafung ersetzt, oder durch das, was Foucault einfach Freiheitsentzug nennt. Wenn abolitionistische Wissenschafter_innen darauf hinweisen, dass das gegenwärtige Gefängnisprogramm des „Genozids in Zeitlupe" seit langem die globale Norm in rassifizierten Regimen ist, weigern sie sich zugleich, eine Reform der Ausnahme zu billigen, und machen uns auf die Tatsache aufmerksam, dass die Reform des Gefängnisses *und* die Reform der Gefangenen ebenso Modalitäten des Genozids sind wie das Zusammenspiel von Privation und Privatisierung, das die rassistische Einsperrung unerbittlich erneuert.[31] Aber was wäre, wenn? Was, wenn die Perversion gerade

31 Vgl. Ruth Wilson Gilmore, *Golden Gulag. Prisons, Surplus, Crisis and Opposition in Globalizing California*, Berkeley: University of California Press 2007, und Jordan T. Camp, *Incarcerating the Crisis. Freedom Struggles and the Rise of the Neoliberal State*, Berkeley: University of California Press 2016.

durch die Idee der Individuierung, die das Subjekt der Verbesserung als Objekt der Verbesserung projiziert, erzwungen wird? Dann ist die Figur des pervertierten Individuums immer schon im System. Wenn umgekehrt die Verortung der Perversion im individuellen Körper eine Form des Gefängnisses und der Unterweisung ist, dann ist die Perversion eine bereits gegebene Anti-/Ante-Individuierung. Wenn Gefängnis und Schule zwei Seiten einer gemeinsamen institutionellen Struktur sind, die durch Individuierung operiert, dann ist die Perversion ein Vor-Gefängnis-Ausbruch aus dem Gefängnis, ein vorschulischer Ausstieg aus der Schule, der immer wieder die Allgegenwart der totalen Erziehung offenbart, die sie aufspürt und zum Einsatz bringt. Insofern es im Gefängnis und in der Schule darum geht, zu lernen, gerade zu richten, zu begradigen, dann ist auch jede_r Bürger_in und jede_r Nicht-Bürger_in, jede Person und jede Nicht-Person, jede_r Arbeitende, die Arbeit hat oder nicht, selbst die feindliche Kämpfer_in, die Gefangene und die vermeintlich Arbeitsunfähige, einer totalen Erziehung unterworfen. In der Tat bedingt die ungezügelte Spekulation auf Verbesserung, die heute durch die Finanzwelt ermöglicht wird, eine nahezu universelle Diagnose der Perversion, eine Diagnose, die Unterweisungsmethoden und institutionelle Strukturen erfordert, die extrem eng und zugleich hierarchisch unterteilt sind. Dieser Gedanke mag in Bezug auf den heutigen Preisbildungsmarkt unserem Alltagsverstand zuwiderlaufen. Dieser Markt scheint eine atomisierte Landschaft zu schaffen, die jedes Individuum sich selbst überlässt, frei in seiner Entscheidung und seiner Handlung. In der Tat hören wir viel über Staaten, die hohl, und Institutionen, die dysfunktional sind. In einer solchen Landschaft mag die Idee einer totalen Erziehung, die zur Umsetzung eine totale Institution und eine totalisierende Methode der Umsetzung benötigt, unangebracht wirken. Sicherlich erscheint die Behauptung, dass eine solche totale Erziehung diese Landschaft tatsächlich beherrscht, kontraintuitiv.

Die Idee, dass wir auf uns selbst gestellt sind, oder technischer formuliert, dass wir nun für unsere eigene soziale Reproduktion verantwortlich sind, muss allerdings ergänzt werden. Wir sind eben nicht einfach auf uns selbst gestellt. Wir bleiben *ihnen* ausgeliefert, sowohl wegen als auch abgesehen von *unseren* Perversionen, die ihren ständigen regulatorischen und (e)valuierenden Angriff in einem System hervorrufen, in dem sich Regulierung und Bewertung konstituieren und gegenseitig verstärken. Wir sind mit der Verbannung der Perversion in das konfrontiert, was Silva „die Gleichungen des Werts“[32] nennt, deren ursprüngliches Axiom und grundlegende Operation die Individuierung ist. Der vorgängige Widerstand gegen die Individuierung ist sowohl der primäre Modus unserer Perversion als auch die Struktur und Aktivität des Beharrens, die im Wesentlichen wertbildend sind. In dieser Hinsicht ist die Perversion das primäre Objekt und die Rechtfertigung der totalen Erziehung, insofern alle unsere Bemühungen um soziale Reproduktion als falsch, unzureichend und schwach angesehen werden müssen. Und gleichzeitig werden all diese Bemühungen kapitalisiert, sie werden zum Motor und zum Treibstoff und zum Objekt der ständigen Verbesserung. Gerade aufgrund des staatlichen und institutionellen

---

32 Denise Ferreira da Silva, „1 (life) ÷ 0 (blackness) = ∞ − ∞ or ∞ / ∞: On Matter Beyond the Equation of Value“, *e-Flux Journal* 79, Februar 2017, http://www.e-flux.com/journal/79/94686/1-life-0-blackness-or-on-matter-beyond-the-equation-of-value.

Rückzugs aus der sozialen Reproduktion können wir als pervertiert diagnostiziert werden. Staat und Institution ziehen sich von ihr zurück, transzendieren sie, trennen sich von ihr und machen so die soziale Reproduktion zum Objekt ihres besitzergreifenden epistemologischen und ökonomischen Zugriffs. Tatsächlich wird in vielen Fällen der Rückzug selbst nun rückwirkend auf unsere Perversionen zurückgeführt. Mit anderen Worten: Wie sollen wir ohne den Staat und seine Institutionen hinreichend reguliert und abgesondert werden, um Eigentum zu erlangen und aufrechtzuerhalten und die damit gefundene Freiheit zu sichern? Wir können es gar nicht. Vielleicht wollen wir aber auch vor allem, wie Etta James sagt, einfach nicht frei sein.[33]

Wir werden dem Staat entzogen, damit das Objekt in seiner Trennung genossen werden kann. Aber Rückzug ist nicht wirklich Hingabe; was bei diesem Rückzug auf dem Spiel steht, ist vielmehr eine Unterteilung des Genusses. Was entsteht, ist eine Art Homo-Sozialisierung (oder Politisierung) des Genusses – regulierende Begradigung und monolithischer Konsum und Ent-(ver)wicklung des Genusses, als ob die Orgie ständig durch serielle Monogamie ersetzt würde. Was die Trennung mit dem Genuss tut, ist entscheidend und grausam. Der Rückzug aus dem Objekt des Genusses ist ein Akt der Individuierung, der diesem Objekt aufgezwungen wird. Genauer gesagt, wird dem Objekt Selbstbesitz als eine inaktive oder ausgezehrte Fähigkeit auferlegt, deren Wirkungslosigkeit notwendig einem Regime unterworfen wird, in dem es vollständig dem Genuss eines anderen unterworfen ist. Betrachten wir zum Beispiel die den Versklavten

33 Etta James, „I'd Rather Go Blind", 1967.

auferlegten Körper, die rückwirkend und gleichzeitig zu ihrem Eigentum und zu uneigentlichem und unwirksamem Selbstbesitz erklärt werden, und den damit einhergehenden Diebstahl dieser Körper durch den einen, *den* Mann, der sie versklavt. Dies ist der Unterschied zwischen zwei Arten des Genusses: Genuss in der Trennung und Genuss in der Verwicklung; der Genuss (der Gebrauch) des (trennbaren) Körpers und der Genuss des (verwickelten oder Undercommons-)Fleisches. Genau aus diesem Grund ist die Unterweisung notwendig. Unterweisung ist die Regulierung (zum Zwecke des Diensts und des individuellen Genusses) einer unursprünglichen Perversion. Und weil dieses Scheitern[34] – die ständige Bedrohung des totalen Systemversagens als unursprüngliche Perversion – alle Bereiche der sozialen Reproduktion des Lebens durchzieht, muss auch die Unterweisung alle Bereiche umfassen. Sie muss das Scheitern überall von einer Perversion in einen Punkt auf einer Linie verwandeln. Sie muss das Scheitern überall auf eine Gaußsche Glockenkurve reduzieren. Sie muss überall sein. Sie muss eine totale Erziehung sein.

Der Markt unterweist

Heute ist es natürlich in erster Linie der Markt (in seiner begradigten Version), der unterweist. Der Markt verfügt über unsere Freiheit und unsere Zeit, um sich in die Lage zu versetzen, eine totale Erziehung anzubieten.[35] (Wenn der Staat über unsere Freiheit verfügt, können

---

34 Vgl. Jack Halberstam, *The Queer Art of Failure*, Durham: Duke University Press 2011.

35 Zu den Anforderungen der Unterweisung für die Beschäftigung, vgl. Franco „Bifo“ Berardi, *The Soul at Work. From Alienation to Autonomy*, Cambridge: The MIT Press 2009.

wir sicher sein, dass es keine Unterweisung zur Reform geben wird.) Die erste Lektion dieser totalen Erziehung – nach der unvermeidlichen Diagnose der Perversion (die vorsätzlich als Krankheit und nicht als Gesundheit missverstanden wird), die sich aus unserer Deinstitutionalisierung ergibt – ist, dass wir uns verbessern müssen. Aber nicht nur, dass wir uns verbessern müssen, wir müssen uns in jedem Bereich des Lebens verbessern, in all den Bereichen, in denen wir aufgegeben worden sind. Unsere Arbeit, ja, aber auch unsere Gesundheit, unsere Bürger_innenschaft, unser Eigentum, unsere Kinder, unsere Beziehungen, unsere Vorlieben. Um uns zu verbessern, müssen wir unterwiesen werden. Die Unterweisung beginnt mit der Klarstellung, dass alles, was am Staat, den Institutionen oder dem Markt nicht stimmt, unsere Schuld ist. Die Unterweisung verlangt von uns, die geraden Linien zu sehen, die sie sich (in einer zutiefst regulativen Form der Einbildung als Selbstbildnis, als Bildnis des Selbst-als-Einem, Einbildungskraft*) einbildet, um eine Art transzendentalen Wunsch nach Verbesserung hervorzubringen.

Im Gegensatz zur Institution stimmt etwas nicht mit uns, weil wir nie gerade genug sind, nie verbessert genug, im Sprechgesang unserer Perversionen. Und aus der Perspektive der totalen Erziehung stimmt das. Es stimmt etwas nicht mit uns – nämlich, dass wir nicht stimmen wollen. Mit Luther Ingram gesagt, bedeutet das, dass wir verliebt sind.[36] Sie wollen (was nicht stimmt mit) uns besitzen, benutzen und ständig verbessern. Sie wollen uns die immerwährende

---

36 Luther Ingram, „If Loving You Is Wrong", Koko Records, 1972, Komposition und Text von Homer Banks, Carl Hampton und Raymond Jackson für Stax Records, https://youtu.be/rmiuAUnT_tQ.

Begradigung aufzwingen, der sie unterworfen sind. Samuel Delany sagt, das normative, d.h. anormale psychologische Modell der Homosexualität der 1950er Jahre besagte, dass es sich um eine „einsame Perversion" handelte.[37] Aber das heißt auch, und vielleicht genauer, dass das institutionelle Urteil über das Normale und das Anormale (oder, wie der Künstler Arthur Jafa sagt, *the abnormative*[38]) im Interesse einer allgemeinen Unterwerfung der Perversion unter das Einzelne lag, zum Zweck ihres seriell einzelnen Besitzes, Gebrauchs, ihrer Verbesserung und ihres Genusses. In der Tat kann jedes Versagen des Markts, des Staats oder der Institutionen auf uns zurückgeführt werden. Unsere verbesserte Beteiligung an diesen Einheiten wird sie verbessern. Aber sie wird uns nicht verbessern, zumindest nicht genug, denn schließlich sind wir Quelle und Lebensgrundlage der Perversion, und damit notwendig für die totale Erziehung.

Wir sind es, nicht die Gesellschaft, die zu reformieren sind, und jede Kritik an der Gesellschaft wird zur weiteren Unterweisung für uns. Unter der totalen Erziehung bedeutet die Reform jeder Institution immer, uns zu reformieren. Alles stimmt nicht an uns, und unser Problem ist, dass sie das wollen, was an uns nicht stimmt, um die ständige Verbesserung und Begradigung dessen, was an uns nicht stimmt, in die Wege zu leiten; das erleichtert ihnen die Einbildung, irgendwie schon

37 Samuel R. Delany, *The Motion of Light in Water. Sex and Science Fiction Writing in the East Village*, Minneapolis: University of Minnesota Press 2004, Kap. 34.1.

38 Arthur Jafa, *Dreams Are Colder Than Death*, 2014, Film, 52 min., 2014, http://arika.org.uk/events/episode-6-make-way-out-no-way/programme/dreams-are-colder-death.

immer gerade, richtig, korrekt gewesen zu sein. Wir sind die ungefügige Musik, gegen die sich eine bestimmte Fantasie der Geradlinigkeit durchgesetzt haben wird, die das Allgemeine zu einem bloßen Hintergrund umformt. Diese Fantasie ist eine von unendlich vielen, die die allgemeine Krümmung und Biegung und Verwicklung ausmachen. Sie ist eine vereinzelte Version unserer allgemeinen Perversion, eine Sache der Leichtigkeit, die wir als die unsre eingestehen müssen. Die Fantasie der Dominanz und Transzendenz ist dominant und transzendent, bis wir sie loslassen, sie wieder in die allgemeine Musik der Verlagerung verlegen, die Abtrennung und Loslösung, die ihr Wesen ist, nicht mehr zulassen, die Allgemeinheit und Gegenseitigkeit von Gebrauch, Genuss, Gefühl neu einstellen und feiern. Jeder Aspekt von uns ist pervertiert. Jeder Aspekt der Individualität kann verbessert werden, kann unterwiesen werden. Aber gerade weil jeder Aspekt von uns pervertiert ist, wird uns, um Verbesserung und Unterweisung möglich und zugleich notwendig zu machen, Individuierung auferlegt. Jeder Aspekt ist reform- und damit unterweisungsbedürftig. Der Markt ist nicht nur zuständig für „die Natur und das Produkt" unserer Arbeit, sondern auch für „die Zeit des Gebetes, den Gebrauch der Sprache und sozusagen auch des Denkens".[39] Der Markt trachtet nicht nach Bestrafung. Er versucht, zu unterweisen. Und da jeder Aspekt von uns pervertiert ist, muss die Unterweisung Zugriff zu jedem unserer Aspekte haben. Sie muss logistischen Zugriff haben. Sie muss darauf bestehen, unsere Körper zu reformieren, damit sie Kanäle für die Interoperabilität von Arbeit, Geld, Energie und

39 Foucault, *Überwachen und Strafen*, 302.

Information sind. Eine logistische Erziehung bedeutet, dass jeder Aspekt von uns ein Mittel ist und sein muss. In diese Verbesserung in/als alle Mittel ist die zweite Lektion dieser totalen Erziehung integriert. Wir werden uns nicht genug verbessern können. Wir werden Verbesserung immer brauchen, und immer werden wir sie brauchen.[40] Ein anderes Wort für diese zweite Lektion ist Spekulation.

In dieser zweiten Lektion tut sich der Markt mit dem Staat und seinen ideologischen und repressiven Apparaten zusammen. In der Tat ist es in vielen Fällen der Staat, der die Diagnose der Perversion stellt, und in jedem Fall ist es der Staat, der den Markt absichert. Der Staat kehrt zu seinen Siedlerwurzeln zurück und sichert nicht nur das Privateigentum, sondern das private Individuum, ja er sichert die Individuierung selbst als ein für diese Art von Spekulation notwendiges Prinzip. Maria Josefiña Saldaña-Portillo lehrt uns, wie Eigentumsrechte den indigenen Völkern nicht nur aufgezwungen wurden, um Land zu extrahieren, sondern auch, um die Individuierung als Grundlage für die Expansion und Legitimation des Siedlerstaats einzuführen.[41] Die unaufhörliche Privatisierung der sozialen Produktion, die Polizeiarbeit, die Eigentumsrechte und die Propaganda bleiben in dieser Hinsicht Besonderheiten des Staats. Aber der Staat beteiligt sich auch an der Unterweisung und insbesondere am spekulativen Markt der Verbesserung. Nehmen wir als kurzes Beispiel die Gentrifizierung.

---

40 Zu den unendlichen Ansprüchen der Arbeit vgl. Peter Fleming, *The Mythology of Work. How Capitalism Persists Despite Itself*, London: Pluto Press 2015.

41 Maria Josefina Saldaña-Portillo, *Indian Given. Racial Geographies across Mexico and the United States*, Durham: Duke University Press 2016.

Gentrifizierung zu erleben heißt, in Spekulation unterwiesen zu werden. Man muss lernen, Geschichte, Parks, Schulen, natürliche Umgebungen, kulturelle Unterschiede, Gesundheit und öffentliches Leben als monetarisierte Werte zu sehen, auf und gegen die man wetten kann. Diese zeitgenössischen Pilger wollen „die Nachbarschaft aufwerten". Sie begehren ihre Verbesserung, was bedeutet, dass sie auch das begehren, was verbessert werden soll. Sie trennen sich von dem, was verbessert werden soll, oder vertreiben es, und diese Trennung bleibt die wesentliche Struktur ihres Begehrens. Deshalb ist Gentrifizierung als Kraft immer auf der Suche nach der nächsten Nachbarschaft, die es zu erobern gilt. Gewissermaßen ein billiger Lacanscher Trick. Sie wollen nicht nur das, was verbessert werden soll, sie wollen auch von dem, was verbessert werden soll, begehrt werden, begehrt von der Perversion. Kriminalität, scheiternde Schulen, ungenutzte oder schlecht genutzte Parks und öffentliche Verkehrsmittel werden der Diagnose der Perversion unterzogen. Und die Diagnose wird von Bürger_innen durchgeführt. Die Bürger_innen der Gentrifizierung übernehmen die Schulen, reinigen die Parks, arbeiten mit der Polizei zusammen und identifizieren im Allgemeinen diejenigen, mit denen etwas nicht stimmt. Diese Selbstführung als Bürger_in der Gentrifizierung hat den spekulativen Staat als Lehrmeister. In der Gentrifizierung unterwiesen zu werden bedeutet jedoch nicht nur, andere der Evaluation zur Verbesserung zu unterziehen, sondern auch sich selbst. Es bedeutet, sich einer Selbstdiagnose zu unterziehen und die eigene Verbesserungsfähigkeit in Form von mehr Spekulation zu testen, wie die Fähigkeit, mehr Schulden zu machen, mehr lebenslanges Lernen, mehr Flexibilität, mehr

Dienstbarkeit gegenüber diesem spekulativen Markt der Verbesserung. So entwürdigend diese Selbstdiagnose auch sein mag, sie ist besser, als von denen diagnostiziert zu werden, die sich selbst diagnostizieren, besser also, als diejenigen zu sein, denen von anderen gesagt wird, dass mit ihnen etwas nicht stimmt. Es ist besser zu sagen, mit mir stimmt etwas nicht, als gesagt zu bekommen, mit dir stimmt etwas nicht. Es ist besser, sich selbst zu begradigen.

Die Modernität des Nießbrauchs

Man könnte sagen, dass dieses Regime der Verbesserung seinen Ursprung im modernen Nießbrauch hat. Nießbrauch ist ein Begriff, der das Zusammentreffen zweier Arten von Verbesserung zu Beginn des 19. Jahrhunderts erkennen lässt. Einerseits setzte sich das Bürgertum im Gegensatz zum statischen Status der Aristokratie für die Möglichkeit und Notwendigkeit, sich zu verbessern, ein. Auf der anderen Seite bedeutete der wachsende Investitionsimperativ des Kolonialismus und des Kapitalismus, dass alles Land und alle Leute danach beurteilt wurden, wie viel mehr sie sich verbessern konnten, wie viel mehr sie durch Investition einbringen konnten und sollten. Das wirklich Unheimliche an dieser sozialen Synthese ist, dass sie die fiktive Idee des sich selbst verbessernden, sich selbst besitzenden, sich selbst autorisierenden Individuums gerade dadurch verstärkt, dass sie das unproduktive und unterwillige Land und die Leute, die diese Fiktion umgeben, voraussetzt, eine Fiktion, die massiver Ressourcen für ihren Selbsterhalt bedarf und die von ihr vorausgesetzte Verarmung mittels *individuierter* Enteignung im Dienst des Eigentums produziert. So ist der vermeintlich unabhängige Wille des

„Nießbrauchers", desjenigen, der das Eigentum eines anderen verbessert, nachdem er die relative Abwesenheit des Willens im „nackten Eigentümer" durchbrochen hat, dazu bestimmt, den anderen zu beherrschen, zu verbessern, zu unterweisen. Man könnte argumentieren, dass dies auch das Grundmodell der formalen Bildungssysteme war, die sich in der Folge entwickelten. Ein anderes Wort dafür ist Ehe.[42]

So könnten wir uns durchaus fragen, wo dieses düstere Bild der Zwangsverbesserung – die heute in der totalen Erziehung gipfelt – diejenigen belässt, die traditionell als Unterweisende eingestuft wurden: Eltern, Lehrer_innen, Künstler_innen und Protagonist_innen sozialer Bewegungen. Es belässt sie, wie wir sagen würden, beim Studium. Studium pervertiert die Unterweisung. Studium entsteht als kollektive Praxis der Revision, in der diejenigen, die studieren, sich nicht verbessern, sondern improvisieren, sich nicht entwickeln, sondern regenerieren und degenerieren, keine Unterweisung erhalten, sondern versuchen, Rezeption zu instanziieren. Studium ist unsere bereits gegebene Gabe der *allgemeinen* Enteignung unserer selbst füreinander, und unser Dienst an dieser Enteignung. Studium ist die (un)beständig ungeformte, insistierend informelle, unterperformende gegenseitige Verpflichtung, nicht zu graduieren, sondern stattdessen auf unbestimmte Zeit eine unbewertbare gegenseitige Schuld anzuhäufen, anstatt uns der unendlich austauschbaren Kreditlinie zu unterwerfen. Studium ist eine partiale Erziehung.

---

42 Für eine ausgezeichnete Untersuchung über Paare und heteronormative Familien als Erweiterungen der Individuierung, vgl. Melinda Cooper, *Family Values. Between Neoliberalism and the New Social Conservatism*, Cambridge: Zone Books 2017.

Partiale Erziehung

Die partiale Erziehung beginnt mit einer offenen Perversion, einer offenen Verdrehung einer offen maoistischen Formulierung. Maos Formulierung ist, dass aus Eins zwei werden; unsere ist, dass die Eins mehr und weniger als das wird. Diese mittellose Verweigerung der ganzen Zahl, diese Verletzung der Ganzheit der Zahl, ist der erste Antagonismus einer partialen Erziehung, ihr parteiischer Auftakt. Die erste Handlung in der Praxis einer partialen Erziehung ist zu sagen, dass die totale Erziehung, mit der wir konfrontiert sind, nicht total ist, nicht eins, sondern mehr und weniger. Und wenn sie mehr oder weniger mehr und weniger ist, dann bedeutet das, dass ein Teil von ihr nicht dazu gehört. Er gehört uns, und damit niemandem und allen. Zu sagen, dass totale Erziehung (nicht eins) ist, bedeutet, dass wir nicht nur damit konfrontiert sind, ihre Unterweisung zu kritisieren, sondern dass wir auch studieren, und dass wir, insofern dies wahr ist, nicht sie studieren. Eine partiale Erziehung beharrt zudem auf der Asymmetrie dieser Formulierung. Unser Ding ist grundlegend anders als ihr Ding, denn unser Ding ist unbegründet, ungegründet, Undercommons. Eine partiale Erziehung ist nie fertig, nie begonnen oder beendet, unterfundamental und unsolide. Sie ist dazu bestimmt, unvollendet und unerledigt zu bleiben. Eine partiale Erziehung ist eine unvollkommene Erziehung, unternommen von uns, die wir unvollkommen sind, um Robinsons vorwegweisende, vor-predigthafte Formulierung aus *The Terms of Order* zu übernehmen. Eine partiale Erziehung wird von den Teilen praktiziert, die mehr und weniger als sie selbst sind, so sehr, dass sie ständig viel Lärm erzeugen. Eine partiale Erziehung ist eine Perversion der

Unterweisung. Invaginativ erschöpft sie das irreduzible Wechselspiel von Nießbrauch und Unterweisung.

Eine partiale Erziehung ist auch keine neutrale Erziehung, die darauf abzielt, in richtiger Weise ganz und total zu sein und damit die schlechte totale Erziehung zu ersetzen, mit der wir jetzt konfrontiert sind. Es geht ihr nicht um Ersetzung, sondern um Verlagerung. Eine partiale Erziehung ist der parteiische Standpunkt eines Standpunkts ohne Standpunkt. Sie beharrt darauf, wie das, was uns gehört, mehr und weniger ist als unser. Eine partiale Erziehung ist eine Partisan_innen-Brigade, die in ihrer Unterscheidung zwischen dem, was sie nicht ist, und dem, was sie ist, den allgemeinen Antagonismus hervorruft. Ist eine partiale Erziehung mit anderen Worten eine antagonistische Erziehung, so ist sie auch mehr und weniger als das, was mit Silva ihre untrennbaren Unterschiede genannt werden kann. Sie bewegt sich gegen den Strich der Taxonomien, Kategorien und Identitäten der totalen Erziehung, die durch den Nießbrauch der europäischen Aufklärung angestoßen wurden. Eine partiale Erziehung ist eine sinnliche Erziehung, eine fühlende Erziehung. Sie ist eine synästhetische Theorie der Sinne[43], nachdem die Sinne in ihrer Praxis zu Theoretikern geworden sind. Eine partiale Erziehung *verschüttet* ihre eigenen Sinne – wie die Begrifflichkeit von Alexis Pauline Gumbs es freisetzt.[44] Eine partiale Erziehung schreitet durch ihre eigenen Verschüttungen voran und zurück.

---

43 Vgl. Fred Motens Diskussion der Synästhesie in „Amuse-Bouche", *Jacket 02*, 2. Februar 2015, https://jacket2.org/article/amuse-bouche.

44 Alexis Pauline Gumbs, *Spill. Scenes of Black Feminist Fugitivity*, Durham: Duke University Press 2016.

Gumbs' Arbeit ist von Spillers inspiriert, ebenso wie der Begriff einer partialen Erziehung von der Art und Weise inspiriert ist, wie Spillers die Einsheit sowohl des Kapitalismus als auch seiner aufschlussreichsten Kritik, des Marxismus, in Frage stellt.[45] Diese Kritik verlangt, ungeachtet ihres Gegenstands, einen gewissen Abstand zwischen der Ware und der Arbeiter_in, egal wie klein oder vom Zusammenbruch bedroht er ist, damit „Politik" existieren kann. Spillers lehrt uns in der Tat, wie Robinson, dass selbst dieser eine, der Marxismus, mehr und weniger als das ist, weil die Ware, die sprechen konnte, ein innerer Antagonismus zu jenem unumstößlichen Antagonismus gegenüber dem Kapitalismus ist und aus diesem Grund etwas mehr und etwas Partialeres als Politik mit sich bringen kann.[46] Implizit ist also diese Kritik, die besonders in der Sklavin verkörpert ist und von ihr unter den brutalsten Bedingungen dessen, was Hartman „belastete Individualität" nennt[47], immer wieder ausgefleischt wird, auch eine Kritik der Politik selbst und damit der Idee des Staats, wie wir vielleicht an den unten besprochenen Künstler_innen sehen können.

Das Modell Singapur

Im Jahr 2015 sagte Singapurs Premierminister Lee Hsien Loong in einem Interview mit CNN: „Die Leute

---

45 Hortense Spillers, *Black and White and in Color. Essays on American Literature and Culture,* Chicago: University of Chicago Press 2003.

46 Vgl. Fred Moten, *In the Break. Aesthetics of the Black Radical Tradition*, Minneapolis: University of Minnesota Press 2003.

47 Saidiya V. Hartman, „The Burdened Individuality of Freedom", in: dies., *Scenes of Subjection. Terror, Slavery, and Self-Making in Nineteenth-Century America*, New York/Oxford: Oxford University Press 1997, 115-124.

sagen, wir seien paranoid, was wir wohl auch sind, und wir müssen es auch sein."[48] Er wurde weithin für diese Bemerkung verspottet, die wie ein Rückfall in das Singapur der 1970er und 1980er Jahre klang, als sein Vater das Land mit einem noch autoritäreren Griff regierte. Aber fairerweise muss man dem jüngeren Mr. Lee zugestehen, dass er über den Druck auf Singapur sprach, in einer Welt wettbewerbsfähig zu bleiben, in der globalisierte Firmen und internationale Finanzen die traditionelle Rolle von Entwicklungsstaaten wie Singapur einschränken. Dennoch war die Bemerkung symptomatisch, weil sie an eine frühere Ära der Unterweisung im Nationalstaat erinnerte. Singapur entstand gerade als „Modell" durch seinen Anspruch, Bürger_innen zu machen, die weniger pervers sind. Singapur tat dies, indem es so ziemlich alles im Land als pervers einstufte, außer Lohnarbeit und Zwangssparen, Ehrerbietung gegenüber der Staatsmacht und heteronormatives Familienleben. Aber es tat dies auch, indem es seine Bürger_innen darin unterwies, dass noch groteskere Perversität überall um den Inselstaat herum lauerte, von Feind_innen im Innern, wie z.B. denjenigen mit chinesischer Abstammung, die mit den Kommunist_innen in Malaysia oder China verbündet sein könnten, über die religiösen Fanatiker_innen, abgetaucht unter der Oberfläche in einem Meer von Islam, das den säkularen Nationalstaat umgibt, bis hin zu gewöhnlichen Kriminellen, die auf der Lauer liegen, wenn Singapurer_innen ins Ausland reisten. Heute noch ist das erste, was man als Besucher_in von einheimischen Taxifahrer_innen hört,

---

48 Dialog mit Lee Hsien Loong auf der Konferenz SG50+, 2. Juli 2015, http://www.pmo.gov.sg/newsroom/transcript-dialogue-prime-minister-lee-hsien-loong-sg50-conference-2-july-2015.

wie sicher Singapur ist – als ob man einen Spaziergang durch Bangkok oder Jakarta oder Hanoi niemals überleben würde, ohne auf Straßenräuber_innen zu treffen.

Entgegen dem Klischee durchschauten selbst viele Singapurer_innen oft diese sehr offensichtlichen Unterweisungsversuche, und aus diesem Grund war das Singapur-Modell nicht wirklich ein Modell der totalen Erziehung. Es waren nicht die Körper und Seelen der Singapurer_innen, die geschult wurden, sondern nur ihre öffentlichen Umgangsformen – ihr Verhalten als Bürger_innen eher denn als Untertanen. Sogar heute noch sind unbeholfene öffentliche Erziehungskampagnen wie Mr. Lees Kommentar ein anachronistisches Merkmal dieser Art der Begradigung der Singapurer_innen in die Staatsbürger_innenschaft. Aber obwohl Mr. Lee die falsche Art von Unterweisungshandbuch in den Händen hielt, war er zu Recht besorgt um die kontinuierliche Verbesserung im heutigen Singapur. Singapur unterliegt einem neuen Regime des Nießbrauchs. Und damit entsteht eine neue Art von totaler Erziehung in Singapur, eine, die von der globalen Wirtschaft geleitet wird, wobei die Regierung sich, um mitzuhalten, bemüht, ihren Lehrplan zu aktualisieren. In der Tat ist Singapur heute ein Paradebeispiel für Körper, die von der globalen Wirtschaft logistisch unterwiesen werden. Mit seinen dominanten Sektoren Finanzwesen, Gastgewerbe und Reisen, mit Einzelhandel, Gesundheit und Erziehung an der Spitze, entsteht eine neue Art der Unterweisung im Zugriff, die selbst für Foucaults Gefangene übergriffig erschiene. Die totale Erziehung nimmt nicht so sehr die Form einer spekulativen, sondern die einer logistischen Verbesserung an.

Da die meisten Leute in Singapur in Sozialwohnungen leben und die Klassenmobilität stark eingeschränkt ist, ist die Erziehung der Bevölkerung in diesem Finanzzentrum vor allem durch Logistik geprägt, nicht durch das Finanzwesen. Das „Modell" Singapur hilft uns zu verstehen, wie eine logistische Unterweisung als allgemeine Abwertung der Mittel funktioniert. Mit dieser Unterweisung soll der Körper ausschließlich ein Mittel für den reibungslosen Ablauf von Transaktionen werden. Er soll zu einem Mittel für die Interoperabilität aller Dinge werden. Unterweisung ist gegeben in der Öffnung des Körpers durch Diskurse und Praktiken wie Kundenservice und Prosumer-Verhalten, und in der Tat in der Finanzialisierung des Selbst, wie Randy Martin es formulierte[49], aber vor allem durch die endlose Verfügbarkeit, den 24-Stunden-Zugriff auf jeden Aspekt des Körpers. Selbst die Ermahnungen zu Kreativität, Kritikalität und Unternehmertum schulen den Körper vor allem für die Erweiterung des Zugriffs auf soziales Leben, Einbildungskraft und kulturelles Wissen. Der Körper wird darin unterwiesen, ein Mittel für diese Ströme oberhalb und unterhalb der Ebene seiner Integrität als Körper zu werden, für diese Verbindungen, die neue Ebenen von Intellekt und Affekt zugänglich machen. Aber immer dient diese Schulung in/als Mittel zur Transaktion, zur Akkumulation, zur Realisierung des privaten Profits aus der gesellschaftlichen Produktion. Das Kapital sucht nur die Abwertung der Mittel und kann nicht ertragen, was Malcolm X als Zweck verstand, als er seine berühmte Phrase „mit allen erforderlichen Mitteln" äußerte. Nicht

49 Randy Martin, *The Financialization of Everyday Life*, Philadelphia: Temple University Press 2002.

mit allen Mitteln also, sondern nur mit solchen, die der begrenzten Vorstellungskraft des Kapitals dienen, das heißt nur solchen Mitteln, die durch Individuierung, dadurch, dass Freiheit über Notwendigkeit gestellt wird, abgewertet werden können.

Logistische Unterweisung, die neue totale Erziehung in Singapur, erlaubt es uns, die jüngsten paranoiden Versuche der Regierung zu verstehen, ihren Lehrplan zu ästhetisieren und über den kruden Ansatz des Auswendiglernens und die „Kein Fleiß, kein Preis"-Sprüche ihrer staatlich gelenkten Industrialisierung hinauszugehen.[50] Dennoch kann diese totale Erziehung in der Logistik nicht umhin, die neuen Perversionen zu offenbaren, von denen sie lebt, Perversionen, die in der Region gleichzeitig sehr alt sind. Diese totale Erziehung ist in der Tat symptomatisch für die Perversion des Singapur-Modells, sie ist seine Basis und seine Niedertracht. Diese Perversionen bedrohen den Reichtum der Stadt, weil dieser Reichtum von ihnen, von einer Abhängigkeit, abhängt. Wir werden darauf zurückkommen.

Marx sagte voraus, dass die Kapitalströme Teil des Produktionsprozesses werden würden. In voller Wirksamkeit zeigt sich diese Prognose in der Arbeit von Anna Tsing, die sogar die Dominanz solcher Ströme in vielen Sektoren nachweist, einschließlich vieler Sektoren, die in Singapurs Ökonomie hervorstechen.[51] Die Entwicklung der Fähigkeit, nicht nur für andere offen zu sein,

---

50 Eng Beng Lim, „No Cane, No Gain. Harry, Queer Discipline, and Me", *Bully-Bloggers*, https://bullybloggers.wordpress.com/2015/03/29/no-cane-no-gain-harry-queer-discipline-and-me-by-eng-beng-lim.

51 Anna Tsing, „Supply Chains and the Human Condition", *Rethinking Marxism* 21(2), 2007, 148-176.

sondern von anderen geöffnet zu werden, geteilt, parzelliert, versendet, verschifft zu werden, bedeutet, das zu entwickeln, was wir an anderer Stelle Logistikalität genannt haben.[52] Logistikalität ist die Perversion der Logistik, ihre formlose Quelle. Logistische Erziehung reagiert auf diese unterfließende Undercommons-Logistikalität. Sie versucht, diese durchdringende Perversität des Zugriffs, der vulgären Öffnungen, zu begradigen, d.h. zu degradieren. Sie muss auf eine Umkehrung der ersten Reform reagieren, durch die der Körper der Perversion des Fleisches auferlegt wird. Die Logistik behandelt den Körper partial, greift auf Teile zu, zerlegt Teile, lässt Teile zurück. Es ist daher entscheidend, dass die Logistik nicht zu der Art von partialer Erziehung führt, in der eine solche Perversität – von Fleisch ohne integrale Körper, von Körpern, die in das Fleisch verwickelt sind, anstatt es zu beherbergen – als eine Form des Studiums unter denen wieder auftauchen könnte, die wollen, dass auf sie zugegriffen wird, weil sie falsch liegen wollen.

Logistische Perversionen

Die Kunst kann hier helfen. Oder vielmehr der Kunstmarkt, die Kunstszene, die Kunsterfahrung, wie Singapur sie sowohl importiert als auch geschaffen hat. Die Eröffnung der Gillman Barracks signalisierte das Engagement der Regierung Singapurs, den Inselstaat zu einem Zentrum für zeitgenössische Kunst zu machen. Die Gillman Barracks, eine Militäranlage aus der Kolonialzeit, die sich über mehrere üppige Hektar im Westen

---

52 Stefano Harney und Fred Moten, *Die Undercommons. Flüchtige Planung und schwarzes Studium*, aus dem Englischen von Birgit Mennel und Gerald Raunig, Wien u.a.: transversal texts 2016, 110-119.

der Insel erstrecken, wurden renoviert, um zahlreiche kleine private Kunstgalerien, Restaurants und das Centre for Contemporary Art zu beherbergen, jene öffentliche Institution, die den Kern der Neugestaltung bildet. Kurz darauf öffnete das Singapore Museum of Modern Art im Gebäude des Obersten Gerichtshofs aus der Kolonialzeit seine Pforten, das nun moderne Kunst des 20. Jahrhunderts aus der Region beherbergt und die Legitimation für den Vorstoß auf den Weltkunstmarkt bereitstellt. Die klare Marktstrategie der Investitionen in die Kunst zeigt sich in der Art und Weise, wie die Singapore Art Week, eine riesige kommerzielle Ausstellung, die in den ikonischen Marina Bay Sands-Gebäuden am Hafen abgehalten wird, die Singapur Biennale in den Schatten gestellt hat, die in einem Waisenhaus aus der Kolonialzeit untergebracht ist (dieses ehemalige Waisenhaus, das jetzt das Singapore Art Museum ist, wurde vor kurzem wegen Renovierungsarbeiten geschlossen). Durch die institutionellen Einrichtungen und durch Residenzen, Publikationen, Stipendien, Universitätsprogramme und kleinere Festivals wurden südostasiatische Künstler_innen, Kuratoren_innen, Kritiker_innen und Sammler_innen in großer Zahl an diesen goldenen Umschlagplatz gelockt. Eine zeitgenössische Kunstszene wurde in das Singapur-Modell integriert. Die Singapurer_innen sollen eine totale Erziehung in Kunst erhalten.

Aber worin sollen sie unterwiesen werden? In Kunsttheorie? In Investitionen in den Kunstmarkt? In den Wert der Kunst als sozialer Praxis? Nun, in der Tat in all dem. In einem so wohlhabenden Land wie Singapur, in dem ein Viertel der Haushalte über ein Einkommen von mehr als einer Million US-Dollar verfügen soll, wird ein bisschen Kunsttheorie in Form von Unterweisung durch

Kurator_innen, Akademiker_innen, Kritiker_innen und Galerist_innen das Rad der Kunstmarktinvestitionen schmieren, und vielleicht wird die soziale Praxis einspringen, wenn das Rad jemanden überrollt. Die Singapore Art Week legte ihrem Katalog einen Käuferleitfaden bei, der potenzielle Investor_innen unterwies, keine unentdeckten Künstler_innen zu kaufen, die älter als fünfzig Jahre sind, da es zu diesem Zeitpunkt unwahrscheinlich ist, dass sie entdeckt und zu einer guten Investition werden, oder anderenfalls zu warten, bis sie sterben, um sie zu kaufen, da die posthume Entdeckung auch eine Marktstrategie ist.

Vor allem aber wird in den privaten Galerien der Gillman Barracks, auf der Singapur Biennale und während der Singapore Art Week eine ästhetische Lektion erteilt, die mit logistischer Erziehung verbunden ist. Kunst wird die Integrität der Singapurer_innen in einer Zeit stützen, in der die Logistik sich nicht um eine solche Individuierung kümmert. Sie wird das Fortbestehen der Individuierung ermöglichen, so wie es die Spekulation in dem Moment tut, wenn die Dinge auseinanderfallen, in Teile, in eine partiale Erziehung. Dieser Moment ist nicht nur für Unterweisung und Verbesserung notwendig, sondern für die Umsetzung selbst, für die Sichel der Privatisierung der gesellschaftlichen Produktion und den Hammer der Privation. In einer Zeit, in der die Logistik uns einige Emotionen nimmt und andere lässt, einige unsrer Geschmacksaspekte mit denen anderer verbindet, unsere Wünsche mit anderen in einer Reihe aufstellt, unsere Kritik mit anderen vermischt, kann Kunst uns lehren, dass wir immer noch Grenzen haben, dass wir immer noch Körper haben, die eingeschränkt werden müssen, dass wir immer noch ein individuelles Urteil haben. Die ästhetische Lektion, selbst eine Vermählung von Fleisch und Körper, vollzogen durch ein höheres Vermögen, ist der Teil des Lehrplans, der dazu bestimmt ist, unsere Logistikalität zu bremsen, der dazu bestimmt ist, unsere Logistikalität zu brechen. Mit anderen Worten, durch die ästhetische Lektion wird Singapur versuchen, die Individuierung inmitten einer breiteren logistischen Erziehung zu sichern, die mit der Logistikalität flirten muss. Aber werden wir die Lektion lernen? Oder werden wir weiterhin in/als unser Studium, in unserer perversen, partialen Erziehung in Teile zerfallen? Eine partiale Antwort für diejenigen, die gerne versuchen, die Unterweisung zu pervertieren, kann bei zwei der Künstler_innen der Singapur Biennale gefunden werden.

Marta Atienza und Hemali Bhuta

Zwei Installationen, die integraler Bestandteil dieser aufkommenden ästhetischen Erziehung in Singapur sein sollten – eine von Marta Atienza, einer in Rotterdam arbeitenden Künstlerin von den Philippinen[53], und eine von Hemali Bhuta, einer Künstlerin aus Indien[54] – fielen stattdessen aus dieser Totalität heraus. Beide waren außerordentlich kraftvolle und schöne Arbeiten. Inmitten einer typischen zeitgenössischen Biennale, die Künstler_innen, Nationen, Kurator_innen und Zuschauer_innen ordentlich anordnet, ist etwas Perverses in den Arbeiten, in ihren Arbeiten. Die Biennale produziert eine Reise, in denen Länder, Kunstwerke, Künstler_innen, Meinungen, Urteile und Verkäufe unversehrt individuiert

---

53 Vgl. https://www.singaporebiennale.org/martha-atienza.php.

54 Vgl. https://www.singaporebiennale.org/hemali-bhuta.php.

bleiben. Am Ende einer Kunstweltversion eines Lonely-Planet-Trips sollen wir für eine weitere Unterweisung in Logistik instandgesetzt werden. Aber Atienza und Bhuta nehmen an dieser Reise nicht teil. Sie sondern sich von ihr ab, entfernen sich von ihr und auch von sich selbst. Die Reiseroute zerfällt in der Präsenz ihrer Arbeit in Teile. Wir vergessen, wohin wir gingen, unsere Sinne sind damit gefüllt, da zu sein, wo wir sind. Atienzas Arbeit füllt einen Raum, und wie die von Bhuta überspült sie uns, bevor wir den Raum am Ende eines kleinen Flurs erreichen. Wir hören das Meer. Ihre Installation besteht aus einer Art Deck, auf das Wasser schwappt, einem Bullauge, das sich am Horizont auf und ab bewegt, halb vom Meer überschwemmt, und einer Reihe von wässrigen Projektionen. Wir erfahren, dass sie auf einem Tanker mitgefahren ist, der in den Gewässern um Singapur verkehrt. Wir erfahren, dass sie Verbindungen zu philippinischen Seeleuten hat, die auf diesen Tankern arbeiten. In diesem Raum zu sein, bedeutet, dass unser Sinn für das Meer entsammelt wird. Wir können es hören und sehen, und wir haben das Gefühl, dass wir in der Lage sein sollten, es zu riechen und es zu berühren. Wir können uns nicht zusammenfügen, können uns nicht zusammenreißen in dieser Meereslandschaft. Irgendetwas stimmt nicht, und das sind wir.

Auch zu Bhutas Installation gelangen wir, bevor wir ankommen. Die Luft bildet einen duftenden Pfad. Die Betrachter_in folgt dem Pfad und dreht sich um, um ein Dickicht aus hängendem Rauchwerk zu sehen, das zart, aber auch schwer von der Decke hängt, als wäre es schwer beiseite zu schieben, als wäre es leicht, in es verwickelt zu werden. Der rote Wald ist durch den rauen Wuchs jedes einzelnen Räucherstäbchens strukturiert, und es ist schwer zu sagen, ob diese Oberfläche weich ist oder scharf, sicher oder gefährlich. Vor allem aber beschäftigt uns der Duft, ein stiller Duft, den wir nicht zu berühren wagen. Wie bei Atienzas Arbeit sind wir affiziert, um wieder einen Begriff von Silva zu verwenden. Die Sinne verlieren die Fassung, und wir verlieren ein wenig Selbstbesitz. Wir werden partial. Ferreira da Silva schreibt über die Verunglimpfung der Affektierbaren im Europa der frühen Aufklärung[55], derjenigen, die sich nicht völlig selbst besitzen und bestimmen, sondern von anderen affiziert, auseinandergenommen, unvollkommen gemacht, partial gemacht werden. Beide Arbeiten lassen uns die Enteignung der Partialität, des bloßen Teils, fühlen. Es gibt in dieser Kunst ein mitreißendes Gefühl, mit und bei anderen sein zu wollen.

Die beiden Werke der Künstlerinnen von den Philippinen und aus Indien hätten stattdessen Kritik üben können, wie es eine Reihe von Künstler_innen auf der Biennale und der Art Week zu tun schien. Sie hätten die Ausbeutung von philippinischen Seeleuten unter singapurischer Flagge hinterfragen können, von philippinischen Hausangestellten, die in den Häusern der singapurischen Mittelschicht eingesperrt sind, von südasiatischen Bauarbeitern, die beim Bau von Singapurs Megaprojekten verschuldet und verletzt wurden, von dem Rassismus aufgrund der Hautfarbe, der südasiatischen Kindern auf den Schulhöfen Singapurs immer noch entgegenschlägt. In der Tat gab es mehrere andere Arbeiten, die sich auf die Wohnsituation von Migrant_innen aus Südasien bezogen, und Klänge der Stadt, die

---

55 Denise Ferreira da Silva, *Toward a Global Idea of Race*, Minneapolis: University of Minnesota Press 2007.

von den Stimmen und Sprachen ihrer Migrant_innen erfüllt waren. Die beiden Künstlerinnen wären wahrscheinlich auch mit solchen Gesten in die Biennale aufgenommen worden. Schließlich erfordert die Reform, dass Singapur sich mit internationalen Zeitungsschlagzeilen wie „Preiswerte Dienstmädchen in den Einkaufszentren von Singapur“ oder schlicht und ergreifend „Singapurs Migrant_innen erleben Misshandlungen und Ressentiments“ auseinandersetzt.[56] Die Künste würden uns dann eindeutig über eine Fehleinschätzung unterweisen. Und in der Tat würden sie ein Plädoyer für Reformen, für mehr Unterweisung und letztlich für mehr Kunst halten. Ihre Kunst ist jedoch viel parteiischer als das.

Nicht-Staat Nicht-Sein

Eine partiale Erziehung produziert keine Bürger_innen, die so denken, weil sie nichts so Vollkommenes wie eine Bürger_in produziert, sondern etwas viel Perverseres. In der Kunstfertigkeit dieser Künstlerinnen wird man stattdessen ermutigt, sich in Nicht-Bürgertum, in Nicht-Staat-Sein zu verwickeln. Man beginnt, die Wanderarbeiter_innen nicht als herabgewürdigte Bürger_innen zu empfinden, sondern als Teil einer anderen Tradition der Parteilichkeit, des kulturellen Experiments und der Perversion gegenüber den Bürger_innen, Nationen und Staaten, die sie für sich beanspruchen. Nicht zufällig hat die Region in der Tat eine reiche Geschichte dieser

---

56 Michael Malay, „Buy a discount maid at Singapore's malls“, *Al Jazeera*, 27. Juni 2014, https://www.aljazeera.com/indepth/features/2014/06/buy-discount-maidat-singapore-malls-201462495012940207.html; Kirsten Han, „Singapore's migrant workers face abuse and resentment“, *Southeast Asia Globe*, 27. April 2016, https://southeastasiaglobe.com/singapore-migrant-workers.

perversen Nicht-Staatlichkeit, wie uns James C. Scott in *The Art of Not Being Governed* lehrt. Bei der Beschreibung der riesigen Regionen dessen, was er Zomia nennt, das Hochland und die abgelegenen Regionen, die sich von Indien über das südostasiatische Festland bis nach Südchina erstrecken, spricht Scott von Völkern, die nicht nur ohne Staaten leben, sondern auch Strategien dafür entwickeln, der Eingliederung, der „Einversammlung" in diese Staaten zu entgehen. Scott stellt fest, dass diese Völker oft in der Sprache derer, die sie jagten, derer, die in Staaten lebten, mit dem Wort für „Sklav_innen" in diesen Staatssprachen bezeichnet wurden, noch bevor sie versklavt wurden, was eine vorangehende Perversität anzeigt. Scotts Arbeit gibt uns einen historischen Kontext für die heutige diplomatische Staatsbürger_innenschaft und die partiale Erziehung, die sich ihr entgegenstellt. Er schreibt über Südostasien:

> Um eine Beobachtung von Karl Marx über Sklaverei und Zivilisation zu paraphrasieren: Es gab keinen Staat ohne konzentrierte Arbeitskraft; es gab keine Konzentration von Arbeitskraft ohne Sklaverei, daher waren alle diese Staaten, insbesondere die Seestaaten, Sklavenhalterstaaten. Sklav_innen, so kann man mit Fug und Recht sagen, waren die wichtigste „cash-crop" des präkolonialen Südostasiens: die begehrteste Ware im Handel der Region.

Und dies ist nicht nur ein Kontext für unsere heutige Diskussion, sondern zusammen mit der europäischen kolonialen Indentur *der* historische Kontext des Singapur-Modells:

> Eine andere Art, den Prozess zu beschreiben, ist der systematische Abtransport von Gefangenen aus nicht-staatlichen Räumen, vor allem aus den

> Bergen, um sie in staatliche Räume oder in deren Nähe zu verlegen. [...] Das Ausmaß der Sklaverei und ihre Auswirkungen sind schwer vorstellbar [...], ganze Regionen wurden ihrer Bevölkerung beraubt. [...]
>
> Wie so oft bei einem wichtigen Handelsgut waren Sklav_innen praktisch der Wertmaßstab, mit dem andere Waren bezeichnet wurden. [...] Die enge Verbindung zwischen Bergvölkern und die soziale Herkunft der meisten Sklav_innen zeigt sich auffällig darin, dass die Begriffe für Sklav_innen und Bergvölker oft austauschbar waren.[57]

Und weil er so jung ist, mag dieser Seestaat, Singapur, als das Produkt der jüngeren kolonialzeitlichen Indentur erscheinen. In der Tat scheint dieser moderne Nationalstaat – von den chinesischen *kongsi* (große Brüder), die Arbeiter_innen aus Fujian zur Indentur verdingten und sie mit Opium süchtig machten, über die Brit_innen, die die Tamil_innen auf den Kautschukplantagen zur Indentur verdingten, bis hin zur Umsiedlung von Malai_innen auf die Insel – in der postkolonialen Ära nur das Produkt der Bewegung vom Subjekt zur Bürger_in zu sein.[58] Nach der Unabhängigkeit wurden Chines_innen, Tamil_innen und Malai_innen aus der Arbeiterklasse alle zu Singapurer_innen, auch wenn sie in eine rassifizierende Hierarchie eingefügt waren. Mit der Hilfe von Atienza und Bhuta, mit der Unterstützung einer partialen Erziehung, wird die einmalige postkoloniale

---

57 James C. Scott, *The Art of Not Being Governed. An Anarchist History of Upland South East Asia,* New Haven: Yale University Press 2011, 86-88.

58 Vgl. Carl A. Trockis wichtiges Buch über die Kolonialgeschichte Singapors und ihr Vermächtnis: *Singapore. Wealth, Power and the Culture of Control*, New York: Routledge 2006.

Staatsbürger_innenschaft jedoch bald mehr als eine und weniger als zwei, und es entsteht etwas Partiales, etwas Nicht-Staatliches, etwas, das an das Erbe von Zomia erinnert. Denn Singapur benötigt genau die „Konzentration von Arbeitskräften“, die die Sklavenhalterstaaten benötigten. Und das wirft weniger die Frage auf, wie die Singapurer_innen diejenigen nennen, die „einversammelt“ werden müssen, als vielmehr, wie die Einversammelten sich selbst, wie sie auch ihre eigenen, unversammelten, gespaltenen Praktiken des Partialen nennen könnten.

Zur Zeit leben etwa fünf Millionen Menschen in Singapur. Drei Millionen sind Staatsbürger_innen, Vermächtnisse der Geschichte der Bewegung vom Subjekt zur Bürger_in, zusammen mit einer Politik der *Sinifizierung*, die nach der Unabhängigkeit die Migration von Leuten chinesischer Abstammung befördert hat. Der Rest sind Migrant_innen, die meisten mit zweijährigen Arbeitsvisa, die als Hausangestellte, im Baugewerbe und in allen Formen der Wartung, Reparatur und physischen Instandhaltung der Weltstadt arbeiten. Ein kleiner Teil von ihnen hat ein längeres Arbeitsvisum und wird Expats genannt, und sie sind meist weiß. Mit anderen Worten: Die Einfuhr konzentrierter Arbeitskräfte bleibt das Modell des Staats. Er ist jetzt kein Sklavenhalterstaat mehr, obwohl Singapur weiterhin eine regionale Drehscheibe für den Frauen- und Mädchenhandel ist. Der Staat reguliert jedoch eine Ökonomie, die eine riesige Anzahl von verschuldeten bis zur Indentur verdingten südasiatischen männlichen Arbeitern produziert, und eine, die jeden neuen Tag neue entlaufene Hausangestellte produziert. Das Ausmaß der Abhängigkeit von dieser konzentrierten Arbeitskraft, die weit verbreitete Dehumanisierung dieser Einversammelten und die völlige Abhängigkeit des Singapur-Modells von dieser Arbeitskraft macht aus der einen totalen Erziehung zwei. Es ist nicht so sehr, dass diese migrantischen Arbeiter_innen mit ihren Nationen und Staaten im Ungleichgewicht sind, sondern Singapur ist mit sich selbst im Ungleichgewicht. Sein Modell ist pervers. Es präsentiert sich selbst als ein Modell für die Entwicklung Südostasiens. Aber für sich selbst ist es präsent als eine Perversion.

Gegebene Verwirrung

Wo diese Arbeiter_innen nicht dazugehören und niemals dazugehören können, ist ein Modell, das das Schlimmste der beiden miteinander verwobenen Geschichten vereint – die Geschichte des präkolonialen Modells, nicht-staatliche Völker durch Gewalt und heute durch Schulden, Betrug und Entwicklung zusammenzufegen, und die des kolonialen Modells des europäischen Rassismus. Das letztgenannte Modell bedeutet, dass diese Arbeiter_innen niemals als potenzielle Bürger_innen Singapurs angesehen werden, wie sie in den präkolonialen Sklavenhalterstaaten wahrscheinlich Subjekte des Nassreis-Staats geworden wären. Was wir hier haben, ist Einversammlung ohne die Aussicht auf Staatsbürger_innenschaft. Die kolonialen Regime überzogen die Region mit einer Form von Rassismus, die es den postkolonialen Regimen erlaubt, das Schlimmste aus beiden Welten auszusuchen. Dies ist das eigentliche Singapur-Modell. Kein freier Markt, sondern massive Konzentrationen unfreier Arbeit. Kein Wunder, dass es als Modell angepriesen und verkauft, aber nicht kopiert werden kann. Welcher andere Nationalstaat könnte mit einer solchen

Grausamkeit einversammeln und ausgrenzen, ohne den Zorn der eigenen, stark verarmten Bevölkerung auf sich zu ziehen? Keiner. Nicht einmal Singapur.

Aber von unserem Standpunkt aus, der die Verweigerung eines Standpunkts ist, die durch partiale Erziehung besser funktionsfähig wird, ist diese letzte Frage und Realität des Singapur-Modells insgesamt genau ihre Sache, nicht unsere. Was aus der perversen Zweiteilung dieses Modells, dieser totalen Erziehung, ausströmt, sind die Teile, um die wir uns sorgen sollten. Atienza und Bhuta unterweisen uns nicht in ästhetischer Individuierung. Ihre Arbeiten können nicht reformiert werden. Ihre Partialität steht mit uns im Antagonismus zur Reform, zur Unterweisung. Das Meer, die Luft, die Geister, die die von Singapur in sein Modell, aber nicht aus ihm versammelten Wesen tragen, ergießen sich in eine unversöhnliche Kritik des staatlichen Lebens, der Staatsbürger_innenschaft, des individuellen Körpers. Ihre Anwesenheit im Staat ist eine Entkräftung des Staats als universelle Form, als totale Erziehung. Und in der zwanglosen Neuordnung der Sinne – um mit Spivaks Begriff auszuscheren[59] – erlauben uns diese Arbeiten zu fragen, welche Perversionen bereits hier und jetzt sein können. Diejenigen, die verweilen, verwirren ihre Sinne für andere, die sich anbieten, uns zu pervertieren. Und ohne den Staat, der sie zu Bürger_innen anordnet, bilden diese enteigneten Sinne die grundlose, gefundene Erziehung einer anderen Art: eine Hinwendung zu unseren partialen Varianten.

---

59 Spivak spricht von einem *uncoercive rearrangement of desires*, Gayatri Chakravorty Spivak, „Righting Wrongs“, *South Atlantic Quarterly* 103(2-3), 2004, 523-581, hier: 526.

INDENT
DER DIENST AN DEN SCHULDEN

Erste Schicht

Mit der graduellen Emanzipation, im endlosen Bogen der Freilassung, den Patricia Ann Lott so brillant analysiert, wirst du für deine Finanzialisierung verantwortlich.[60] Du wirst zur Rechenschaft gezogen, abgewertet, entwertet, in Wert gesetzt. Schwarze Geschichte ist die Theorie der Erschöpfung des Subjekts. Schwarze Geschichte ist die Erschöpfung des Subjekts. Aus der Nicht-Perspektive dieser abgefuckten After-Party ist die graduelle Emanzipation der unendliche Endzustand des Subjekts. Das Gegenteil von Freiheit ist Freiheit. Der Braune Büffel[61] lehrt uns, dass graduelle Emanzipation das ist, was es ist, an diesen Kampf gekettet zu sein. Graduelle Emanzipation ist weder als Vorkriegs-Ausnahme auf die nördlichen Staaten beschränkt, noch ist sie Bindung oder Band, das ausschließlich den Versklavten, ihrem Leben oder ihrem Nachleben zu eigen ist. Wie Hartman uns lehrt, ist sie die allgemeine Regel, die menschliche Freiheit als Unterwerfung strukturiert. Das hat mit dem zu tun, was Frederick Douglass unter der Rubrik „Plantagenbesonderheit" zu bezeichnen beginnt: Sie ist nicht nur Restknechtschaft oder unterwürfiger Affekt; sie ist vielmehr ein bestimmtes (Selbst-) Bewusstsein in Bezug auf diesen Affekt, das sich als das Wesen der politischen Animalität erweist. Man könnte es als Scham bezeichnen, die versucht, sich gegenüber dem

---

60 Wir hatten das Privileg, Professor Lott bei einem von ihr konzipierten und organisierten Round Table an der Brown University am 22. April 2015 über graduelle Emanzipation sprechen zu hören.

61 Vgl. Oscar Zeta Acosta, *Autobiography of a Brown Buffalo*, New York: Vintage Books 1972.

sie hervorrufenden Verhalten als überlegen zu behaupten. Scham ist das, was der Freilassung anhaftet. Sie ist die Auferlegung eines Kredits, die Auferlegung der Forderung, der Antisozialität der Gesellschaft Schulden zu bezahlen, eine Forderung, die als „Freiheit" verinnerlicht wird. Freilassung ist in jeder Hinsicht nie genug. Ihre Rechnung verliert an Bedeutung und Genauigkeit. Wir müssen wegschauen oder schief hinschauen.

Die allgemeine Abstraktion ist wie die El, die in den Untergrund gefahrene Hochbahn. Poetische Losgelöstheit ist ein öffentliches Verkehrsmittel – eine soziale Kraft oder eine populäre Kampagne oder eine stark bevölkerte Expedition. Kein Team, sondern eine Art Gewimmel, ein nicht anzueignender Schwarm, der eine funkige und unangemessen gute Zeit hat, zerstreut als eine unendliche Reihe von Unterbrechungen in einer unendlichen Leidenschaft. Die Hingabe im Hingegebensein kann nur so gelesen werden. Wenn du gestrandet bist und nicht nach Hause gehen kannst oder nicht rauskommst, dann musst du immer weiter weg und weiter raus gehen. Wenn du gefallen bist und nicht mehr aufstehen kannst, dann kannst du nur nach unten gehen, bis du den Boden der kaputten Welt und ihrer unendlichen Krisen in und außerhalb der Regulierung durchstößt. Also läufst du auf Grund, wissend, dass es notwendig, aber unzureichend ist, bis du erschöpft bist; ohne ausreichend Welt noch Zeit, möge die Erde anwesend sein, und schon ist sie weg. Der Aufstieg kommt zu denen, die graben, ohne globale Position, in gedrehtem, anapropriozeptivem Abstieg, ein gemeinsamer Aufstand, den du drehst und beschreist, als das, wie du bleibst, als das, wie du verweilst. *Dort* zu bleiben, in einer ständigen Probe, von dort ausgesandt zu sein in eine andere Ebene des Dort, ein anderes Land des Dort, bedeutet nicht nur, diesen oder jenen Begriff für diesen oder jenen Gegenstand in Frage zu stellen; es bedeutet vielmehr, den Begriff als solchen in eine intensive generative und degenerative Bedrängnis zu bringen. Schwarzes Studium ist eben diese außerbegriffliche oder überbegriffliche Kraft, ein gegennegativer Antrieb, in zweifacher Ausfertigung auf dasselbe Blatt geschrieben, entlang einer gezackten Linie geschnitten, geriffelt, gewunden, ein chirographischer Tanz bis zum Instrument hinauf und durch es hindurch, ein Solo, das so vielfältig ist, ein Instrument, das so tief und beständig vorbereitet ist, ein Indentur-Vertrag, der so häufig ausbezahlt ist, eine Abstraktion, die so zerstreut gesät ist, dass selbst die Finanzialisierung ins Wanken gerät. Es kann weder versichert noch abgesichert werden. Es ist, als wäre es so hart gespielt worden, dass die Stimmung etwas anderes ist als das, was sie ist, als wäre die Stimmung erleuchtet, wie ein Vertrag über Zerstörung und Wiederaufbau, der nur durch etwas erfüllt werden kann, das zugleich mehr und weniger ist als Performance. Alles auf einmal zusammengeschrieben, huch? Wir antizipieren und überleben es, zerrissen zu werden.

Spillers' „Mama's Baby, Papa's Maybe. An American Grammar Book" neben ihrem „The Crisis of the Negro Intellectual. A Post-Date" zu lesen[62], heißt, dies zu wissen und zu lieben: Dass es bei schwarzem Studium nur insofern um die Produktion von Begriffen geht, als sie so etwas wie eine vor- oder nachbegriffliche, generative Differenzierung von Begriffen ist (eine Art exzessives Bewohnen der materiellen meta- oder anastatischen Teilung und Sammlung des Begriffs *im Fleisch*);

---

62 Spillers, *Black, White and in Color*, 203-229 und 428-470.

es ist ein Weg, aus keinem Weg heraus, durch das begriffliche Feld, nicht weil das Begriffliche originär ist, sondern weil das Begriffliche die regulative Antwort auf das überbegriffliche Ding etabliert, das keinen Namen hat. Wenn Spillers sagt, die schwarze Frau hätte erfunden werden müssen, wenn es sie nicht schon gegeben hätte (was sich auch in ihrem fortwährenden subtilen Vorstoß gegen Fanon und durch ihn hindurch bewegt), sagte sie dann, dass die schwarze Frau – als Ware, als Instrument, als Werkzeug, als Maschine – ein Stern ist? Das ist die schrecklichste aller möglichen Zweischneidigkeiten: Gruft und Geheimschrift zu sein, Krypta und Kryptographie, den Begriff als unterbegriffliches Fleisch zu ent-/verkörpern. Also sagen wir, dass schwarzes Studium Gewalt im und gegenüber dem Begriff ist, dass es gleichsam vor dem Begriff ist. Es ist das unterprivilegierte Leben dieser Gewalt, göttlich, weil es so gottverdammt niedrig ist, gegeben in einer Metaökonomie von Gabe und unterbrochener Gegebenheit. Schwarzes Studium ist ein Amt der Profanierung, ein öffentliches Haus der irdischen Hingabe. Schwarzes Studium ist die Frucht des Dienstbaums, des Speierlings. Schwarzes Studium ist außerhalb meines Sterns. Schwarzes Studium ist da draußen, aus gefallenen Sternen.

Wenn J. Kameron Carter die Frage nach den „Gottesbegriffen", die der Souveränität zugrunde liegen, aufgreift, verschiebt er sie und uns so, dass wir wirklich anfangen, auch über die „Menschbegriffe" nachzudenken, die der Souveränität zugrunde liegen.[63] Er arbeitet an einer Art persistenter kosmologischer Inkonstanz, mit

63 J. Kameron Carter, „Paratheological Blackness", *The South Atlantic Quarterly* 112:4, Herbst 2013, 589-611, hier: 594.

einer dunklen Energie, die die Entfixierung der Sterne vorwegnimmt, auf die sie folgt, und die es uns erlaubt, fragen zu müssen, warum der Mensch Gott geworden ist, als ob es vor der Frage wäre, warum Gott Mensch geworden ist; jetzt müssen wir fragen, wie es kommt, dass Gott zu werden gleichbedeutend ist mit dem, was Gayle Salamon „einen Körper annehmen" nennt.[64] Was bedeutet es, einen Körper anzunehmen, zu konzeptualisieren, aufzunehmen und auf sich zu nehmen? Was bedeutet es für den Körper und das Selbst, einander aufzunehmen und auf sich zu nehmen, in einer seriellen Vorrede dazu, dass jeder, im anderen, ausgenommen wird? Was bleibt jenseits dieser Ansprache, dieses Übergriffs, dieser aggressiven Verletzlichkeit, dieser brutal projektiven und schützenden Setzung, die Souveränität inmitten ihrer Diffusion ist? In der Zwischenzeit kann die Meuterei, der Generalstreik, das unbarmherzige Wirken von Nicht-Dingen und Nicht-Körpern, die romantische Komödie in den Commons, ihr antinomisches Ausbrechen und Streiten, die ausschweifende Ausbreitung des Lebens, seine zerstreuende Großzügigkeit, seine konsubstanzielle Unschärfe, sein transsubstanzielles Ausblenden, nicht ausgeblendet werden, was erfordert, dass wir, vielleicht appositionell, zu einem substanzlosen Prunk des Anasubstanziellen sprechen. Sind Substanz und Souveränität so sehr miteinander verbunden (wobei Substanz eine unwirkliche Angelegenheit ist, die Masse *hat* und Raum in der Zeit, auf der Linie der Zeit, *besetzt*), dass wir uns eine unangemessenere surreale Körperlichkeit vorstellen müssen? Nicht

64 Gayle Salamon, *Assuming a Body. Transgender and Rhetorics of Materiality*, New York: Columbia University Press 2010.

Gegen-Materie, sondern Vor- und Nach-Materie. Vielleicht ist das Fleisch die Tante der Materie, die Play-Mama der Materie, die das Haben und Besetzen überlebt. Es geht also um die Notwendigkeit einer emphatischeren Analyse des Fleisches als etwas anderes als der entzogene oder zurückgehaltene oder reduzierte Körper, als das also, was neben den Körper gesetzt ist, in Apposition. Man will (von) (durch) (als) Fleisch in seinen eigenen Begriffen sprechen; aber das Fleisch hat keine Begriffe, obwohl die ihm auferlegten Begriffe zu seiner unendlichen Beschäftigung mit dem koinobitischen Aufstand führen.

Zweite Schicht (Teil 1 & Teil 2)

Weil einige Leute uns zum Begriff der Undercommons gefragt haben, haben wir beschlossen, uns ein wenig über die Undercommons des Begriffs zu äußern. Schwarzes Studium richtet sich gegen die Herrschaft des Begriffs und über den Begriff, als ginge es um Leben und Tod. Aber noch wichtiger ist, dass schwarzes Studium bedeutet, dass man seinen Begriffen ohne Herrn und Meister dient, ohne Meisterschaft, ohne Herrschaft. Und das bedeutet, dass der Riss von Unterwerfung und Objektivierung nie für die Plünderung und Enteignung geschlossen, geheilt, gereinigt wird. Das ist der Grund, warum diejenigen, die Begriffe beherrschen, das schwarze Studium so sehr hassen, in einer scheinbar unverhältnismäßig gewalttätigen Reaktion auf seinen Dienst. Sie können es nicht ertragen, weil einer Sache ohne Herrn zu dienen, eine völlig offene Form der Liebe ist.

Einmal sprach jemand, der gerade einen Roman von Toni Morrison las, von seinem Erstaunen, wie sehr die Lebensgeschichten, ja die bloßen Erfahrungen der

Figuren an Alfred North Whiteheads Begriff der *prehension* erinnerten. Zu erkennen, dass Whitehead für jede_n beliebige_n Theoretiker_in steht, ist der Einstieg in den Entwurf eines Drehbuchs. Da geht's also lang, im Vorraum des Begriffs, knapp außerhalb der Reichweite, im Versuch, ihn in den Griff zu bekommen, in der Erwartung, objektiviert zu werden, in der Hoffnung, einander für eine_n andere_n zu werden. Immer wieder, in luxuriöser Einsperrung, in einer Galerie vielleicht oder im Faculty-Club oder in irgendeinem Atelier, wo die Authentifizierung immer nur auf der anderen Seite ist, wo die Objekte immer wieder gegen das Undercommons-Ding zurückfallen, als ob die Kammer sie weg von dem neigt, was immer hinter dem Vorhang sein könnte, das sie fast gestreichelt haben, stemmen wir uns dagegen, was es ist, unfähig zu sein, eine Erfahrung zu machen. Angehende Andere wollen einen Körper, brauchen einen Körper, damit sie Jemand sein können. In einer Schleife, stellvertretend, zwischen Prekarität und Sicherheit oszillierend, beschäftigen wir uns damit, was es ist, sich mit der Bedeutung dessen zu beschäftigen, dass Jemand sagt, man sei nichts als bloße Erfahrung. Wer will in der Zwischenzeit die Undercommons-Erfahrbarkeit umarmen, die sich aus der Verweigerung dessen ergibt, was es ist, zu haben? Keiner will es, kein Körper. Schwarzes Studium – die flüchtige Tätigkeit der Mas/kerade als bloße, reine Erfahrung – ist der radikale Empirismus von Keinem-Körper, gehalten in der Frage, was es bedeutet, hinter Leben zu leben, von denen gilt, dass sie der Erklärung bedürfen, nach Begrifflichkeit streben und auf der Suche nach Selbstbesitz sind. Bloße Erfahrung zu leben ist furchtbar im Reichtum seines Werdens.

Deleuze sagt, wir wissen noch nicht, was ein Körper vermag. Können wir uns vorstellen, was wir nicht wissen, dass das Fleisch vermag? Denn das Fleisch wird nicht tun, es tut. Das Fleisch spürt mehr, während das Kapital mit dem transatlantischen Sklavenhandel eine Kollektivierung von gebrochenen, arbeitenden „Körpern" „erfindet". Eine solche Erfindung, ein solch schlechter soziologischer Befund kann nicht wissen, dass das Fleisch schon gearbeitet, gefühlt hat, bevor das Kapital und seine Begriffe da waren. Das Kapital will dieses Mysterium beherrschen, aber das Unberechenbare ist unbewertbar, egal wie sehr man es zählt, egal wie oft man einen Preis dafür ansetzt, egal wie regelmäßig und regulativ man es einsperrt oder abschießt. Zugleich ist die uns auferlegte Verbindlichkeit, unsere Einverleibung in das Regime des Kredits in einer absoluten und brutalen Zahlungsverfügung, unmessbar und unendlich zu bezahlen. Sie weisen dem Unbewertbaren einen Wert zu; sie geben ihm Bedingungen. Und *weil die Forderung nach Reparationen gegen uns erhoben wurde*, werden wir aufgefordert, zu diesen Bedingungen zu zahlen, die nicht unserem Wert entsprechen können, weil wir unbewertbar sind, sondern mit einer Begrifflichkeit des Unbewertbaren (was der einzige Wert ist, den es gibt) übereinstimmen, die in und als Herrschaft gegeben ist, als ihr Versuch, das Mysterium zu fassen, die Indentur zu kapitalisieren, die Schulden zu stehlen, denen wir dienen sollen.

Harriet Jacobs lehrt uns, dass wir, weil wir unbewertbar sind, niemals für uns selbst bezahlen können. Dennoch müssen wir zahlen. Unaufhörlich zahlen wir, was nicht bezahlt werden kann. Wir zahlen, und zahlen und zahlen, aber nicht, um zu besitzen. Selbst unsere

Mütter, selbst unsere Kinder, sind nicht unsere. Wir arrangieren uns nie mit den Bedingungen, und das ist zu furchtbar schön für Worte. Unsere Verschuldung ist alles, was wir haben, und alles, was wir haben, ist das, was wir „einander" schulden. Es ist das, was wir einhändigen und fühlen, als Gefühl, mit dem wir der Zahlung und dem Kredit und der Herrschaft trotzen, bis das eine und das andere keine Bedeutung mehr hat, bis sie absolut nichts mehr sind, bis das eine und das andere keine Körper sind, Niemande. Diese Verschuldung ist das, was wir leben, ist das Leben, das wir bestreiten, als die Unbewertbaren. Der unmögliche und unmöglich zu befriedigende Herr und Meister ist davon geblendet, würde es öffnen, will den totalen Zugriff darauf, aber in Abwesenheit dieses Zugriffs, der als Einschließung erduldet sein wird, wird es begrifflich gefasst, wird ihm ein Wert beigemessen und Bedingungen auferlegt, die das Unbewertbare, das Unberechenbare angehen und erklären und regulieren sollen, während sie es gleichzeitig der Einöde des Kredits unterwerfen, den äußeren Tiefen des Wuchers, der Wüste, dem Sumpf, der Plantage, dem Gefängnis des ewig zu Zahlenden, dem Zusammenspiel von Absonderung und Verfolgung im Genozid, den Freilassung und Ausweitung verstohlen verstärken.

So sollen wir unsere Schulden gegenüber der Gesellschaft begleichen: Herr, das bist du; Herr, da bist du; Herr, dann bist du. Er verlangt immer von uns, dass wir ihm sagen, wer er ist; dieses Arschloch lässt dich nicht in Ruhe. Wir zahlen ihm seine Identität, seinen Platz, seine Zeit, und alles, was er tun kann, ist sich zu wundern, bösartig. Gierig will er die Frage abschließen. Weil die endlose Akkumulation ein schlechter Ersatz ist, will er das Buch schließen, das nicht aufhören will zu reden. Er kann nie denken, dass es durch uns zu ihm spricht. Er will denken, dass es Gewissheit vermitteln wird. Wir müssen immer wieder üben, was das Buch sagt; es wird nie das letzte Wort sprechen. Souveräner Muskelprotz. Räuberischer Kreditgeber. Schiffs-Umrunder. Verrückter Wissenschaftler. Großer weißer Haifisch-Kapitän. Olaudah Equiano lebte es, bevor Georg Wilhelm Friedrich Hegel es dachte, Folter und Wunder, ohne Herrn im hässlichen Arschgesicht der Herrschaft zu dienen.

Robinson lehrt uns, dass schwarzes Studium notwendigerweise den Begriffen, denen es dient, vorausgeht und zugleich auf sie warten muss, aber auch auf die Begriffe, die versuchen, es zu beherrschen, und die erst weit nach ihm kommen werden, und immer wieder hinter ihm her sein werden, mit allem, was sie haben. Nehmen wir als verhängnisvollstes Beispiel den Fehler Foucaults, den allerdings andere in einen derartigen Scheiterhaufen verwandeln. Er schreibt – zu Beginn seines Interesses an der Biomacht und im weiteren Sinn an der Gouvernementalität –, dass die „Abstimmung der Menschenakkumulation mit der Kapitalakkumulation, die Anpassung des Bevölkerungswachstums an die Expansion der Produktivkräfte und die Verteilung des Profits [...] auch durch die Ausübung der Bio-Macht in ihren vielfältigen Formen und Verfahren ermöglicht" wurden.[65] Bekanntlich verlegt Foucault diese Beobachtung an die falsche Stelle und den falschen Zeitpunkt, in die Mitte des achtzehnten Jahrhunderts in Europa. Er tut dies zum Teil, weil der große kritische Archäologe

---

65 Michel Foucault, *Der Wille zum Wissen. Sexualität und Wahrheit 1*, aus dem Französischen von Ulrich Raulff und Walter Seitter, Frankfurt/Main: Suhrkamp 1983, 136f.

des Menschen, wie Wynter es uns lehrt, versäumt, die notwendige Unterscheidung zwischen *man* und *human* zu treffen, so dass er nur eine bestimmte „Menschenakkumulation“ sehen kann. Daher wird das Mysterium, sofern es dem Verstehen nicht ordentlich unterworfen ist, von so vielen zeitgenössischen Gelehrten fälschlich als Figur interpretiert, die in Gruften aus den zerbrochenen Körpern gehortet wird, die der Herrschaft zufallen. Sie sagen, der tote Begriff, gefangen in seinen eigenen zerstreuten Überresten, strahlt eine Art Licht aus. Aber schwarzes Studium ist schon so weit im Schwarzen, dass es nur noch als wertloses Ding gewertet und damit (un)gelesen werden kann – aus der Zeit, aus den Fugen, aus dem Hier. Sein Amt ist unmöglich und unverschämt, was die Bedingung alles Undercommons-Studiums heute ist, alles flüchtigen Fleisches im Dienst der Gemeinde.

Der chronische Lebensunterhalt des schwarzen Studiums sind unbezahlbare Schulden, im Dienst ohne Herrschaft abgedient. Dieses unfassbare und unberechenbare Geheimnis, das nicht durch Beherrschung eingeschlossen werden kann, ist auf wundersame und wunderbare Weise *offen*. Was im Buch steht, ist, was wir für alle hörbar singen. Schwarzes Studium ist offener Zugriff auf das Unzugängliche, es sprengt die Erklärung, es kann nicht anders, als sich zu widersetzen und überzufließen, immer den Mehrwert zu machen, von dem sogar das Kapital leben muss. Das Kapital wird in feiner Bataille'scher Manier dennoch versuchen, diesen Überfluss zu kalkulieren, zu enteignen und zu verbrennen. So geht die unentgeltliche Finanzialisierung, ob sie nun den (toten) schwarzen Körpern oder den (gescheiterten) schwarzen Nationen auferlegt wird, immer weiter, bis wir die Schulden einfordern, die nicht abreißen, und singen, dass es keine schwarzen Körper und keine schwarzen Nationen gibt. Wenn es nichts zu regieren, nichts zu sichern gibt, dann gibt es Schwarzsein. Mit diesen Bedingungen müssen wir klarkommen. Das ist es, worauf wir warten müssen. Das ist es, wem wir dienen müssen. Damit stehen wir in Flammen.

Er sprach aus dem Buch, und wir dachten, dass diese Wendung von der Versklavung zur Religion für uns bestenfalls eine Art freiwilligen Dienst ergeben könnte, und wären wir damit nicht im Bereich von Zivilgesellschaft und Religionsfreiheit? Aber er sprach aus dem Buch, mit ihr, aus der Ferne, und die Wende erwies sich als unfreiwillig, nicht mehr auf die Freiheit des Subjekts vertrauend, an die das Subjekt gekettet ist. Was mit uns geschieht, so dachten wir, die wir von Versklavung gezeichnet sind und die wir diese Enteignung beanspruchen, wo die unbezahlbaren Schulden unvergeblich und vergeben sind, wo fällige Schulden, die nie abbezahlt werden können, als Freiheit gekannt sind, wo die Schulden schwarz sind und die Verschuldung Schwarzsein, was mit uns geschieht, ist vielleicht, dass wir im Dienst herausfinden, dass es keine Freiwilligkeit geben kann. Wenn das geschieht, so dachten wir, kann die Illusion des freiwilligen Diensts, der Bereitschaft, der Hilfe oder des Messdiensts nicht nur nicht aufrechterhalten werden, sondern sucht, wenn sie zerbricht, die Gläubigen mit dem schrecklichsten Zwang der Unfreiwilligkeit heim.

Dann fingen sie an, in Zungen zu singen. Die Schulden der Rassifizierung sind immer überall um uns herum und können doch als Rassifizierung nie in Eins (in eine Zahl) zusammengefasst, gezählt oder angeglichen werden. Griechischer Kredit ist nicht jamaikanischer Kredit oder puertoricanischer Kredit (man beachte allein die Art und Weise, wie die beiden letzteren in Bezug auf ihre linken Traditionen übergangen worden sind, obwohl das, was der Internationale Währungsfonds Michael Manley angetan hat, Angela Merkel wie eine Heilige aussehen lässt). Aber der rassifizierte Kredit (einen anderen gibt es seit dem Kapitalismus nicht mehr) ist eine Reaktion auf eine besonders beunruhigende Art von Abolitionismus, der alt-neue Schulden sucht, der wechselseitige Hilfe benötigt, der gegeben ist, um teilzunehmen, der nicht der Gesellschaft dient, sondern lieber den Dienst vergesellschaftet. Die Schuldverschreibung, die bezahlt werden kann und bezahlt werden muss, überschattet das Leben, hält es in einem müden, gefräßig verpfändeten Duett, falsch betiteltes Leben und Schulden, eine Phrase, deren Rhythmus in die Irre führt, besonders zumal der Tod, den die Schulden bedeuten, sich – durch Leben, im Weiterleben, als seine mysteriöse Abfolge – auf Herrschaft beruht. Die Toten wollen gute Schulden für sich verbuchen, aber die schlechten Schulden, die wir lebenden Mitteln, nicht toten Zwecken schulden, wachsen, indem im Dienst um sie gesorgt wird. Baruch Spinoza würde sagen, sie sind beglückend.

Sklave, vom lateinischen *servus*, kann nicht anders, als dich innehalten zu lassen. Das ist freilich der Grund, warum Dienst (*service*) nicht freiwillig sein kann, warum er immer als Störung der Idee des Freiwilligen gegeben ist. Gibt es eine Möglichkeit, über Dienst nicht so sehr in Bezug auf Sklaverei, sondern in Bezug auf Flüchtigkeit nachzudenken? Man muss sich daran erinnern: Sklav_in heißt Flüchtende_r, das Wesentliche an der Sklav_in, in und als Ensemble von Lebenspraktiken, ist die Flüchtigkeit, was die Schule von Orlando Patterson nicht verstehen kann. Dass die Bedingung der Sklav_in die Freiwilligkeit ausschließt, erweist sich als vereinbar mit der Tatsache, dass die Bedingung der Sklav_in, die die Idee der ständigen Demontage der Sklav_in selbst ist, darin besteht, dass die Sklav_in immer schon flüchtig ist. Die Sklav_in flieht ständig der ständigen Demontage. Was könnte es also bedeuten, dieser ständigen Flucht, die für uns die Form des Gefühls annimmt oder sich als ständige Formgebung des Gefühls im und aus dem Informellen manifestiert, zu dienen oder ihr verschuldet zu sein? Wir dienen dem allgemeinen Gefühl, das so unfreiwillig ist wie das Atmen, wie ein synkopiertes Feld von Herzschlägen, in und durch einen harten und endlosen Aufruhr des Geschlagenwerdens.

Unablässige Sammlung, unaufhörliche Akkumulation. Immer noch unten auf der Farm, aber geangelt, Angola'd, unter Tim McGraws grässlichem, unbewusstem, bewusst drohnenartigem, wahnhaftem, aber angemessenem Good-Time-Louisiana. Wir zahlen ständig. Unsere Zeit ist hart, und wir wissen das. Wir fühlen das. Irgendwie kommt immer etwas Gutes dabei heraus, wie ein_e Entlaufene_r, aus der Zeit, aus den Fugen, aus dem Hier. Die Scheiße ist schrecklich. Die guten Schulden, die ständig bezahlt werden, die bezahlt, aber nie abbezahlt werden können, sammeln sich endlos an und vervielfältigen sich. Das ist die Hyperfinanzialisierung, als Schwarze in den schwarzen Zahlen zu leben, die irrationale, illegitime, Jefferson'sche Reproduktion des Kapitals. Mit jeder neuen Hemings hat er sein eigenes Argument gegen Alexander Hamilton Lügen gestraft. Die Plantage ist die First Bank of the United States. Die Plantage ist die Federal Reserve. Den guten Schulden, die nie abbezahlt werden, stehen die schlechten Schulden gegenüber, die nie bezahlt, immer nur teilweise erlassen werden und nur zum Schein, gestisch, appositionell, tragikomisch, in der reichen, trockenen Austerität unserer Verweigerung der Austerität. Wir grillen im Park und rösten diese schönen Kastanien auf der ganzen Agora.

Was ist, wenn das, was es ist, Europäer_in zu sein, einfach darin besteht, dass man die Position der Kreditgeber_in in Bezug auf das einnimmt, was dem Schwarzsein als begriffliche Verkörperung der Finanzialisierung, der endlosen Kapitalisierung auferlegt wird? Bestimmte Griech_innen – die wahren, autoritären Erben des Aristoteles – wollen vielleicht in Europa bleiben, als die Überreste Europas, als sein Bodensatz. Immerhin wird der Rest Europas noch die Ehre erfahren haben, als die Essenz Europas bezeichnet zu werden, deren von Sklav_innen gebaute Schätze großzügig auf die Museen aller großen Städte verstreut sind. Europa kann nicht einmal das in Ruhe lassen, was es hinterlassen hat und zurücklässt. Währenddessen ist das neue metoikische Feld, die unauslöschliche und undokumentierte Spur der Unterbürger_innenschaft, die ganze Nacht auf den Straßen unterwegs, um eine neue Dialektik von Reichtum und Armut zu studieren und zu praktizieren, um zu sabotieren, dass die Kreditgeber_in die Fähigkeit monopolisiert, über die Mittel zum Leben hinaus zu leben. Können wir das, was es ist, Schulden zu bedienen oder verschuldet zu dienen, von der brutalen Forderung der Kreditwirtschaft lösen, pünktlich zu zahlen, in stolzer Zeit, in mittlerer (Greenwich-)Zeit, die ganze Zeit, in der brutalen und vermeintlich endlosen „Progression" dieser Vulgarität?

Dritte Schicht

Und so kommen wir, wieder getragen von Carter, zur politisch-ekklesiastischen Performativität der Ingestion. Dies ist keine *Betrachtung über die menschliche Erlösung.* Hey Jemand, einen Körper anzunehmen ist wie einen Körper zu exhumieren, nur blutiger. Nehmet und esset. Dies ist nicht mein Leib. Die surreale Gegenwart ist eine Sache des verschuldeten Lebens.

Die beschissene Sache an all den beschissenen Sachen an der Sklaverei, die schreckliche Besonderheit der Institution als solcher, ist, dass sie auch – und zwar nicht als progressiver Bogen, sondern als aggressives und ständig co-präsentes Ensemble – dieses ständige Wechselspiel umfasst zwischen dem belebten Fleisch der Arbeiter_in, der begrifflichen Abstraktion dieses Fleisches und aus ihm heraus in einen Körper mit Arbeitskraft, und der weiteren Abstraktion von diesem Körper zu einem Finanzinstrument. Die Sklaverei hatte all das bereits in sich, die ganze Zeit über. Genauer und emphatischer, ist sie, wie Spillers beschreibt, die Reduktion des Körpers auf das Fleisch, *und*, wie Spillers andeutet, die Auferlegung des Körpers und/in seiner Konzeptualisierung auf das Fleisch, die – über ein furchtbares Wunder der Verspätung – sowohl nach als auch vor dieser Reduktion geschieht. Die Auferlegung des Körpers als/in seiner Konzeptualisierung kommt vor und nach dem Fleisch, *aber sie kommt nie zuerst.* Die Konzeptualisierung des Körpers ist eine regulative und regulierende Antwort auf das Fleisch, auf eine erschöpfte und erschöpfende mütterliche Ökologie, die einer Un/Möglichkeit der Mutter unterworfen ist, der sie sich nie unterwirft. Die schwarze Mutter ist die Form des schwarzen Studiums selbst. Schwarze Mutterschaft ist schwarzes Studium, als Fleisch, als Kraft, als Gefühl, aber nicht als Figur. Sie wird gehasst, weil sie eine Form des Lebens gegen all die beschissenen Widrigkeiten des Diensts ohne Herrn, ohne Herrschaft lebt. Indem sie das schwarze Studium lebt, als die Undercommons des Diensts selbst, ist sie nicht sie, obwohl sie alles trägt, als eine Berührung zwischen Schwestern, die wissen, was es heißt, zu dienen, zu Diensten zu sein, zu heilen.

Und die Kirche ist ein Projekt, kein Ort, wie Carter Ruby Sales' Gesang anklingen lässt. Sofort beginnen wir, für ihre notwendige und gerechte Verlagerung zu beten. Wir sollen offenbar bewegt werden, wie experimentelle Kollektivitäten im Interesse unserer irdischen und inkonsistenten Totalität ausfransen. Wie wir nicht aufzuhalten sind, hängt ganz mit dem Zweck von allem zusammen, in dessen Richtung uns Police und Verbesserung mit kalter, logistischer Wut werfen. Unsere Unwahrnehmbarkeit in der Geworfenheit wiederholt sich oft. Experimentelle Ensembles sind allgegenwärtig in ihrem ständigen Verschwinden. Wie Robin Kelley sagt, war die Bürgerrechtsbewegung keine Massenbewegung; sie war ein ganzer Haufen kleiner spekulativer Gemeinden, die sich manchmal zu einer ungebauten, gespreizten Kathedrale zusammenschlossen oder, noch tiefer, in der kontinuierlichen Erfindung bestimmter grundlegender anacharismatischer, anathematischer Hymnen. Es ging immer viel mehr um den Mittwoch als um den Sonntag, weshalb sie am Mittwoch die Drohnen schicken. Was, wenn diejenigen, die wir jetzt Intellektuelle oder Künstler_innen nennen, in der Kuration ausfransen, Laiendienst zur Unverwaltung abhalten, im Dienst in dienender Einkehr gewisser verlorener und gefundener zeremonieller Praktiken (wie Wynter in *Maskarade*

Jonkunnu anklingen lässt[66]), die (in ständiger Verausgabung und Differenzierung) unser unsouveränes Reservoir an sozialer Materie und Energie konstituieren und generieren und bewahren? Dann wäre dieses Eine mehr + weniger als das und gründete anarchisch den Unterschied zwischen Herrschaft durch Gehorsam und Gehorsam gegenüber der Herrschaft in wechselseitiger, untermonastischer Instrumentalität, wo wir unser Fleisch lieben, wie Baby Suggs uns kündet. Du läufst also auf Grund mit dem, was laut Karl Marx die Ware ist. Daran musst du dich reiben, um zu sehen, ob du die Ware (den Vorteil, den Nutzen, unsere differenzielle Versammlung, die Modalität unserer aktiven, differenziellen Verwicklung) vor den sie befleckenden Hierarchien des Tausches retten kannst. Diese Formen sind abscheulich, weil sie sich innerhalb der Zuschreibung von Wert bewegen. Gibt es eine unbewertbare Ware? Jaah. Du kannst die Governance nicht vom Dienst trennen, wenn du nicht radikal neu definierst, was es ist, zu dienen, zu sorgen, zu betreuen, zu versammeln.

Es ist, als ob ein Geist auf dir lastete, als ob du vom Aufruhr in der nahen Ruhe geritten würdest, im langsamen Drag der Ekstase, entlang ständiger Linien des Missverstehens – ein Verfehlen oder eine Vermeidung des Verstehens in einer Art Schutzraum des Wartens an und in einer Trauerweidenhütte, und du verstehst es nicht. Langsamkeit in der Beschleunigung macht dich schwummrig, tief durchblickend, vergesslich, als wärst du eine Glocke, eine assoziative Geschwindigkeit gehaltener Resonanz, das experimentelle, sentimentale

66 Vgl. Sylvia Wynter, „Maskarade. A 'Jonkunnu' Musical Play", in: Yvonne Brewster (Hg.), *Mixed Company. Three Early Jamaican Plays*, London: Oberon Books 2012.

Sediment des Begriffs. Langsames Verstehen pariert den Stoß des Verstehens. Die halsbrecherische Bedächtigkeit des rekursiven Wassers träufelt ätzende Gewalt, um die Nische dessen zu bilden, was sie uns hören lässt. Was in den Spalt passt, bildet noch einen Rand. Eine Bescheidenheit, eine Enthaltsamkeit des gebrochenen Anglisch des gebrochenen Buchs. Prä-parierende Postparty, mit Raum noch für den Streit, in der aufgespulten Sprache des Streits, ausgefranst wie der Advent und die Indentur und die cäcilianische Indentierung des Sonetts, eine Sonate, mehr und weniger, zur Feier ihres Festtags, ihrer Messe, ihres öffentlichen Diensts.

GEGEN MANAGEMENT

WASSERMELONEN-MÄNNLICHKEIT

> Die kollektive Arbeitsmaschine ... wird umso perfekter, je kontinuierlicher der Prozess als Ganzes wird. (Karl Marx)

> Wir hatten entschieden, es auf beide Arten zu drehen. Ich habe es dann nur auf meine Art gedreht. (Melvin Van Peebles)

Krönender Abschluss

In der Singapore Management University (SMU) gab es ein Seminar, das trug den Titel „The Capstone". Es war ein Seminar im vierten und abschließenden Jahr. Die Teilnehmer_innen waren Studierende der Betriebswirtschaftslehre, des Rechnungswesens, der Wirtschaftswissenschaften und ein paar Studierende der Sozialwissenschaften. Als „krönender Abschluss", *capstone*, führte der Kurs die Studierenden in die Geisteswissenschaften ein, paradoxerweise in ihrem letzten Studienjahr. Die Prämisse war, dass das Denken mit diesen Texten den Studierenden erlauben würde, über ihre vier Jahre an der Universität zu reflektieren und über die Wege nachzudenken, auf die sie sich begeben würden. Auf dem Lehrplan standen Figuren wie Marx, Freud und Fanon, gemischt mit eher zeitgenössischen Denker_innen und Künstler_innen wie Kuo Pao Kun aus Singapur und Arundhati Roy aus Indien. Das war alles neu für die Studierenden, aber sie schienen es zu genießen.

Tatsächlich hatten wir im Verlauf des Seminars so viel Spaß, dass es verlockend war, allen Teilnehmer_innen

Noten zu geben, die ihren Enthusiasmus und ihren Einsatz widerspiegelten. Aber das durften die Dozierenden nicht tun. Sie waren eingeschränkt durch eine „vorgegebene“ Notenverteilung, und zwar in Form einer obligatorischen Gaußschen Glockenkurve. Alles, was sie also tun konnten, war, diesen Studierenden, die ihr unterworfen werden sollten, die Geschichte der Glockenkurve beizubringen. In Anwendung der berühmt-berüchtigten Kurve konnten sie praktisch höchstens fünfunddreißig Prozent der Studierenden Einsen geben. Sie hätten zu argumentieren versuchen können, dass die Studierenden im vierten Jahr ein Kompetenzniveau erreicht haben sollten, bei dem mehr von ihnen Einsen erhalten sollten, und dass diese Noten die erfolgreichen Bemühungen ihrer Ausbildung über vier Jahre hinweg widerspiegeln würden. Aber das wäre an der Sache vorbeigegangen. Die Studierenden werden nie kompetent sein. Es wird immer Raum für Verbesserung geben – in der Tat für kontinuierliche Verbesserung. Aber auch das ist nicht ganz richtig. Es gibt Fälle, in denen die Studierenden als kompetent angesehen werden. In dem Moment, in dem sie den Arbeitgeber_innen präsentiert werden, werden sie als hochkompetent dargestellt. Und im Moment ihrer Aufnahme an die Universität werden sie als die Besten und Klügsten angenommen. Diese Momente sind real. Aber der Moment der Benotung ist ebenso real. In ihrer Universitätslaufbahn erfahren die Studierenden einen kontinuierlichen Wechsel zwischen Preisung und Auspreisung. Er ist die Mitte ihres Universitätsalltags. Um sie herum hängen Poster von SMU-Studierenden, die alles erreicht haben – Bilder von Studierenden, die gute Jobs bei einer Wirtschaftsprüfungsgesellschaft gefunden haben und nebenbei ihre Karriere als Schlagzeuger_in oder Rennradfahrer_in fortgesetzt haben – oder von Studierenden, die in ihrer Freizeit während begehrter Praktika bei Finanzdienstleistern mit Delfinen geschwommen sind. Diese Überhöhung der Studierenden ist ein Zustand, den sie selbst aufgreifen und verkörpern sollen. Seminare zu Leadership, Verhandlungskompetenz und sogar das krönende Capstone-Seminar sollen dieses überhöhte Selbst stärken.

Aber das ist nur die eine Hälfte dessen, was die SMU ihr „Leistungsversprechen" nennt. Die Studierenden müssen sich auch einer ständigen Evaluation ihres Werts unterziehen. Sie müssen sich im Wettbewerb untereinander und gegen ihre zukünftigen Selbste messen und bewerten lassen. Und so sehr sie mit der Zuversicht in diesen Wettbewerb gehen, als „das talentierte Zehntel" Singapurs bezeichnet zu werden, hat die anschließende Evaluierung, die Zuweisung von Werten an jede_n von ihnen, die Bewertung, der sie unterzogen werden, unweigerlich etwas Entwürdigendes. Ihre Leistungen werden in Zahlen verwandelt, die Zahlen werden gesammelt und in eine Rangfolge gebracht, und wie jeder weiß, der schon einmal eine Bitte um Änderung der Note erhalten hat, ist deren charakteristischer Effekt eine neurotische Mischung aus Überheblichkeit und Scham. Aber sie ist nicht wirklich Effekt. Sie ist in der Tat ein Leistungsversprechen. Sie ist ein Versprechen zukünftigen Werts, und der Wert hat nur in der künstlichen Verknappung, die die Glockenkurve und ihre meritokratische Regel erzwingen, einen Wert. Darüber hinaus bleibt dieses Leistungsversprechen immer unbewiesen, immer unvollendet und daher immer ein unangemessenes und sogar unanständiges Versprechen. Im Angebot stehen Studierende, die sowohl überhöht als auch abgewertet wurden und vor allem in der Lage sind, zwischen beidem zu oszillieren. Die Studierenden sind fähig, zu führen und sich unterzuordnen. Die Studierenden verkörpern das betriebswirtschaftliche Schlagwort „USP“, *unique selling position*, ein Alleinstellungsmerkmal. Ein USP bietet der_m Käufer_in die Chance, etwas Einzigartiges zu kaufen, genau wie jede_r andere auch. Aber diesen schwerlich einzigartigen Kauf begleitet die Möglichkeit, seinen Preis ständig zu revidieren.

Normalerweise haben Dozierende und Studierende im Capstone-Seminar das Gefühl, dass die Klasse gut läuft und dass sie über die Lektüre und die Filme und ihre gemeinsame Situation neue Denkweisen entwickeln können. Aber wenn die Zeit der Benotung kommt, zwingt die Universität sie dazu, dieses Gefühl zu individuieren, oder besser gesagt, sie zwingt sie dazu, dieses Gefühl in Gruppen von Studierenden erster, zweiter und dritter Klasse zu individuieren. Aber es ist nicht nur so, dass sie dazu gezwungen werden. Die Studierenden wollen die Noten – die guten Noten –, weil diese Bewertung eher für eine Ebene des Zugriffs auf ihre überhöhte Seite steht, wie sie vermeintlich im Klassenzimmer zum Vorschein kam. Natürlich zeigt sich diese überhöhte Seite nur in und als abgewertetes Gegenstück der Bewertung, die individuierte, reduzierte Version dessen, was sie gemeinsam hatten, auf die durch den Wunsch nach Zugriff zugegriffen wird. Und es ist nicht so, dass der Zugriff selbst eine bloße Dienstbarkeit oder Unterordnung unter logistische Anforderungen wäre. Er betrifft genau diese ausgehandelte Oszillation, eine Bereitschaft, zum Zweck der Entwertung bewertet, für das Versprechen einer Fülle von Zugriffen verfügbar zu werden. Der Unterricht in

Kreativität und Kritikalität stand genau im Dienst dieser doppelten Einladung.

Die Dozierenden unterwerfen sich der Universität, indem sie auf der Kurve auf- und abwerten, indem sie ihrer Forderung nach Zugriff auf das, was unterhalb von ihr vorgeht, nachgeben. Die Studierenden unterwerfen sich dem Betrieb, sie begehren ihre Ab- und Aufwertung in guten Leistungsversprechen und erhalten Zugriff auf sie im ungleichen Tausch gegen den Zugriff des Betriebs auf ihre neu erworbene Kreativität und Kritikalität, ihre neu gewonnene Kompetenz in Führung und Dienstbarkeit. Was auch immer im Klassenzimmer geteilt worden war, macht all dies möglich. Und wenn es in dieser Begradigung für den Zugriff notwendigerweise deformiert wurde, bedeutet das nicht, dass die Studierenden – in der Erfahrung der Dozierenden alles, was *sie* jemals waren und sein konnten – nicht versuchen sollten, es zurückzuholen.

Der Algorithmus

Dozierenden, die versuchen, zu viele Einsen zu vergeben, schreibt das Dekanat mit dem „Anliegen", dass die Noten „angepasst" werden. Doch es ist eigentlich nicht einmal nötig, irgendetwas zu tun, um dem Anliegen zu entsprechen. Die Dozierenden müssen lediglich online auf einen Knopf mit der Bezeichnung „Noten anpassen" drücken. Den Rest erledigt ein Algorithmus. Es ist nicht das erste und sicher nicht das letzte Mal, dass diese Studierenden von einem Algorithmus benotet werden. Wenn sie Benotung und Note akzeptieren, stimmen die Dozierenden und die Studierenden zu, das in Stücke zu teilen, was sie im Klassenzimmer gemeinsam hatten. Sie stimmen zu, es zu zerteilen und auf all die

Ermahnungen zur Kreativität und Kritikalität zu reduzieren, auf all die Bemühungen um Einzigartigkeit und Authentizität. Die Klasse wird individualisiert, gezählt, entmaterialisiert und den Paradoxien der Datenstruktur unterworfen. Diejenigen mit einer Eins treten dann mit erhobenem Haupt nach vorne, während die ohne Eins ermahnt werden, nach vorne zu treten, zu reagieren, indem sie ihre Subjektivität geltend machen, um in die nächste Stufe versetzt zu werden. Je mehr sie dazu beitragen können, die Klasse zu individuieren, je mehr sie individuell mit dem identifiziert werden können, was kollektiv in dieser Klasse passiert ist, desto besser werden sie benotet werden. Diese *Subjektreaktion* wird durch ständige Messung provoziert. Diese Subjektreaktion ist eine Wendung, ein Rückschlag. Und sie ist Subjekt der Beschleunigung gewesen, die eintritt, wenn der Algorithmus zum Einsatz kommt, wenn der logistische Kapitalismus zu wirken beginnt, wenn kontinuierliche Verbesserung und totales Qualitätsmanagement dieses Oszillieren zwischen Preisung und Auspreisung, zwischen Überhöhung und Scham auslösen. Die ständige Forderung nach Zugriff, der ständige Diebstahl unserer Mittel, der am nachdrücklichsten gegeben ist, wenn sie in fantasmatische Zwecke verwandelt werden, erfordert die ständige Neubehauptung unserer Individualität, nicht zuletzt, weil es diese Individualität ist, die wir in ihren Teilen verkaufen. Das heißt, es ist unsere Persönlichkeit oder vermeintliche Subjektivität, die wir verkaufen, auf die auf so viele Arten wie möglich zugegriffen werden soll. Die Subjektreaktion ist der einzige Weg, bezahlt zu werden. Klassischerweise schwankt die Subjektreaktion zwischen Überhöhung und Scham, wenn sie mit der Tatsache konfrontiert wird, dass die höheren

Wahrheiten, nach denen der Geist strebt, durch die niedrigeren Sinnesfähigkeiten übermittelt werden müssen. Der Begriff des Körpers soll vermitteln, indem er die sinnliche Erfahrung in Einheiten organisiert, die gezählt, gemittelt und keimfrei gemacht werden können. Etwas von dieser klassischen bürgerlichen Subjektreaktion mag erkennbar in Dozierenden und Studierenden wirken, aber meistens versuchen sie nur, sich zusammenzureißen, den vielfältigen Schwarm des Wohlfühlens zu verbinden und zu differenzieren, im Angesicht und hinter dem Rücken der logistischen Anforderungen.

Diese Produktion der Subjektreaktion ist die *durch die Logistik bewirkte* Entmaterialisierung und Individuierung der Logistikalität. Unsere kritischen und kreativen Bemühungen im Klassenzimmer und unsere Benotung sind Teil dieser Entmaterialisierung und unterwerfen sich ihren logistischen Anforderungen, nicht weil sie nicht gut beginnen, sondern weil sie nicht gut enden. *Sie enden mit der Abwertung der Mittel.* Eine solche Entmaterialisierung hat tiefe Wurzeln in der westlichen Tradition, ein Subjekt und seinen Geist vorauszusetzen. Heute jedoch ist sie am frenetischsten und (un)sichtbarsten im logistischen Kapitalismus am Werk, und in dessen Antrieb durch den Algorithmus. Die Logistik mobilisiert und vernetzt uns heute wie nie zuvor. Sie behauptet uns als Mittel wie nie zuvor. Sie öffnet überall den Zugriff auf alles. Und gleichzeitig entwertet die Logistik diese Mittel und verunglimpft diesen Zugriff, indem sie sie durch die Bewertung immer auf einen einzigen Zweck hin treibt. Dieser Zweck ist der Mehrwert: gestohlener, akkumulierter, regulierter Mehrwert. Indem sie unsere unbewertbaren Mittel, dies zu tun, anzapft, tritt die Logistik auch dem entgegen, was wir unsere Logistikalität genannt haben, unsere Fähigkeit, ein Mittel für sich selbst zu sein, in selbstloser, ungekerbter, nicht-lokaler Unvollkommenheit. In der Tat können wir den Aufstieg der Logistik und die Subjektreaktion, die sie ermutigt und unterweist, als Versuche lesen, unsere Logistikalität zu regulieren. Logistikalität ist mehr als Gegenlogistik, mehr als eine Entgegnung auf die Logistik. Sie ist unser Bewegungsmittel, und unsere Bewegung als Mittel. Die Logistik versucht, unserer Bewegung, unserer Pedesis, unserem Random Walk, unserer umherwandernden Irrung eine Position, eine Richtung und einen Fluss aufzuzwingen, uns in dieser Oszillation, diesem neurotischen Hin- und Herlaufen einzufangen. Die Logistik will uns positionieren, uns dazu bringen, eine Position einzunehmen, uns zu befestigen und sesshaft zu werden. Und doch muss die Logistik auch selbst in Bewegung bleiben, selbst in ihrer entwerteten Form. Genau hier kommt der Algorithmus zum Einsatz.

Operations Management

Das Capstone-Seminar war der geeignete Ort für die Studierenden, diese Arbeit des Algorithmus zu studieren. Die Klasse las Marx über Entfremdung, und dann las sie auch Marx über die Sinne – darüber, wie die Sinne in ihrer Praxis Theoretiker geworden sind. Sie lasen Marx, der davon sprach, dass die Natur ihre bloße Nützlichkeit verloren hat, indem sie zum menschlichen Nutzen geworden ist oder ganz zum Mittel wird. Die Logistik aber verlangt von uns, dass wir unsere Mittel nutzen, statt sie (sinnlich, gedanklich) zu praktizieren. Unsere Sinne werden seit langem als Mittel zur Erkenntnis verstanden, aber nicht oft als soziale Mittel ohne Zweck, was nicht dasselbe ist, wie wenn sie Selbstzweck wären, sondern vielmehr, dass sie Mittel in Sichselbstlosigkeit sind; nicht als Theoretiker eigenen Rechts, sondern in einem Ritus, der nicht besessen, sondern geteilt wird in einer Rechthervorbringung, deren Herstellung und Auflösung auf der anderen Seite der Philosophie des Rechts in einer allgemeinen Ausschüttung gegeben ist. Einerseits intensiviert die Logistik die Möglichkeiten, ein sinnlich-kollektives Leben zu führen, das in seinen Mitteln und als seine Mittel unmittelbar materiell ist. Andererseits will die Logistik aber unsere Mittel auch entmaterialisieren, sie abstrahieren und dem Begriff unterwerfen – dem Begriff der Bewertung und dem Begriff des Profits.

Und am unmittelbarsten will die Logistik unsere Mittel dem Begriff des Flusses unterwerfen. Auch für diese Erkenntnis hätte die Klasse gut Marx studieren können. Er sagte voraus, dass der „kontinuierliche Fluss" in der kapitalistischen Produktion immer mehr in den Mittelpunkt der Produktivitätsanstrengungen rücken und zunehmend zum Profit beitragen würde. Aber auch wenn das Seminar seine Vorhersagen zum Fluss nicht studiert hat, ist Marx in der Business School von der Disziplin des Operations Management aufgegriffen und entmaterialisiert worden. Wenn man Operations Management so betrachtet, wie es sich selbst nicht betrachten würde, könnte man sagen, dass es eine kapitalistische Wissenschaft ist, die das Verhältnis zwischen variablem und konstantem Kapital *in Bewegung* untersucht. Operations Management versteht sich als die Wissenschaft von der Fabrik, insbesondere vom Fließband, und noch spezieller von dem, was wir in Anlehnung an Marx (und, in anderer Weise, an Raymond Williams) „den Fluss der Linie" nennen könnten. Mit dem Fluss der Linie meinen wir die Aufmerksamkeit des Operations Management nicht für Arbeiter_innen oder Maschinen, nicht einmal für die Beziehung zwischen beiden. Während sich andere Management-Wissenschaften auf das variable Kapital konzentrieren, wie das Studium des Organisationsverhaltens, oder auf konstantes Kapital wie die Buchhaltung, charakterisiert das Operations Management die Aufmerksamkeit für eine bestimmte Art von Bewegung. Nicht das Fließband also, sondern die Bewegung des Fließbands, in seinem Fluss. Operations Management konzentriert sich auf Arbeiter_innen und Maschinen, wie sie entlang des Flusses der Linie erscheinen, um diese Flusslinie *zum Fließen zu bringen.* Mit anderen Worten: Der Fluss der Linie vermittelt die Beziehung zwischen Arbeiter_innen und Maschine und bestimmt die Proportionen von variablem und konstantem Kapital eher, als dass er durch sie bestimmt wird.

Für Operations Management bedeutet das Verhältnis des Menschen zur Maschine an sich nichts. Es ist den Manager_innen gleichgültig. Die Beziehungen von Mensch und Maschine zum Fluss der Linie, und insbesondere zur Bewegung dieses Flusses, bedeuten jedoch alles. Mit anderen Worten: Die Aufmerksamkeit für den Prozess und neuerdings für die kontinuierliche Verbesserung dieses Prozesses ist der eigentliche Forschungsgegenstand des Operations Management. Operations Management organisiert die tote und die lebendige Arbeit nicht nur nach dem Fluss der Linie, sondern richtet sie auf die Qualität dieses Flusses aus und konzentriert sich auf den Prozess und nicht auf das Produkt. Eine Maschine oder ein_e Arbeiter_in wird nicht eigenständig beurteilt, sondern nur im Dienst dieses Flusses der Linie, in Unterwerfung unter den Prozess. Bei der Qualitätsverbesserung geht es im Operations Management trotz der ihm eigenen Rhetorik nicht um das Produkt, sondern um den Prozess. Das Produkt – vor allem das, von dem Marx uns lehrt, dass es das erste Produkt ist, nämlich *die Arbeiter_innen*, die sich unter den nachfolgenden Regimen des Operations Management in dieselbe Subjektreaktion gezwungen sehen werden, wie sie das Capstone-Seminar überwältigt und überdeterminiert – ist wirklich nicht von Interesse. Mit der kontinuierlichen Verbesserung wird es deutlicher denn je, dass die Arbeiter_in – wie jede andere Ware, wie jedes andere Ding – um des Flusses willen entwürdigt und entsorgt werden wird. Die Ware, das Ding, die Arbeiter_in ist weder Mittel noch Zweck. Der Zweck ist der Profit und das Mittel ist der kontinuierliche Fluss. Das Produkt, das Ding, die sprechende Ware, sogar die Macht oder der Wert oder die Bedeutung, die es in sich trägt, ist nichts weiter als ein Anhängsel dieses Prozesses.

In seiner offenen Indifferenz gegenüber Arbeiter_innen, Maschinen und sogar Produkten hebt sich das Operations Management von den Diskursen anderer ökonomischer Praxen ab. Damit soll nicht behauptet werden, dass Operations Management irgendwie ehrlicher gegenüber den kapitalistischen Arbeitsbeziehungen sei, sondern nur, dass es ein Standpunkt ist, von dem aus wir einen Blick auf eine größere Indifferenz werfen, die die Fantasie einer Welt ohne Arbeit anheizen könnte, reibungslos und frei. Im Gegensatz dazu müssen Human Resource Management oder die Lehre vom Organisationsverhalten auf das setzen, was man heute gewöhnlich als Humankapital bezeichnet, auch wenn die Investition der Ermutigung ähnelt, die wir unseren Studierenden im Klassenzimmer geben, sich selbst auszudrücken – das heißt, sie ist fester Bestandteil einer Entmaterialisierung, die den Fluss zum Arbeiten und die Arbeit ins Fließen bringt. Aber auch diese anderen ökonomischen Disziplinen tragen die Spuren dieses Flusses. In der Disziplin der Strategie wird die Führungskraft überhöht, während die andere Hälfte der Strategie – die Entscheidungsfindung – Algorithmen einsetzt, die die Führungskraft als eine Subjektreaktion auf den Fluss entlarven. Operations Management ist nur insofern anders, als es ohne solche Vermittlungen begonnen hat.

Qualität

Das Auftauchen des Operations Management kann – wie alle ökonomischen Disziplinen – auf den Klassenkampf zurückgeführt werden, obwohl die bekannteste Geschichte seines Aufstiegs diese Grundlage ausspart. Nach dieser weitverbreiteten Erzählung, die in den Lehrbüchern und im Journalismus der Wirtschaftspresse heruntergebetet wird, lenkte die aufkommende Bedrohung durch die japanische „Wettbewerbsfähigkeit" und das, was später als „Toyotismus" bezeichnet wurde, in den USA die Aufmerksamkeit auf die Bedeutung von Qualität und Konsistenz langlebiger Güter. Dieser Aufstieg der „Qualität" in Asien wird dann recht unglaubwürdig US-amerikanischen Unternehmensberatungen zugeschrieben. Die beliebte Geschichte ist so absurd, dass selbst Wirtschaftshistoriker_innen, die nicht zu radikalem Dissens neigen, sie nicht gutheißen können. Dennoch wird seit 1951 Jahr für Jahr der Deming-Preis für herausragende Leistungen auf dem Gebiet des Totalen Qualitätsmanagements vergeben – mit ebenso wenig Ironie wie der Friedensnobelpreis und mit meist höheren Prämien. Mit dem Deming-Preis werden Einzelpersonen oder Organisationen für herausragende Leistungen auf dem Gebiet des heute so genannten Totalen Qualitätsmanagements ausgezeichnet, das in der Entstehungszeit des Preises einfach „Qualität" genannt wurde. Tatsächlich war die Schaffung des Preises wesentlicher Bestandteil der Bemühungen US-amerikanischer Unternehmensberatungen, die, angeführt von W. Edwards Deming selbst, nach dem Krieg zur Förderung der Qualitätskontrolle in japanische Unternehmen geholt wurden. Die gängige Erzählung beginnt mit US-amerikanischen Unternehmensberatungen wie Deming, die die kollektivistische Kultur der japanischen Arbeiter_innen genau zu dem Zeitpunkt durchbrochen haben sollen, als die Beziehungen zwischen Management und Gewerkschaften der US-amerikanischen Nachkriegszeit in der Nachfolge der New-Deal-Kompromisse bei Tarifverhandlungen und Produktivitätsvereinbarungen angeblich durch einen ähnlichen Kollektivismus gekennzeichnet waren. In den frühen 1950er Jahren führten Deming und seine Kolleg_innen in Japan Techniken des Qualitätsmanagements ein, die darauf abzielten, die *einzelnen* Arbeiter_innen für das reibungslose Funktionieren ihres Teils des Fließbands – mit anderen Worten, für dessen Fluss – verantwortlich zu machen. Diese Verantwortung bestand aus zwei Komponenten. Die eine war die Reduzierung von Fehlern, die sich auf die Qualität des Produkts auswirkten. Dies sollte dadurch erreicht werden, dass jede_r Arbeiter_in für diese Fehler verantwortlich gemacht wurde. Die andere war die Verbesserung, also die Beschleunigung des Flusses. Das Qualitätsmanagement war auf die Individualisierung der

Beschleunigung aus, die zur persönlichen Verantwortung der Arbeiter_in gemacht wurde. Ein großer Teil davon war die Entkollektivierung des Widerstands gegen die Beschleunigung. Das Ergebnis war ein_e Arbeiter_in, die zwischen der Unterwerfung unter die Linie, unter den Fluss, und der Behauptung ihrer Individuierung als Qualitätskontrolleur_in oszillierte. Der Fluss war weiterhin eine Kraft, die sich der Kontrolle der Arbeiter_in entzog, aber anstatt mit einer anderen kollektiven Kraft darauf zu reagieren, war die Arbeiter_in nun individuell für ihre Reaktion verantwortlich, was sowohl Unterwerfung als auch Optimierung bewirken sollte.

Trotz des Drucks, den Deming und andere US-amerikanische Aufseher auf die japanischen Arbeiter_innen in der Industrie ausübten, verbesserte sich die Produktivität in Japan entgegen der landläufigen Erzählung in jenen Jahren überhaupt nicht. Aber wenn das Experiment als Produktivitätsinstrument scheiterte, hieß das nicht, dass es als Managementinstrument gescheitert ist, das inmitten heftiger Streiks und Arbeiter_innensolidarität eingesetzt wurde, die das Japan der 1950er Jahre prägten. Währenddessen verlegten die US-Amerikaner, die Japan immer noch managten, sich indirekt auf die altbewährte US-amerikanische Industriestrategie: staatliche Intervention und Marktverzerrung. Zunächst verlangten sie von allen asiatischen Nachkriegs-Klientelstaaten, die sie vom britischen Empire, von Frankreich und Holland geerbt hatten, dass sie japanische Importe bevorzugt behandelten, sogar auf Kosten US-amerikanischer Produkte. Dann, mit dem Ausbruch des Kriegs in Korea, setzten die USA die japanische Industrie zunehmend zurück auf Kriegsmodus, um ihre imperiale Kriegsführung zu versorgen. Die Folge war, dass die japanische Wirtschaft in Richtung ihres Nachkriegswunders abhob, und mit der gleichen Verzerrung wie später beim US-amerikanischen Krieg gegen Vietnam wurde Japans Wirtschaft zur Legende. Deming und Co. hatten mit diesem Wunder nachweislich nichts zu tun. Aber sie waren zur richtigen Zeit am richtigen Ort, als die US-amerikanische Wirtschaft ihre eigene „Produktivitätslösung" brauchte.

Wenn die Steigerung der industriellen Produktivität in Japan im Wesentlichen fiktiv ist, so gilt das auch für die Vorherrschaft der Qualität. Die Ölschocks von 1973 und 1978 fallen – als Teil eines komplexen Klassenkampfes in den ölproduzierenden Regionen – wie uns das Midnight Notes Collective lehrt – nicht mit den zuverlässigeren, hochwertigeren japanischen Gebrauchsgütern zusammen, die angeblich die Produkte eines Management-Wunders sind, sondern mit billigeren Autos, die eine bessere Treibstoffeffizienz aufweisen. Diese billigeren Autos erscheinen inmitten eines anderen Klassenkampfes, der nicht unabhängig von dem auf den Ölfeldern ist. Hier können wir den Faden des Operations Management, insbesondere der „Qualitätskontrolle", und ihre latente Macht als Klassenwaffe wieder aufnehmen. Denn obwohl es keine Beweise dafür gibt, dass das Totale Qualitätsmanagement in irgendeiner Weise für das japanische Wirtschaftswunder verantwortlich war, war es doch ein nützliches Instrument zur Disziplinierung einer kollektivistischen Auflehnung der japanischen Arbeiter_innen. Darüber hinaus suchte das US-amerikanische Management in den 1970er Jahren, als die Produktivitätsvereinbarungen in den USA endgültig scheiterten, inmitten wilder Streiks und dem Aufstieg von Organisationen wie der League of

Revolutionary Black Workers in der Autoindustrie von Detroit nach einer neuen Form der Kontrolle. Hier hatte die gescheiterte Managementtheorie von Deming und Co., die durch den aus ganz anderen Gründen aufkommenden Wettbewerb in der Auto-, Elektronik- und Maschinenindustrie mit Japan aufpoliert wurde, endlich ihre große Zeit.

Kaizen in Amerika

Kaizen bedeutet auf Japanisch und Chinesisch „Verbesserung". Im Operations Management japanischer Autofabriken bezeichnete der Begriff nicht einfach nur Verbesserung, sondern die kontinuierliche, unaufhörliche Verbesserung in der Verantwortung jeder Arbeiter_in an der Flusslinie. Mit dem Aufkommen der Kaizen-„Philosophie" wird der Begriff der Optimierung des Flusses als eine Form der Arbeitsdisziplin eingeführt. Die Disziplin der Arbeiter_innen wird gerade deshalb optimiert worden sein, weil der Fluss nicht optimiert werden kann – wenn der Fluss der Linie nie gut genug sein wird, können die Arbeiter_innen ständig diesem Defizit unterworfen werden, das sie in einer unaufhörlichen Mechanik der Evaluation und Bewertung verkörpern und verinnerlichen. Masaaki Imai, der als Japaner am meisten für die Popularisierung des Begriffs in der englischsprachigen Welt steht, drückt es so aus: „Kaizen bedeutet kontinuierliche Verbesserung durch jeden und jede, immerzu und überall." Der Aufstieg von Kaizen bedeutet, dass es das Streben nach „dem einem besten Weg" Frederick Taylors nicht mehr geben kann. Die Messung – die uns versichert hatte, dass wir den besten Weg gefunden und die Aufgabe erledigt hatten – wird durch eine Metrik ersetzt, die durch den

Algorithmus angetrieben wird. Mit Kaizen, könnten wir sagen, hat sich der Wert vom Produkt zum Prozess verlagert. Ein Produkt hat einen Wert, der auf einem preisbildenden Markt gemessen werden kann. Ein Prozess hat einen Wert, der nur vorübergehend abgelesen werden kann. Der Wert eines Prozesses ist kontingent und macht damit den Wert zu einem Prozess an sich. Aus diesem Grund könnte man ein Finanzprodukt eher als Finanzprozess bezeichnen – sein Wert beruht auf einer fortlaufenden Metrik, oder vielleicht sollten wir sagen, sein Wert kommt aufgrund einer fortlaufenden Metrik niemals zur Ruhe, aufgrund der fortlaufenden Verbesserung und Beschleunigung der Metrik. Die Metrik ist hier eine Art postklassische Mechanik, deren Losgelöstheit von jeglichen fundamentalen Fragen zum *Wesen des Werts* sie zu einem geistlos mächtigen Instrument der klassischen politischen Ökonomie und der ihr zugrundeliegenden Metaphysik des Werts macht. Auch diese Quantenmetrik basiert zum Teil auf einem Unschärfeprinzip, dessen Name Effizienz ist. Nichts kann als effizient gelten, ohne dass sich die Frage nach seiner Effizienz stellt. Das Operations Management wendet seine Aufmerksamkeit weg von der Effizienz, die am Gewinn der Ware gemessen wird, und hin zur Effizienz des Prozesses, zur Effizienz als Prozess, die nur momentan gemessen wird. Kontinuierliche Verbesserung bedeutet, dass jede Effizienz in dem Moment ineffizient geworden ist, in dem sie gemessen wird. Schritt für Schritt wird die Messung selbst ineffizient und durch die Metrik ersetzt, das relative Maßnehmen, das den Fluss „benchmarkt", um mit dem Algorithmus darauf zu spekulieren. Das Ziel ist, dass die Flusslinie sich selbst überholt; oder mit anderen Worten: Mit Kaizen wird das Ziel durch Spekulation auf den Fluss selbst und nicht auf seine Produktivität vorgegeben, und es verschiebt sich mit der Spekulation.

Natürlich gibt es in kapitalistischen Betrieben seit langem ein Streben nach relativem Mehrwert, und noch länger gibt es einen Effizienzdruck durch kapitalistischen Wettbewerb. Doch mit Kaizen wird die Aufmerksamkeit auf den Fluss der Linie um seiner selbst willen in den Vordergrund gestellt und die Effizienz von so etwas wie messbarem Wettbewerb oder Marktmechanismen losgelöst. Kontinuierliche Verbesserung ermöglicht spekulative Finanzwirtschaft. Kaizen hat nicht nur den Einzug der spekulativen Finanzwirtschaft in die Fabriken vorweggenommen, sondern diente auch entscheidend dazu, die spekulative Finanzwirtschaft mit der (klassischen Mechanik der) Fließbandproduktivität zu verbinden. Nun stellte der Fluss des Fließbands selbst ein Potenzial dar. Das Fließband wurde spekulativ, oder besser gesagt, der Fluss der Linie wurde es. Die Buchhaltung verschiebt sich, für diese spekulative Linie bezieht sie die Metrik ein, und die Finanzwirtschaft rückt an, sie tritt in Kraft. Alles wird ausverkauft (und zurückgemietet), außer der Spekulation des Flusses. Betriebe (und später sogar Banken) werden in diesem Prozess ausgehöhlt, aber nicht entleert. Es geht nicht darum, wie manchmal dargestellt, dass Betriebe Opfer der Finanzialisierung werden. Im Gegenteil: Kaizen macht die Finanzspekulation erst möglich. Was nach der Finanzialisierung im Betrieb bleibt, ist die Spekulation auf den Fluss. Die für diese Spekulation auf den Fluss der Linie verwendeten Begriffe sind „Kernkompetenzen“, oder manchmal der berüchtigte „Wettbewerbsvorteil“, und heute das „Leistungsversprechen“. All diese

Managementkonzepte sind entstanden, um zu signalisieren, dass das Managementteam eines Betriebs eine Methode hat, den Fluss des Fließbands zu verbessern, in jeder Art von Band, um mehr Wert aus den Arbeiter_innen herauszuholen, indem der Zugriff auf sie intensiviert wird. Der Grund, in sich neu entwickelnde „ressourcenbasierte" Betriebe zu investieren, liegt nicht darin, dass sie bestimmte Vermögenswerte besitzen oder bestimmte Waren herstellen, sondern weil sie und ihr Management die Fähigkeit demonstrieren, den Fluss einer Linie durch einen tieferen Zugriff auf die Arbeiter_innen kontinuierlich zu verbessern, sei es durch Technologie oder Arbeitsplatzkulturen, die ihren Einfluss auf jeden Bereich des Lebens der Arbeiter_innen ausdehnen. Die Produktionsmittel selbst treten so mit Kaizen in den spekulativen Bereich ein. Heute gipfelt diese Logik in Private-Equity-Firmen, die in völliger Indifferenz, wie sie sagen, nicht Unternehmen, sondern *Geschäftsprozesse* aufkaufen, entfügen und neu zusammenfügen.

Qualität und Brutalität

Das ist die eine Hälfte des Bilds. Denn natürlich war Verbesserung immer spekulativ, und bei Spekulation ging es trotz der heutigen Rhetorik immer, wie heimlich auch immer, um die Möglichkeiten, die Arbeit zu verbilligen oder die Maschinen zu beschleunigen, ob es nun die Fähigkeit des Bauern war, das Land zu verbessern, oder die der versklavten Frau, ihren Versicherungswert zu überschreiten. Von Nießbrauch sprechen wir in diesem Zusammenhang als dem Zusammentreffen von zwei Arten der Verbesserung – der Verbesserung des Selbst und der Verbesserung des Eigentums im achtzehnten und frühen neunzehnten Jahrhundert. Wenn Hegel in der

Philosophie des Rechts auf den Nießbrauch als die Setzung zweier Willen in einem Eigentum zu sprechen kommt, hat er gerade eine Diskussion der Sklaverei abgeschlossen: Er diskutiert zwar den Nießbrauch, ohne menschliches Eigentum zu erwähnen, aber es ist unmöglich, diese Passage nicht nur als wesentlich für sein Verständnis der wesentlichen Beziehung des Rechts zum modernen Staat zu lesen, sondern auch als Ausgangspunkt für eine ebenso wesentliche Beziehung des Problems der Verbesserung zur Dialektik von Herr und Knecht/Sklave, die die *Phänomenologie des Geistes* strukturiert und bedingt. Weder die moderne Philosophie noch das moderne Subjekt noch der moderne Staat können von diesem Wechselspiel von Versklavung und Verbesserung frei sein. Nießbrauch ist nicht nur die Bearbeitung des Lands eines Anderen, sondern die Bearbeitung eines Anderen, in und für ein Selbst, das dadurch gearbeitet und bearbeitet wird; und die zwei Willen, die in der Frage der Verbesserung aufeinanderprallen, werden durch rassifizierte und sexuelle kapitalistische Akkumulation und Demonstrationen des sich selbst hervorbringenden Willens vorangetrieben und miteinander verbunden. Nießbrauch bringt also nicht nur die Einfügung des sich selbst verbessernden Willens in das Ding mit sich, sondern auch die gewaltsame Behauptung eines notwendig schwachen Willens als diesem Ding immanent. In dieser Hinsicht kann ein Mensch nur insofern zu einem Ding gemacht werden, als er zunächst ein Mensch ist. Die Humanität der Sklav_in wird nicht nur notwendigerweise verletzt, sie ist auch, wie Hartman uns lehrt, ganz einfach notwendig. Die Dehumanisierung folgt der Humanisierung und negiert nicht einfach die Humanität im Strom der Brutalität, der den Menschen in sein politisch-ökonomisches Schicksal treibt.

Nießbrauch selbst war nie endgültig abgeschlossen, und es gab immer ein anderes Eigentum oder einen anderen Körper, in den man einen vermeintlich unabhängigen Selbstverbesserungswillen hineinlegen musste, um dieses Ding zu verbessern. Diese aus Kaizen resultierende Spekulation mit der Linie – die brutale Dekollektivierung und Individuierung der Linie, die zugleich eine soziopathologische Forderung nach dem Zugriff auf die individuierte Arbeiter_in ist – hat ihren Ursprung in den Sklavenarbeitsfarmen, die Baumwolle in den USA und Zucker auf den West Indies und in Südamerika produzierten, wie die schwarze Geschichte der Sklaverei deutlich zeigt. Sklavenarbeitskolonnen werden entlang einer Linie von Baumwoll- oder Zuckerrohrpflanzen verteilt und gezwungen, sich kontinuierlich zu verbessern; und jede Kooperation unter ihnen wird brutal bestraft, sogar härter bestraft als das Versäumnis, sich zu verbessern, eben weil es die einfache, individuierende Arithmetik stört, die selbst den mathematisch exotischsten und ausgefeiltesten Metriken zugrunde liegt. Auf den Feldern war von einer Subjektreaktion nicht zuletzt deshalb keine Rede, weil sie von den Versklavten verweigert wurde, ohne dass sie jemals angeboten worden wäre. In der Tat werden gewöhnlich diejenigen, die das Nichts für sich in Anspruch nehmen, im Gegensatz zu denen, die viel Aufhebens um die Willenskraft machen, schließlich zur belasteten Individualität gezwungen. Aber die brutale Ironie bleibt, dass die Subjektreaktion, der hart erkämpfte Zugriff darauf, verfügbar zu sein, wenn der Begriff *liberation*, Befreiung, eine liberale Wendung nimmt, von jener Offenheit abrückt, die von Management und Verwaltung zu unserem Nachteil gestohlen und aufgefüllt wird. Diese Offenheit, dieses

Nichts, diese Verletzlichkeit, diese Affizierbarkeit, diese unverfügbare Verfügbarkeit, die wir teilen, ist alles, was wir haben.

Logistik

Das Imperium von Baumwolle und Zucker beherbergte nicht nur diese teuflischen frühen Experimente, mit denen die Kollektivität auf der Linie zerschlagen und Willen eingesetzt und durchgesetzt wurden, sondern gab uns auch einen frühen Einblick in eine integrierte globale Lieferkette. Aufzucht und Marsch oder Verschiffung der Versklavten nach Süden und Westen von den Plantagen in Tidewater und Piedmont oder ins Landesinnere von den karibischen und pazifischen Küsten Kolumbiens, um damit Ernten zu erzielen, die durch die Spekulation auf ihre durch Folter erzwungene, durch Metrik auferlegte Arbeit finanziert wurden, und die Baumwollballen oder Melassefässer, die in New Orleans oder Bridgetown auf Schiffe verladen wurden, die in London versichert waren und zu den Großhandelsverrechnungsstellen in Liverpool oder den Fabriken in Massachusetts fuhren, sind Glieder einer globalen Wertschöpfungskette, die von Bankern, Pflantagenbesitzern und Sklavenhaltern geschaffen wurde. Aber erst in unserer Zeit wird diese Lieferkette vollkommen in den Fluss der Linie *innerhalb* der Fabriktore integriert. Etwa zur gleichen Zeit, als das Operations Management Kaizen und die Bewertung des Flusses der Linie selbst zu verstehen begann, überdachte es auch die Linearität und Endlichkeit der Linie. An diesem Punkt etablierte sich eine neue Teildisziplin des Operations Management als strenge akademische Disziplin an den Business Schools: die Logistik. Natürlich gab es die Logistik als Praxis in militärischen Belangen schon, seit es Belagerungen, Invasionen und Festungen gab. Essen, Wasser, Waffen und Menschen mussten transportiert und verwaltet werden, um alle Kriegsstrategien zu unterstützen. Der afrikanische und transatlantische Sklavenhandel stellte die große, widerliche Einführung der Massenlogistik für kommerzielle und nicht für militärische oder staatliche Zwecke dar. Er wurde zum schaurigen Versuchslabor für den Zugriff auf singuläre Mittel von Arbeit und Sex, von Welterzeugung und Subjektivierung. Vieles würde folgen, darunter Infrastrukturprojekte für die Zirkulation von Menschen, Gütern und Informationen und natürlich weitere Massenvertreibungen, Indenturen und Migrationen in der brutalen Durchsetzung des Gesetzes des Genozids und Geozids gegen indigene Völker und gegen die Idee und Praxis der Indigenität selbst. All diese Logistik würde nicht nur im Sklavenhandel das Markenzeichen des „Herkunftskontinents" tragen, sondern mit dem Nießbrauch würde die Verbesserung des Flusses und die Rassifizierung ununterscheidbar werden. Weißsein ist als Ursprung und Bodensatz der Rassifizierung, wo Zugriff eher Auferlegung und Unterwerfung durch Selbstschutz und Selbstbestimmung ist, statt Unvollkommenheit zu praktizieren, die Selbstverbesserung des Flusses. Schwarzsein wird zu dem, was es schon war: die vorausgehende Unterbrechung, die kommende Sabotage, die Unfähigkeit, in den Fluss hineinzuatmen als die Fähigkeit zum Atem als Mittel, für die Breite der Mittel.

So ist es kaum verwunderlich, dass das Auftauchen der modernen Idee von Ökonomie als Disziplin, wie Timothy Mitchell uns lehrt, an die Wissenschaft der „Rasse" gekettet ist. Mitchell erinnert uns daran, dass der Gründer der US-amerikanischen Ökonomie, derjenige, der die Disziplin einweiht, indem er das erste Arbeitsmodell dieser unabhängigen „Ökonomie“ erstellt, nicht zufällig, sondern notwendigerweise ein Rassist und Eugeniker war. In Irving Fishers Theorie war die Ökonomie die Lehre vom Geld und dem, was man heute Humankapital nennen würde. Beides, so Fisher, könne man verbessern (und damit spekulieren). Aber „rassische Entartung“ bedeutete, dass einige kein Verständnis für die Zukunft hatten. Die „entarteten, degenerierten Rassen“ hatten also weder den Wunsch noch die Fähigkeit, sich zu verbessern. Sie würden ihre Nützlichkeit für sie maximieren müssen, und zwar durch Nießbrauch.

Logistischer Kapitalismus

Wenn Operations Management als Wissenschaft der Verbesserung und Spekulation Teil der Ökonomie wird, verwandeln Containerisierung und ausgedehnte Wertschöpfungsketten in der globalen Produktion und den globalen Märkten die Untersuchung dieses Flusses in eine grundlegende Obsession mit der Frage, was und wer wirtschaftlich produktiv oder unproduktiv war. In der Folge versteht Betriebsmanagement das, was sich *in* die Fabrik und *aus* ihr heraus bewegte, als Erweiterungen des Flusses *innerhalb* der Fabrik. Wenn man auf diese Erweiterungen achtet, kann man den Fluss innerhalb der Fabrik verbessern. Logistik, Umkehrlogistik, Nutzer_innengemeinschaften und Beziehungsmarketing werden nun als Teil eines kontinuierlichen Prozesses gesehen, der kontinuierlich verbessert werden kann, bevor die Inputs in die Fabrik gelangen, während sie in der Fabrik umgewandelt werden und nachdem die Outputs die Fabrik verlassen. Diese Erweiterungen dienen der Verbesserung des Prozesses, indem sie die Art und Weise berücksichtigen, wie die Bewegung und der Zustand von Rohstoffen oder Kundennutzung, von Neuerfindung und Rückkopplung zu einer weiteren kontinuierlichen Verbesserung der Linie führen können. Mit anderen Worten: Operations Management sieht sich für alle Kreisläufe des Kapitals verantwortlich und nicht nur für die Produktion. Der Fluss strömt aus dem Fabrikstor und überflutet die Welt, überschwemmt ihre politischen Körper.

Diese Vorwärts- und Rückwärtsintegration und Steuerung der Wertschöpfungskette wurde durch die Metrik und den Algorithmus auf den Weg gebracht. Logistik ist seit langem ein Feld für algorithmische Experimente, in deren Mittelpunkt sowohl das „Problem des Handlungsreisenden" steht, bei dem es darum geht, die effizienteste Route zu ermitteln, als auch das „Canadian-Traveler-Problem", bei dem es darum geht, die effizientesten Anpassungen auf der Route zu finden. Was die Logistiktheoretiker_innen vom Algorithmus erwarteten, war eine kontinuierliche Neuberechnung – Metrik, nicht Messung. Die Evolution des Algorithmus in der Logistik tendiert dazu, das „Kontrollmittel" – lebendige Arbeit – zu eliminieren, und damit die „humane Zeit", wie sie die Logistikliteratur gerne nennt. In den Fantasien der Logistiktheorie, angedeutet im Diskurs über das „Internet der Dinge", in dem eine allgemeine Dehumanisierung – der die Humanisierung vorausgeht – imaginiert wird, werden die Dinge als Reaktion auf Umweltveränderungen eine Art Plastizität entwickelt haben und sich ohne den Eingriff lebendiger Arbeit transformieren. Sowohl die materiellen Entwicklungen der Logistik als auch die immateriellen Interventionen der Logistiktheorie haben Konsequenzen für mehr oder weniger bewusste Entwicklungen in Philosophie und Wissenschaft, deren Möglichkeitsbedingungen sowohl durch den methodischen Algorithmus bei der Arbeit als auch durch die methodische Arbeit des Algorithmus im Denken gerahmt werden.

In den 1980er Jahren – als die Logistik und die Performance-Metrik die Interessen der Fabrik erweiterten und zerstreuten, indem sie den Fluss ihrer Produktionslinie über die unscharfen Grenzen von Input und Output hinaus verbanden – hatte das Operations Management „die Fabrik verlassen" und Kaizen mitgenommen. Wichtiger noch: Operations Management und Logistik halfen dem Unternehmen zu erkennen, wie die Linie überfließen und überall fließen konnte. Trotz der Regulierung und Eingrenzung, die seine strikte Linearität impliziert, ist das Fließband nicht verschwunden, sondern allgegenwärtig geworden. Heute ist es eine Flussebene, ein Überschwemmungsgebiet, eine unkartierte Zerstreuung souveräner Zumutungen mit den sie begleitenden, ereignishaften Subjektreaktionen. Allgemeine und unkalkulierbare Kommunikabilität wird als totale Kommunikation, totale Konnektivität virtualisiert. Dies ist der algorithmische Versuch des Kapitals, einen wesentlichen und wesentlich sinnlichen Kommunismus zu entmaterialisieren, zu konzeptualisieren und zu regulieren; dies ist die Entschlossenheit des Kapitals, totalen Zugriff auf die Mittel zu erlangen, um über die Mittel hinaus, über seine Verhältnisse hinaus zu leben. Auf dem Spiel steht jene doppelte Operation der Abwertung der Mittel, die der Algorithmus sucht und zu regulieren sucht.

Synaptische Arbeit

Als zeitgenössische Phänomene und in ihren langen, verschlungenen historischen Verläufen führen uns diese beiden Verschiebungen im Operations Management – Kaizen und Logistik – zu einem anderen Verständnis dessen, was heute aus der Arbeit herausgeholt wird. Anstatt individuelle Arbeitskräfte darzustellen, müssen die Arbeiter_innen synaptische Arbeit leisten, eine Fähigkeit zur Komposition, die darin gegeben ist, dass sie gleichsam auf Befehl in den Fluss der Montage eingebucht worden ist. Und mit jeder E-Mail, jeder Text-Message, jedem Post wird der Befehl gegeben. Man wird gleichzeitig als Daten und als syntaktische Einheit instanziiert und aufgerufen. Das ist logistischer Kapitalismus: Hier wird jene Arbeit wertgeschätzt, die auf die Verbesserung des Flusses gerichtet ist, der überall und über jede_n fließt. Die Arbeiter_innen – sofern das der richtige Begriff für diejenigen ist, die aufgerufen sind, diese nicht-linearen, unendlichen Montagelinien zu montieren oder zu operationalisieren – müssen den Fluss verbinden und ihn gleichzeitig verbessern, die Daten weitergeben und sie gleichzeitig verbessern und erweitern und verkörpern, in eine gegebene affektive Zone eintreten und gleichzeitig den Durchgang zu einer neuen Zone ermöglichen, lesen, was gesendet wird, und gleichzeitig das kommentieren, was sie senden. Die Sprache des Operations Management ist die Sprache der synaptischen Arbeit am Werk. Die Begriffe des Operations Management sind zu Begriffen unseres Alltagsverstands geworden: Vorlaufzeit, Flexibilität, Verfügbarkeit, Ressourcen, Terminplanung und Ressourcenverteilung. Synaptische Arbeit setzt überall an, übersetzt alles, und man muss sich seine eigenen

Formen der „Warteschlangentheorie" für den Fluss der Linien ausdenken, die in alle Richtungen laufen, wie ein Meer. Die Arbeiter_innen sind selbst für die Formen der Aufbereitung verantwortlich, die ihre Rechenschaft herstellen und aufrechterhalten. Die Rolle der Ware verblasst im Vergleich zu jener der Qualität des Flusses, in dem sie sich bewegt, der die Infrastruktur ist, die die Arbeiter_innen machen und besser, belastbarer machen.

Eine Linie wird produziert, deren Ausbreitung als Fluss sie auch verengt und einschließt, während metrische Fantasien von der kontinuierlichen Verbesserung des Flusses in einer allgemeinen Forderung auferlegt werden, die die Spekulation erstickt, einschränkt und individuiert. In Momenten einer solchen kontrollierten Erstickung riskieren die Arbeiter_innen, zu dem zu werden, was Arbeit nie zuvor war: unterwürfig und unbeseelt. In der Tat *sind* individuelle Subjektbildung und Identitätskonstruktion diese spekulative Unterwerfung, in der das individuelle Subjekt zu seinem eigenen Verschwinden in einem Heroismus tendiert, der nur dem Netzwerk dienen kann. Eine solche Spekulation führt unweigerlich zur ultimativen Fantasie: Was wäre, wenn die Arbeiter_innen den (Über-)Fluss einer Linie schaffen könnten, die sie nicht braucht? Was wäre, wenn wir einen sich selbst verbessernden Fluss schaffen könnten? Dies wäre gleichbedeutend mit einem sich selbst valorisierenden Kapitalismus, einem Kapitalismus, der erfolgreich ist in seinem selbstmörderischen und mörderischen Trieb, frei von Arbeit zu sein. Der spekulative Fluss, der sich entwirrt und immer mehr von uns in seinen Rhythmus der kontinuierlichen Verbesserung einbindet, treibt uns in diese Fantasie, die wir performen, oder genauer: die wir performend überbieten, im sozialen Tod.

Disruptive Innovation ist der Begriff, mit dem in der Managementlehre – insbesondere im Bereich der Strategie – ein Kaizen-Ereignis im sozialen Bereich bezeichnet wird. Ein Kaizen-Ereignis ist eine unerwartete Wendung im Fluss der Linie oder eine überraschende Erkenntnis über diesen Fluss, die dann als Verbesserung des Flusses integriert wird. Wie Marina Vishmidt im Kontext der zeitgenössischen Kunst scharfsinnig aufzeigt, macht diese Unterbrechung der Flusslinien der Montage keinen Unterschied zwischen dem Fluss und denen, die ihn reproduzieren.[67] Wir werden Dinge genannt und sind dann dazu aufgerufen, flinke kanadische Handlungsreisende voller Innovationswillen in einem global gewordenen Großen Weißen Norden zu sein. Überall werden wir in gemeinsamer Einsamkeit degradiert und jeden Tag wird uns geschmeichelt, dass wir geradezu dafür gemacht sind, neue Konnexionstheorien zu erstellen. Das soziale Leben ist einer Metrik unterworfen, die Störung als Verbesserung und Verbesserung als einzige Metrik sucht und aufwertet, sodass jede Ruhe im sozialen Leben – was wir mit Valentina Desideri unsere militante Bewahrung, die Gärung unserer Wünsche nennen würden – als antisozial angegriffen wird. Und so müssen wir uns verstellen und entfugen, um unsere Versammlungsgewohnheiten zu erneuern, damit wir in der Weite unserer Mittel atmen können. Gemeinschaftliches sinnliches Leben entsteht in der Haptikalität derer, die aufgerufen sind, diesen Fluss zu versammeln, die diesen Fluss in ihrer erneuerten Versammlung simulieren und entfugen, der unterirdisch und überirdisch

67 Marina Vishmidt, *Speculation as a Mode of Production. Forms of Value Subjectivity in Art and Capital*, London: Haymarket Books 2019.

und als Undercommons verläuft. Dies ist der unkontrollierbare improvisatorische Effekt einer allgemeinen und materiellen Kommunikabilität, die sich der Virtualisierung verweigert, die ihre beschatteten, zufälligen Mitreisenden formt. Diese lebendige, poetische Kommunikabilität zieht andere Linien, die sie übersteigt, wenn sie ohne Fahrkarte fährt, als Jaywalker auf der Straße läuft oder in unterhäuslicher, ante-logistischer Transmutation zu Hause bleibt.

Schwarzsein und das Ungeziefer

Der subjektreaktive Rückschlag kann niemals die vollständige Verweigerung, Sabotage oder Unausgerichtetheit hervorbringen, die der logistische Kapitalismus (und sein Niedergang) erfordert. Obwohl er eine Reaktion auf die Entwertung der Mittel ist, ist er in seiner Individuierung selbst eine entwertete Reaktion. Die synaptische Arbeit beginnt gerade zu verdeutlichen, dass jede Art von Subjektbildung oder individueller Identität, die sich aus der generellen und generativen Ökologie der Arbeitsgesellschaft im logistischen Kapitalismus dematerialisiert, bereits mit einer Wertkette von Gehirn, Geist, Identität und Subjekt verbunden ist. Bedenken wir als Verkörperung der Idee der Individuierung zum Beispiel Gregor Samsa, einen Handlungssreisenden, der eines Morgens aufwacht und feststellt, dass er – sein Körper ist so vollkommen vom Fluss ergriffen, dass er sich weder in ihm bewegen, noch als seine Verkörperung durchgehen, noch seinen Durchgang durch ihn annehmen oder seine Verbesserung befördern kann – ein Ungeziefer ist. Er ist in dieser Hinsicht die Apotheose des individuellen Widerstands in der individuellen Niederlage. Er kann nicht in die Monstrosität des Verlusts seines Körpers einwilligen, obwohl dies die einzige Möglichkeit für ihn wäre, diesen Zugriff zu blockieren, einen Ausweg oder einen abwegigen Zeitplan dafür zu finden, nicht von einem Anderen im Fluss begradigt zu werden. Seine Härte bedeutet, dass er sich für seine Familie nur falsch bewegen kann, huschend, die Monstrosität mit sich schleppend, die seine ist, die er aber nicht besitzen oder kontrollieren kann. Und anstatt durch diese Härte, diese ungerichtete Bewegung geschützt zu werden, ist seine einzige Idee und die seiner Familie, dass die Monstrosität, die weder er noch die seine ist, entmaterialisiert werden muss. Gregor, das Subjekt, muss zurückkehren, um zu reisen und zu handeln, oder zu sterben. Betrachten wir nun den alles andere als unscheinbaren Jeff Gerber, einen Versicherungsvertreter, der in einem selbstgesteuerten Akt der Optimierung seines Wegs zur Arbeit durch seine weiße Vorstadtsiedlung mit dem Bus um die Wette läuft. Eines Tages wacht dieser rassistische weiße junge Mann als Schwarzer auf. Er wacht schwarz auf und verliert alles und bleibt am Leben und erhebt eine Forderung (auf den Blues und die Panther). Er entfugt sich, löst sich auf, und indem er weder mit dem Strom schwimmt noch sich ihm allein in einer Performance von spröder, individueller Würde widersetzt, sucht er seine Leute, erneuert die Versammlung und schließt sich dem schwarzen sozialen Leben an. Es ist nicht so, dass er durchging, oder dass er mehr durchging als jeder andere weiße Versicherungsvertreter, es ist nur so, dass eine Ewigkeit des Durchgangs – deren Overdub-Dröhnen sich irgendwie wie *¡No pasarán!* anhört – durch seine falschen Entscheidungen und brutalen Vorurteile hervorbrach und die Einspurigkeit seines einfachen, einförmigen Verstands überrollte.

Wenn wir mit unseren Studierenden Franz Kafka lesen, fragen wir immer nach Melvin Van Peebles. Anstatt auf Kritikalität und Kreativität zu drängen, um ein kenntnisreiches Selbst im Gefolge der Katastrophe zu formen, versuchen wir zu erkennen, dass das, was Gregor tötet, der brutale Zugriff und seine Einfügungen und Behauptungen sind, nicht seine Verweigerung, die in weichem Fleisch, harter Schale und unregelmäßiger Bewegung gegeben ist, die allesamt das instanziieren, was Spillers eine schreckliche, beanspruchte, empathische Verfügbarkeit nennt. Was Jeff am Leben hält, ist, dass er nicht umkehrt, sondern davonhuscht, in Richtung einer Partei für absolut notwendige Selbstverteidigung, wobei sein Schwarzsein – das nicht das seine ist, das er aber beansprucht – genau die ante-ontische, unterontologische Opazität ist, durch die der logistische Kapitalismus nicht durchgehen kann und die er nicht durchgehen lassen kann.

Unsere Studierenden müssen durchkommen, und sie müssen herumgehen. Und dabei müssen wir daran denken, dass es etwas mehr geben muss als durchzukommen, durchzugehen. Die Logistik, der logistische Kapitalismus, so erkennen wir im Nachdenken über das Durchgehen, versuchen ständig, uns zu begradigen, damit wir durchkommen und damit sie durchgehen können, was auf dasselbe hinauslaufen mag. Die ganze Zeit müssen wir etwas für den logistischen Kapitalismus tun. Wir müssen für ihn handeln und durch ihn hindurch; wir müssen immer wieder durchkommen, gerade weil die Monstrosität vorgängig ist, und die Logistik immer versucht, uns in dieser Oszillation von Begradigung und Umkehrung zu halten, in reaktiver Gegen-Subjektivität, den Subjekten gegenüber, die wir sein sollen, und in sie hinein, anstatt uns weiter zu bewegen, in diesem allgemeinen Schlingern der sinnlichen Inkohärenz, dem Modus des Studiums, in dem Selbsterkenntnis enteignet wird. Die Logistik weiß, dass die Begradigung einer Wendung nicht bedeutet, sie zu eliminieren, sondern sie in einer Metrik zu halten, sie auf einen Zeitplan endloser Optimierung zu setzen, als nervöse Hin-und-Her-Bewegung in einem skalaren Segment, so dass sie die Anarchie des Wendens anwirft oder sich gegen sie wendet, indem sie sich selbst in Wert setzt. Die Logistik ist auf diese metrisch abwertende Weise gerade, *straight*. Das ist ihre Mordlust, ihre Verweigerung, Konturen anzunehmen, ihre überwachende Vernachlässigung und auch ihre Verschwendungssucht, ihr ständiges Verpassen von allem in ihrem unverbesserlichen Greifen nach allem.

Wie können wir eine monströse Verzerrung erzeugen, eine sich ausbreitende Aufpeitschung durch den Fluss? Wie kann die Haptikalität die Kritikalität betrügen, diesen brutalen, delphisch-orakelhaften Imperativ „Erkenne dich selbst"? Wie können wir uns einem Generalstreik gegen die Berechnung, gegen die Bewertung anschließen und ihn intensivieren? Ein solcher Streik wäre nicht so sehr ein Ereignis als vielmehr die Entstehung eines generellen Zustands der Erschöpfung und der radikal unreinen Generativität. Er wäre ein krummer Schlag, mit einem gekrümmten und kräuselnden Stock, der auf der Flucht in afformativer, ablagernder schwarzer Ruhe aufgegabelt wird. Wie kann unser Studium als geistlose Verweigerung des Geists im Fleisch leben, in der Unterbrechung des Flusses? Lasst uns Kafka durch eine Passage bei Spillers umleiten und sehen, ob wir uns der Anpassung verweigern können.

Die unbeanspruchte Monstrosität des Handlungsreisenden

Diese Passage ist uns Weg, Leitfaden und Triebkraft:

> Deshalb bricht in dieser Ordnung der Dinge das Weibliche mit einer Eindringlichkeit in die Vorstellungskraft ein, die sowohl eine Verleugnung als auch eine „Illegitimität" markiert. Aufgrund dieser eigentümlichen amerikanischen Verleugnung verkörpert der schwarze amerikanische Mann die *einzige* amerikanische Gemeinschaft von Männern, die die spezifische Gelegenheit hatte zu lernen, wer das Weibliche in ihr selbst ist, das Kleinkind, das das Leben gegen das möglicherweise schicksalhafte Glücksspiel hervorbringt, gegen die Wahrscheinlichkeit der Pulverisierung und Ermordung, einschließlich seiner eigenen. Es ist das Erbe der *Mutter*, das der afroamerikanische Mann als einen Aspekt seiner eigenen Persönlichkeit zurückgewinnen muss – die Macht des „Ja" zum „Weiblichen" in seinem Inneren.

Dieser unterschiedliche kulturelle Text rekonfiguriert im historisch verordneten Diskurs tatsächlich bestimmte *Repräsentations*möglichkeiten für Afroamerikaner_innen: 1) Mutterschaft als weibliches Blutritual wird skandalisiert, wird abgewiesen, während sie *gleichzeitig* zum Gründungsbegriff einer humanen und sozialen Verkörperung wird; 2) eine doppelte Vaterschaft wird in Gang gesetzt, die aus dem *verbannten* Namen und Körper des afrikanischen Vaters und der spottenden Anwesenheit des versklavenden Vaters besteht. In diesem paradoxen Spiel steht nur die Frau leibhaftig da, *in the flesh*, sowohl als Mutter als auch als Mutter-Enteignete. Diese Problematisierung des Geschlechts stellt sie meines Erachtens aus der traditionellen Symbolik weiblichen Geschlechts *heraus*, und es ist unsere Aufgabe, diesem unterschiedlichen

> sozialen Subjekt einen Platz zu verschaffen. Dabei geht es uns weniger darum, uns in die Reihen der vergeschlechtlichten Weiblichkeit einzureihen, als vielmehr darum, den *aufständischen* Boden als weibliches soziales Subjekt zu erobern. Indem sie tatsächlich die Monstrosität (einer Frau mit dem Potenzial der „Benennung") *beansprucht*, die ihre Kultur in Blindheit auferlegt, könnte „Sapphire" letzten Endes einen radikal anderen Text für eine weibliche Ermächtigung schreiben.[68]

Und diese Notiz von unserem Anwalt, Oscar Zeta Acosta, ist unsere (Kreuzwegs-)Station:

> Jemand muss immer noch für all die erstickten Leben all der Kämpfer_innen geradestehen, die gezwungen wurden, weiterzumachen, angekettet an einen Krieg für die Freiheit, so wie ein Sklave an seinen Herrn angekettet ist. Jemand muss immer noch dafür büßen, dass ich Freund_innen verlassen muss, um ein ganzer Mensch zu bleiben, um unversehrt zu überleben, um die Spezies und meinen eigenen Buffalo Run weiterzuführen, solange ich kann.[69]

Nun können wir einige Auszüge aus Kafkas Briefen an seine Verlobte Felice Bauer (mit)lesen:

> Ich werde Dir übrigens heute wohl noch schreiben, wenn ich auch noch heute viel herumlaufen muss und eine kleine Geschichte niederschreiben werde, die mir in dem Jammer im Bett eingefallen ist und mich innerlichst bedrängt.[70]

---

68 Spillers, „Mama's Baby, Papa's Maybe. An American Grammar Book", in: dies., *Black, White and in Color*, 203-229, hier: 228f.

69 Oscar Zeta Acosta, *The Revolt of the Cockroach People*, New York: Vintage Books 1989, 258.

70 Franz Kafka, *Briefe an Felice und andere Korrespondenz aus der Verlobungszeit*, hg. von Erich Heller und Jürgen Born, mit einer Einleitung von Erich Heller, Frankfurt/Main: Fischer 1970, 102 (Brief vom 17.11.1912).

> Dem Helden meiner kleinen Geschichte ist es aber auch heute gar zu schlecht gegangen und dabei ist es nur die letzte Staffel seines jetzt dauernd werdenden Unglücks.[71]
>
> Sei darüber nicht traurig, denn, wer weiß, je mehr ich schreibe und je mehr ich mich befreie, desto reiner und würdiger werde ich vielleicht für Dich, aber sicher ist noch vieles aus mir hinauszuwerfen und die Nächte können gar nicht lang genug sein für dieses übrigens äußerst wollüstige Geschäft.[72]
>
> Meine kleine Geschichte wäre morgen gewiss fertig geworden und nun muss ich morgen abend um 6 wegfahren, komme um 10 nach Reichenberg, fahre früh um 7 nach Kratzau zu Gericht [...].[73]

Die Briefe wurden im November 1912 geschrieben, als Kafka *Die Verwandlung* schrieb, ein Prozess / ein Produkt (ein Verfahren / eine Verurteilung), die er ein Jahrzehnt später als Indiskretion bezeichnen wird. Kafka beschäftigt sich intensiv mit der Logistik des Schreibens, mit der richtigen Art der Übermittlung, aber auch mit dem angemessenen Zeitplan der Konstruktion und Komposition. *Die Verwandlung* wäre besser geschrieben worden, sagt er, ohne die Unterbrechungen, die Stockungen und Schübe. Wenn nur die Linie direkter gewesen wäre. Alles ist gefiltert durch die Ängste, die mit dem Imperativ der Verbesserung, der Optimierung einhergehen. Die Geschichte von den Problemen eines Handlungsreisenden entsteht aus und als eine Variation des Problems des Handlungsreisenden, über das in genau einer Minute mehr zu erfahren sein wird.

---

71 Ebd., 116 (Brief vom 23.11.1912).

72 Ebd., 117 (Brief vom 24.11.1912).

73 Ebd., 122 (Brief vom 24.11.1912).

Ineffizienz hinterlässt einen permanenten Rückstand, einen Makel, eine Wollust, die gleichzeitig Verfall und Unvollkommenheit und eine radikale Außervollkommenheit markiert, eine metastatische oder ante-statische Monstrosität, einen Octavia Butlerschen Makel, der auch eine unbeschreibliche Süße ist, eine Judith Butlersche Verletzlichkeit, die auch eine unermessliche Kraft ist. Wir fühlen uns gezwungen zu sagen, dass Kafka diese Monstrosität nicht beanspruchen kann, aber wir wollen auch sagen, dass sein Werk es der Monstrosität ermöglicht, ihren Anspruch an uns zu erheben.

Am Schnittpunkt von Forschungsrichtungen wie der theoretischen Informatik, der computergestützten Komplexitätstheorie und der kombinatorischen Optimierung liegt das so genannte Problem des Handlungsreisenden. Das Problem lautet: Gegeben seien eine Liste von Städten und die Entfernungen zwischen jedem Städtepaar: Was ist die kürzest mögliche Route, auf der jede Stadt genau einmal besucht wird, um dann zur Ausgangsstadt zurückzukehren? Dieses Problem wurde Mitte des 19. Jahrhunderts vom irischen Mathematiker W.R. Hamilton erstmals mathematisch formuliert, in den 1930er Jahren verfeinert und in den 1950er und 1960er Jahren in den eben genannten Bereichen popularisiert. Es ist auch heute noch ein heißes Thema in der Mathematik und den Naturwissenschaften, aber vor seiner mathematischen Formulierung und Formalisierung war es ein Problem für Geschäftsleute, das für und von Geschäftsleuten im Kontext einer bestimmten Reihe von Erzählungen über Bildung* formuliert wurde – von evaluativer Selbstdarstellung und Verbesserung, gegeben in und als eine Art von Fähigkeit zur Rahmung, an der Schnittstelle von Gestaltung und Einbildung. An dieser

Stelle konvergieren, wie sich herausstellt, Optimierung und Speziation, Management und Rassialisierung, und diese Konvergenz wird uns bereits 1832 in einem Buch vorgestellt, das den Titel trägt *Der Handlungsreisende – wie er sein soll und was er zu tun hat, um Aufträge zu erhalten und eines glücklichen Erfolgs in seinen Geschäften gewiß zu sein – von einem alten Commis-Voyageur.* Selbstverbesserung, Selbstoptimierung impliziert eine Geschichte, in der die Erfolgsleiter immer auch Misserfolgsleiter ist. Gregors Aufstieg und Abstieg sind untrennbar miteinander und mit Kafkas Aufstieg und Abstieg verbunden, in der Bewegung innerhalb seines Schreibens von seinen Geschichten zu ihrer Geschichte. In jedem Fall wollen wir in einer bescheidenen Ergänzung zu Jorge Luis Borges' Liste von Kafkas Vorläufern argumentieren, dass *Die Verwandlung* Kafkas Formalisierung des Problems des Handlungsreisenden ist, das sich in einer Untersuchung tiefgreifender, existenzieller Heimatlosigkeit zeitigt. Denn man kann nicht mehr nach Hause kommen, wenn man sich auf die Geschäftsreise begibt, deren Zweck es ist, das Zuhause zu sichern. Es gibt keine richtige Rückkehr, weil kein Zuhause da ist und weil diejenige, die geht, ohnehin nie diejenige ist, die zurückkehrt, und weil, noch tiefer, diejenige, die geht, vor allem nie eins war. Man kehrt nicht zurück, man kann sich nur seiner Monstrosität zuwenden, sich in sie wenden, inmitten ihrer ständigen Abwendung, wobei diese ständige Abwendung von der Monstrosität die technische Definition dessen ist, was es ist, was das Wort „zuhause" bezeichnet. Das Problem des Handlungsreisenden ist, dass er es nicht nach Hause schafft. Eine Möglichkeit, *Die Verwandlung* zu beschreiben, ist, dass sie uns die Notwendigkeit und Unmöglichkeit vor

Augen führt, Heimatlosigkeit zu beanspruchen, diese Monstrosität. Es ist eine Unvereinzelung, die die generelle Unvereinzelung offenbart, an der die Verbesserung gewaltsam, brutal scheitert.

Man kann es auch so ausdrücken, dass die Monstrosität eine schiefgelaufene Verbesserung ist, und zwar nicht von Anfang an, sondern schon davor. Was ist, wenn die Idee des Besitzes über den eigenen Körper zusammen mit der Idee des eigenen Körpers verhängt wird und dann sofort von demjenigen weggenommen, der ihn verbessern wird, ihn einem besseren Gebrauch zuführen und damit einen unbestreitbaren Eigentumsanspruch begründen wird? Eigentum kann nur in einem solchen Transfer bewiesen werden, demonstriert werden, in dem das Besessene als Monster, als (gescheiterte) Verkörperung monströser Trennung etabliert wird. Indem sie in der Entwertung verbessert wurden, ist ihr untergeordnetes Sein, gegeben in und als Speziation, Beweis für die Idee des Eigentums selbst. Eine Monstrosität, die als mehr oder weniger unkontrollierbare Generativität gegeben ist, als tiefgreifende Gefahr, als Problem der Verwandlung, immer unvollendet, immer im Verfall, nie vollkommen, immer gleichzeitig mehr und weniger als eins, kann immer nur ent-/ange-eignet sein. Aber ist diese Bedingung – die zunächst als gemacht und zugleich ungeschehen gemacht zu entstehen scheint, etwas, das wir gerade insofern anstreben können, als es bereits in uns ist – unpräzise an dem Ort festgehalten, an dem die Reinigung von der Abwertung berührt wird? Kafka will rein sein, und er will frei sein, aber um zu diesem Zustand zu gelangen, muss er die Stockungen des Schreibens aushalten – genauer gesagt, eines Schreibens, das mit Schüben und Stößen, mit Umwegen und

Verzögerungen zu tun hat, eines Schreibens, das nicht so sehr ohne Endpunkt ist, sondern vielmehr brutal in einer unendlichen, unendlich unterteilten, aber begrenzten Endstation gehalten wird. Gibt es eine Möglichkeit, dass ein endloses Schreiben – das zugleich ein geschlossenes Schreiben ist – eine Öffnung finden und beanspruchen kann, die notwendigerweise eine Verwundung wäre? Wir denken, dass dies die Frage ist, die Gilles Deleuze und Félix Guattari mit dem Begriff des Kleinen, *mineur*, stellen, oder, genauer gesagt, mit der Aktivität oder Kraft (Kafka nannte sie ambivalent wolllüstiges Geschäft) der Minorisierung, die in ihrer Kontinuität mit der Monstration und der Speziation betrachtet werden sollte. Man kann sich das so vorstellen, als hätte man einen Apfel im Rücken stecken. Es ist, als ob man nicht nur mehr und weniger als eine_r geworden ist, sondern auch, dass man hier, wo sich Verfall und Erzeugung verbinden, zu Erde geworden ist. Innerhalb dieser Unvereinzelung haben wir ein Zeichen, das die generelle Unvereinzelung andeutet. Wie kann Optimierung durch Repräsentationen des Nicht-Optimalen erreicht werden, die selbst unter zutiefst nicht-optimalen Bedingungen mit zutiefst nicht-optimalen Methoden produziert werden? Und es gibt eine Kehrseite: Wie kann radikaler Widerstand gegen die Optimierung gleichsam modelliert werden von denjenigen, deren Monstrosität darin gegeben ist, dass sie am nachdrücklichsten und tiefsten der Optimierung unterworfen wurden? Genauer gesagt kommt hier Monstrosität ihr zu, deren Verweigerung der Optimierung, der sie unterworfen wurde, die eigentliche Bedingung ihrer Existenz ist. Eine solche Monstrosität wäre die beste aller möglichen Weltlosigkeiten. Was kann also passieren, wenn wir Gregors Monstrosität denken, die Monstrosität, die im Problem des Handlungsreisenden gegeben ist, die spezifische Heimatlosigkeit als die besondere unmögliche Häuslichkeit, die in und als schwarzes weibliches Fleisch gegeben ist? Spillers diskutiert die Notwendigkeit, deren Gewalt mehr + weniger als göttlich ist, die Notwendigkeit, die Monstrosität zu beanspruchen, die mit dem einhergeht, was sie den Diebstahl oder Verlust des Körpers nennt, der Fähigkeit oder des Rechts, sich, wie Salamon es ausdrückt, einen Körper anzueignen, während Acosta sich dem aufständischen sozialen Leben widmet, das in so etwas wie einer gemeinsamen Verweigerung gegeben ist, diese Bedingung (versuchsweise) zu kompensieren, die durch diese Verweigerung als Verlust *und* Fund *und* Revolte begriffen werden muss. Die Hauptfrage, die uns umtreibt, lautet: Was wäre, wenn Gregor nicht eins (der einzige) wäre, weil er es als Funktion seiner Monstrosität nicht sein kann? Was, wenn er sich nicht weigerte, eine Kakerlake zu sein, sondern eine Kakerlake ohne Volk zu sein? Dies ist keine Frage der Identifikation mittels einer Metapher, wie etwa: Was wäre, wenn es andere gäbe, die durch Speziation die Fähigkeit verloren haben, einen Körper zu haben? Die Frage ist vielmehr, was, wenn es ein gemeinsames soziales Leben gibt, das in einer vielfältigen Modalität von Ansprüchen an die Monstrosität gegeben ist, in und als geteilte Beschwerde, in und als Remonstranz, in einer praktischen Demonstration dessen, „was über allen Schein hinausgeht", und, was das angeht, auch über die individuelle Innerlichkeit? Dies würde ein neues Verständnis der Ursprünge und der sie herbeiführenden Bedingungen der Monstrosität erfordern. Was wäre, wenn Gregors Perversion oder Perversität nicht nur nicht einsam, sondern auch nicht seine eigene wäre? Was wäre, wenn sie aus dem geschlossenen System, das in der Beziehung zwischen Optimierung und Eigentum gegeben ist, irgendwie herausragen würde, oder, genauer gesagt, was wäre, wenn sie eine Art Rascheln unter einem Laken wäre, das ein Sofa bedeckt, eine Andeutung einer armen Art von Indigenität, eine anindigene Monstrosität, die ihrer Produktion-in-Verbesserung vorausgeht, ein unaufhörlich demonstratives Schwarzsein, das ebenso wenig verbessert wie bewiesen werden kann. Es geht hier um die Frage nach der allgemeinen Unvollkommenheit des Prozesses, die sich von einem als vollkommen konzipierten Begriff des Prozesses unterscheidet, der irgendwie für die Unvollkommenheit einstehen und sie verdrängen soll, indem er sie lediglich dem Produkt entgegensetzt. Es dreht sich um eine Radikalisierung des Prozesses, eine Aktivierung der Fähigkeit, Management zu vermeiden. Vielleicht können wir uns Verwandlung hier in ihrer Differenz zum Prozess oder als diese Radikalisierung des Prozesses vorstellen; wir können, mit anderen Worten, den Widerstand der Verwandlung* gegen die Verwaltung* denken. Das betrifft nicht nur die aggressive Aufdringlichkeit von Gregors Prokuristen, sondern auch die Allgegenwart des Managements in seinem Leben, die es unbehaust und schließlich unlebbar macht. Innerhalb dieses Regimes ist die hoffnungsvoll-befreiende Inwertsetzung, in der der Prozess gegen und über das Produkt gestellt wird, nicht verfügbar. Noch einmal: Ein Produkt hat einen Wert, der gemessen werden kann. Ein Prozess hat einen Wert, der nur vorübergehend abgelesen werden kann. Es braucht eine Metrik, um ihn zu erfassen, das heißt, um ihn in einer tödlichen Kopplung mit dem Produkt innerhalb einer kommerziellen Metaphysik der Produktivität zu halten. Operations Management, an dessen frühester Ausprägung Gregor leidet, richtet sein Augenmerk nicht auf die Effizienz, die durch den in der Ware realisierten Profit gemessen wird, sondern vielmehr auf die Effizienz des Prozesses, die im Moment, und doch andauernd, in der Vorwärts- und Rückwärts-Integration und im Management der Wertketten, gemessen wird, die durch die Metrik algorithmisch realisiert werden. Noch einmal: Was die Logistiktheoretiker_innen vom Algorithmus wollten, war beständige Neuberechnung, Metrik, nicht Messung; und noch einmal: In der genetischen und evolutionären Erzeugung von Algorithmen glauben sie, endlich das eliminiert zu haben, was sie „das Kontrollmittel" nennen – die lebendige Arbeit – und darüber hinaus auch den „menschlichen Fehler". Diese Eliminierung des Irrens hat eine lange Geschichte, so lange wie die Setzung des Menschen in seiner Vollkommenheit und die Verbesserung derer, die nichts anderes sind als der Mensch in seiner Entwertung, die sowohl unterstellt als auch auferlegt wird.

Es ist diese Fähigkeit, die Unfähigkeit zu denken und darzustellen, das Irren im Menschlichen abzuwehren, den schwarzen und unmenschlichen Makel zu regulieren und zu verwalten, die uns dazu bringt, Van Peebles und seinen Ante-Helden Jeff Gerber als Vorläufer Kafkas, wie wir ihn sehen, zu denken, der uns ein Bild von Gregors anti-heroischem Zustand bietet, teilweise als Unfähigkeit, eine bestimmte Monstrosität zu beanspruchen, als einen Beitritt eher als einen Widerstand oder eine Verweigerung des totalen Zugriffs. Gibt es einen Unterschied zwischen Gregor und jener frechen, alles andere als sapphirenen Wassermelonenmännlichkeit – in der einer aufwacht und erkennt, dass er nicht ist, insofern er schwarz ist, ein Schwarzsein, das er in einem anstrengenden Regime beständiger Verbesserung zu bannen versuchte, sodass Gerber sich als jemand offenbart, der die ganze Zeit durchgegangen ist? Der Watermelon Man, dessen Selbstverbesserung scheinbar unter seinem eigenen Gewicht zusammenbricht, als hätte er sein eigenes Makeup, seine eigene Fähigkeit, (sich) ständig etwas vorzumachen, buchstäblich weggeschwitzt, gegeben in und als Whiteface, das uns mit seinem kühnen visuellen Scheitern neckt, stirbt nicht allein in dem Raum, der nicht mehr der seine ist, aber auch nie der seine war; vielmehr tritt er in die schwarze Sozialität ein und geht mit einem Drink in der Hand in den Blues hinein. In der *Verwandlung*, so schlagen wir vor, wird Gregor erkannt haben, dass er die ganze Zeit ein Monster war, und dass er damit den Status der Verschifften, der Verkauften in einer generellen Verweigerung und Aussetzung, einem Generalstreik gegen die Kalkulation für sich beanspruchte, das heißt radikalisierte. Das Gehirn, in/und seine(n) Synapsen, ist nur ein weiterer schlechter Begriff, eine brutale Verbegrifflichung des gehaltenen Fleisches – über den Körper, seine raumzeitliche Konstitution und die damit einhergehende Metaphysik des besitzindividualistischen Selbst in vernetzter Relationalität. Was bewertet wird, ist Arbeit, die auf die Verbesserung des Flusses ausgerichtet ist, und in der sozialen Fabrik kann der Fluss der Linie überall verlaufen, und wir müssen in seine Ströme eintreten.

Aber was ist die historische Ökonomie, durch die das Schwarzsein zum Schwarzen wird und das Schwarze zum Zeichen (ein Monster, eine Demonstration, ein Zeigen) des Schwarzseins, wo das Schwarzsein seinen Namen von seinem Zeichen ableitet, von dem, wodurch es angezeigt wird? Das Zeichen bewirkt seinen schrecklichen Zauber gerade aus einer radikalen Nicht-Isolation heraus. Nicht nur, dass es eine widerspenstige Sozialität bezeichnet; es instanziiert und materialisiert diese Sozialität tatsächlich. Die Unregierbarkeit von Gregors Gliedmaßen, als sei er mit den stigmatischen Charismata eines multilinearen, polyrhythmischen Funky Drummers und seiner Unabhängigkeit begabt, zeigt, wie das Fleisch die Nicht-Annahme des Körpers demonstriert, seine haptische Wachsamkeit in der Verankerung, auch wenn sie auch den Aufruhr anzeigt, der damit einhergeht, dass man zum Knoten oder Knopf des atmosphärischen Flusses reduziert wurde, im ständigen Versuch, die affektive Reibung zu regulieren und zu diffamieren. In dem Raum, der weder jetzt noch jemals sein eigener war, zeigt dieses Wechselspiel von Zugriff und Unregierbarkeit, dass Gregor nicht in der Welt ist. Und die Weise, wie dieses metoikische Draußenbleiben und Unbehaustsein zu Hause geschieht, lässt fragen, ob er jemals in der Welt war, und lässt fragen, wie es ist oder was es bedeutet, in der Welt zu sein, in die Weltlichkeit als Optimierung, als diese ständige Notwendigkeit der Verbesserung verwickelt zu sein. Wird Gregor zu dem, wozu ihn die Verbesserung zwingt, oder kehrt er zu dem zurück, wozu die Verbesserung ausgesandt wurde, es zu verbessern? Dieses Verhältnis – zwischen Verwaltung und Verwandlung, in dem die Verbesserung mobilisiert wird, um Veränderung sowohl anzuregen als auch zu unterdrücken – müssen wir wollen, um nicht außerstande zu sein, es abzulehnen. Können wir eine solche Unvollkommenheit umarmen und jeden alten und neuen logistischen Kollaps aufs Neue verunvollkommnen? Können wir die radikal generative und degenerative

Ineffizienz von Kafkas Schreiben ausdehnen und improvisieren? Van Peebles lehrt uns, dass ein solches Scheitern, eine solche kontinuierliche Sprengung des krönenden Abschlusses immer einen Versuch wert ist.

BASIS-GLAUBE

Die Erde bewegt sich gegen die Welt. Und heute ist die Reaktion der Welt klar. Die Welt antwortet mit Feuer und Flut. Je mehr die Erde aufwallt, desto bösartiger die Reaktion der Welt. Aber die Erde bewegt sich immer noch: Tonika Sealy Thompson mag es eine Prozession nennen. Die Prozession der Erde ist nicht auf der Agenda der Welt. Sie ist keine Parade auf einem Paradeplatz. Sie ist nicht in der Teleologie der Welt enthalten. Die Prozession ist auch kein Karneval, der aufgeführt wird, um diese Parade zu verhöhnen oder zu verwerfen, ihren Platz einzunehmen. Eine Prozession bewegt sich unbewegt von der Welt. Die Prozession der Erde, um die sich alle Prozessionen bewegen, schreitet im Schwarzsein der Zeit. Und die Irdenen, die herumziehen und sich in der Prozession der Erde bewegen, bewegen sich, wie Thompson sagt, wie die Schwestern vom Guten Tod in Bahia sich bewegen, in ihrer eigenen Zeit außerhalb der Zeit. Gott ist in dieser Prozession so mächtig, dass er nicht existieren kann. Nicht weil er überall in der Prozession ist, sondern weil wir es sind. Wir sind die bewegende, geschwärzte, schwärzende Erde. Wir drehen einander herum, graben uns gegenseitig um, schwemmen uns gegenseitig ab, sinken mit uns zusammen und verfallen einander. Wir bewegen uns in einer irdenen Prozession, die sich zum Bass der Basis wiegt, selbst wenn ihr Beat die Notfallreaktion der Welt aktiviert. Deren Ersthelfer_innen werden Strateg_innen genannt. Die Strategie reagiert auf den ständigen Ausbruch der Erde in und aus der Welt. Die Reaktion nimmt die Form eines Begriffs an, dem die Form auferlegt wurde, die dann der irdenen Informalität des Lebens auferlegt wird.

Manche sagen, es war Alfred Sohn-Rethel, der als erster herausfand, wie der Begriff in diesem Wechselspiel von Bildung und Zwang in den Besitz gestohlen wurde, entführt und entwendet, in der Strategie zu einer Waffe gemacht. Er sagte, dass die Abstraktion des Tausches, später die Abstraktion des Gelds uns dazu führte, in der Aufhebung von Zeit und Raum die Aufhebung der Materialität zu denken, und dies führte zum Eigentum-Werden des Begriffs. Sohn-Rethel nimmt die Spur dieses Diebstahls aber erst mit dem Dieb auf, dem Individuum, das schon für den strategisierten und immateriellen Begriff geformt und bereit ist, bereits von ihm geformt und vorbereitet. Er will diesen Dieb überführen. Wir wollen ihn nach Hause bringen.

Wir wollen ihn nach draußen nehmen, denn draußen ist zuhause. Wir sind zuhause in der prophetischen Aufwallung der Erde in Bewegung, dem Kreis-Lauf des Flüchtigen, Heimsuchung in unseren Augen, Zuflucht auf unseren Zungen. Unsere unheilige Kommune mit denen, die sich weiter bewegen und dort bleiben, die draußen bleiben, bevor sie draußen gehalten werden können. Deshalb sind uns die Höllenhunde der Strategie auf der Spur. Sie glauben, sie haben die Fährte unserer Anführer_in aufgenommen. Aber unsere Anführer_in ist nicht eine_r. Nennen wir sie Ali, nach Pasolinis „Profezia". Ali Blues Eyes. Pasolini dachte, sie käme in der Prozession aus Afrika, um Paris zu lehren, wie man liebt, um London die Brüderlichkeit zu lehren, um nach Osten zu marschieren mit den roten Bannern Trotzkis im Wind. Aber sie kam nie an, denn wir gingen zum Singen nach Palermo, zum Fasten nach Alabama, zum Meditieren nach Oaxaca. So wurde Ali zu Tan Malaka, und wir gingen zur Fête, zur Jam, zur Studiengruppe.

Seit das Kapital erlebte, wie Lenin es besser gemacht hat, bewegt sich das Kapital weg von der Strategie. Wenn das Kapital heute einen Begriff einsetzt, soll ihn jeder kaufen, aber keiner soll ihn glauben. Das Kapital mag es strategische Universalität nennen. Oder es benennt es gar nicht, weil es dem Kapital nicht um die Würde oder die Souveränität des Begriffs geht. Der Begriff hat seinen Zweck erfüllt. Und sein Hauptzweck besteht nun darin, der Logistik nicht im Weg zu stehen oder Leitungsrohr der Logistik zu werden. Seine Qualität als Eigentum und seine Eigentumsverpflichtungen bereiten ihn darauf vor, in eine aufgeraute, luftige Dünnheit gekauft und verkauft zu werden. Die heute zirkulierenden Begriffe sind keine Abstraktion (von) der Ware; sie sind Waren und können in ihrem Besitz und in ihrer Eigentumsform nicht gegen die Warenform verwendet werden. Ihre Form ist die Luft, die die Ware ausstößt, containerisiert, alles andere als ungreifbare Einheiten von Abgas und Erschöpfung. Sie sind nur eine weitere Strategie. Und obwohl Strategie nicht abstrakt ist, ist sie auch nicht wirklich wichtig. Was zählt, ist Logistik. Logistik, nicht Strategie, liefert das entscheidende Kriterium. Strategie sorgt nur für die Reibung. Die Logistik bewegt den Begriff in den Kreisläufen des Kapitals herum. Das einzige Argument der Welt gegen die Erde ist logistisch. Es muss getan werden. Die Bewegung der Erde muss gestoppt, eingegrenzt, geschwächt oder verfügbar gemacht werden. Das Irdene muss klar und transparent werden, verantwortlich und produktiv, vereint in der Trennung. Dabei geht es nicht um den Einsatz des Begriffs, weder strategisch noch anderweitig, sondern um Zwang, um erzwungene Nachgiebigkeit, erzwungene Kommunikation, erzwungene

Konvertierbarkeit, erzwungene Übersetzung, erzwungenen Zugriff. Das Kapital argumentiert nicht, obwohl viele mit ihm argumentieren.

Das Kapital mag die Unterbrechung. Das Kapital bewegt sich weg von der Strategie, es läuft hin zur Logistik, läuft als Logistik, läuft in die Arme des Algorithmus, seines falschen Liebhabers, der ihm treu ist. Von der Strategie ist nur noch die Führung übrig, das Kommando, in dem man sich wiederfindet, wenn die Logistik übernommen hat, wenn die Einheit zu ihrem Recht kommt. Für das Kapital ist die Strategie nur eine Form der Nostalgie, oder der Beweis, dass es von seinen Feinden, die es umarmen, nichts zu befürchten hat, der Beweis, dass sie keine Feinde sind. Sie sind Befehlsausführende, die Befehle wiederholen. Sie nennen es Police. Ali hatte nie das Kommando. Sie ist nur aus den Hungrigen gemacht. Sie ist nur aus Plänen gemacht.

In seinem Wunsch, das Kapital seine Materialität beanspruchen zu lassen, nahm Marx die von Ali. Versuchte, sie zu einer Führer_in zu machen. Aber Alis Prophezeiung war zu vermengt, zu schwarz, zu spät, zu laut. Überschwemmt vom Kapital, haben die Irdenen die Strategie begraben und gesprengt. Die Ersthelfer_innen sagten uns, wir müssten lernen, strategischer zu sein. Wir werden lernen, dass wir eine Strategie brauchen, sagen sie. Aber wir wissen, dass Strategie das Liefersystem für einen Begriff ist, kollateral und angewandt. In der Tat ist Strategie selbst nur ein Begriff in der Welt, der universelle Ansatz. Das Kapital aber kümmert sich nicht einmal darum. Das Kapital will nur, dass die Dinge reibungslos laufen, also universell. Dafür ist die Unterbrechung da, und die Führung, und die offene Innovation. Das Kapital fürchtet die Strategie nicht. Es kann sich kaum noch an sie erinnern aus den Tagen der weltlichen Begriffe. Marx machte das Kapital zu einem Begriff. Lenin sah seine Chance. So lernte das Kapital, wieder materiell zu sein. Nein, das Kapital fürchtet die Strategie nicht. Das Kapital fürchtet die Prozession der Erde. Alis bluesige, schwarze Heiligen-Augen.

Gott hat alles, nur keinen Glauben; deshalb fordert Er so brutal den unseren ein. Er sah sich um und war so einsam, dass Er sich eine Welt schuf. Zu Recht glaubte Er nicht an sich selbst und zu Unrecht glaubte Er nicht an uns. Wir waren weder ewig noch väterlich, nur generativ und präsent, wie eine Welle. In Seinem Fall war (Über-)Sehen nicht Glauben. Eine Ungläubigkeit wie die Seine verlangt eine gewisse strategische Initiative. Jemals das Gefühl gehabt, dass wir beobachtet werden? Nun, das ist nur Gottes Eigentum, die Polizei, die, die Seinen strategischen Essenzialismus verkündet und ausführt. Sie haben ein paar Waffen, die wie Mikrofone aussehen. Manchmal schreiben sie Bücher. Sie sagen uns, was wir brauchen. Oft sind sie wir. Wir sind gerade alle außer ihnen, aber wir werden versuchen, so schnell wie möglich wieder ein- und auszublenden. Mattafack, lasst uns das ausloten, lasst uns das ausreden. Wenn ihr jetzt anfangen könntet, über uns hinwegzureden, wüssten wir das zu würdigen.

Nathaniel Mackey spricht von unablässiger Prädikation – was, wenn dies unsere Existenz ist, gegeben in und als Praxis des Gesangs, einer unaufhörlichen und unaufhörlich erfinderischen Liturgie? Man könnte es die Historisierung eines wahrheitsgetreuen Protokolls nennen, in dem die Unterscheidung zwischen Falschheit und Verwandlung, Unwahrheit und ungeprüfter Differenzierung in Ehren gehalten wird. Und es ist nicht einmal vulgär temporal in der Weise, dass Aspekte zu sehen, wie Ludwig Wittgenstein es beschreibt, eine Zeitlinie impliziert – erst war es eine Ente und dann war es ein Hase. In der Gleichzeitigkeit von „es ist eine Ente“ und „es ist ein Hase“ gibt es eine Art von Musik. Ornette Coleman nennt es „harmonisches Unisono“, und wir können ihm folgen und gleichzeitig von ihm abweichen, aber in ihm und durch ihn, indem wir es anharmonisches Unisono nennen, eine differenzielle Untrennbarkeit. Wenn die Essenz die Existenz am Wegesrand liegen lässt, folgt für die Essenz existenzielle Einsamkeit. Was, wenn das Problem des Begriffs das Problem der Trennung ist? Und was ist die Beziehung zwischen begrifflicher Trennung und Individuierung? Es geht um die Konvergenz von Körper und Begriff, die in der transzendentalen Ästhetik gegeben ist. Individuierung und Vollkommenheit sind eine Folge davon. Auf der anderen Seite die bezaubert-gesungene, bezaubernd-singende Materie, das gekippte Schwarzsein (wo Fleisch und Erde jenseits des Planetarischen konvergieren, in und als nicht-partikuläre Differenzierung). Es geht nicht so sehr um eine Rückkehr zu irgendeiner vorbegrifflichen Authentizität, sondern um die ständige Durchlüftung der Materie, ihr ständiges Umkippen, ihre Erschöpfung und ihr erschöpfendes Ausloten, ihr aufsteigendes und wesentlich und existenziell sinnliches Absteigen. Das Problem ist die Abtrennung des Begriffs und unsere anschließende Einhüllung in ihn – diese entsetzliche Souveränität des Begriffs und seiner unterschiedlich hegemonialen Repräsentationen. Erforderte die Erfindung der Souveränität den Begriff oder trug der Begriff bereits die Gefahr der brutalen Repräsentation(en) der Souveränität in sich?

Vielleicht liegt das Problem in der Trennbarkeit, in der selbst auferlegten Einsamkeit-in-Souveränität des Begriffs und seiner Repräsentationen (als Verkörperung oder Individuierung oder Subjekt oder Selbst oder Nation oder Staat). Wie stellen wir sicher, dass der Begriff immer noch von Bedeutung ist? Wie verweigern wir seine Entmaterialisierung, selbst wenn diese Entmaterialisierung die Produktion von neuem Wissen, von neuen kritischen Ressourcen ermöglicht zu haben scheint? Das ist explizit eine Frage an Marx. Wenn die Sinne in ihrer Praxis – im Kommunismus, der hier ist, lebendig begraben – zu Theoretikern werden, stellen sie Fragen an denjenigen, der die Entmaterialisierung brillant für uns kartographiert wie auch re-instantiiert, die das Kapital in der Trennung der Arbeitskraft vom Fleisch der Arbeiter_in bzw. des Profits von diesem Fleisch in seiner irreduziblen Verwicklung mit der (Materie der) Erde verfolgt. War das ein Beispiel für „strategisches Denken"? Wenn ja, verlangt es, dass wir Strategie neu denken. Gibt es einen Weg, die Beziehung zwischen Strategie und Improvisation zu denken, der es erschwert, eine Differenz zwischen Unmittelbarkeit und Spontaneität aufrecht zu erhalten? Es gibt eine vorsätzliche Geschwindigkeit der Improvisation, die nicht einfach ein Rückgriff auf das Vorbegriffliche ist. Vielleicht geht es um den Unterschied zwischen Bewegung und *einer* Bewegung oder *der* Bewegung.

Oder vielleicht geht es um die Spur des Parfüms, das freigesetzt wurde. Sie verändert sich im Sinnlich-Sein, entreinigt sich im Geatmet-Werden. Es gibt eine Sozialisierung der Essenz, die in und als Sozialität selbst gegeben ist, und vielleicht ist es das, wovon Marx unter dem Stichwort der sinnlichen Tätigkeit sprach, aber gegen den Strich seines Festhaltens an einer Logik und Metaphysik der (Individuierung in) Beziehung. All dies lässt uns fragen, was der Unterschied zwischen Strategie und Glaube ist. Wenn wir hier Unterschied sagen, meinen wir eigentlich Umarmung – wie Strategie und Glaube sich aneinander reiben in einer Art haptischer Eklipse, oder akustischen Eintauchens, oder olfaktorischer Störung, oder geschmacksmäßigen Schwindens der Übersicht. In dieser Hinsicht ist der strategische Essenzialismus so etwas wie der homiletische Anteil des Seelenmahls oder, genauer gesagt, das ana- und anicharismatische Teilen der homiletischen Funktion in der Gemeinde und durch sie. Wenn wir „Predige!" rufen, wenn wir die Predigt hören, predigen wir selbst. Es ist wie eine Konferenz der Vögel – eine ständige Re-Materialisierung und Ausbreitung des Begriffs; eine ständige Sozialisierung des Begriffs eher als eine Art zweckdienliche Verfügung von irgendeinem selbsternannten Berater, der sich mit der überblickenden und überwachenden Macht der Übersicht begabt sieht. Vereinnahmung und Umwidmung des strategischen Essenzialismus durch den Berater sind ungläubig und einsam. Er strahlt die souveräne Religiosität des Ungläubigen aus. Lass mich dir sagen, was wir brauchen oder nicht, sagt er und verdoppelt den Einsatz auf dich immer dann, wenn er „wir" sagt, mit einer schwerwiegenden Auferlegung von Ich und Du, einem charismatischen Aufschwung, der seine Traurigkeit in der seriellen Entseelung seiner persönlichen Beziehungen irgendwie verleugnet und zugleich bestätigt, was von uns als toxischer Trost empfunden wird, von demjenigen angesprochen und thematisiert zu werden, der es wissen sollte. Vielleicht ist die Frage also nur, woher der strategische Essenzialismus, der strategische Universalismus oder der Begriff im Allgemeinen kommt. Die unablässige Prädikation birgt einen Boogie-Woogie-Rumble, wo der aufgeschobene Traum zum siegreichen Rendezvous wird. Hier unten im Untergrund, wo das Reich Gottes umgestürzt wird und das Handgemenge überhandnimmt, ist ein genereller Griot im Gange. Seine Strategie (und die seiner Vertreter_innen, die uns vertreten müssen, aber nicht können) sieht sich erschöpft und von unseren Plänen umgeben.

Es gibt eine Bewegung der Erde gegen die Welt. Es ist nicht *die* Bewegung. Es ist nicht einmal *eine* Bewegung. Es ist eher wie das, was Tonika eine Prozession nennt, eine Prozession, die den heiligen Fluss herunterkommt, eine Prozession in Schwarz, drapiert in Weiß. Die Prozession der Erde schwingt mit uns. Sie bewegt sich in Form eines Gesangs. Sie kommt der Basis in die Quere, kommt dem tanzenden Tao in die Quere, und bewegt sich mit ihm. Sie verbeugt sich vor den Schwestern vom guten Fuß, die Blumen aus Calibans unzärtlichen Gärten tragen. Die Erde ist in Bewegung. Du kannst nicht von außen dazukommen. Du kommst von unten herauf und fällst zurück in ihre Gischt. Das ist die Basis ohne Grund, ihre staubige, wässrige Disorchestrierung auf dem Vormarsch, gebogen, auf der Flucht. Unten, wo es grün ist, wo es salzig ist, bewegt sich die Erde gegen die Welt unter der Decke des Schwarzseins, seiner postkognitiven, inkognitiven Arbeiter_innen-Untersuchung und des letzten Radios, das noch spielt.

Die Erde ist lokale Bewegung in der Desegregation des Universellen. Hier ist die Tür zur Erde ohne Rückkehr nach Hause, und wer durch sie gehen wird, ist bereits zurück, zurück von jenseits, hinübergetragen, karibisch. Pasolini sagte, Alí dagli Occhi Azzurri wird durch die Tür über das Meer gehen und die Verdammten der Erde führen. Ali Blues Eyes. Aber wir werden Paris nicht lehren, wie man liebt. Wir können London nicht die Brüderlichkeit zeigen. Ali nahm Trotzkis rote Fahnen und machte etwas für uns – ein Taschentuch, eine Bandage, einen Kuss.

PLANTOKRATIE UND KOMMUNISMUS

1.

Wenn Foucault seine Hinweise für ein nicht-faschistisches Leben vorbringt[74], tut er das im Vorgriff auf eine Kultivierung des Selbst, die er als Gegenstrategie zur Produktion des Individuums verstanden haben mag. Doch er sendet seinen Selbsthilfetext hinaus in eine Welt der interpersonalen Beziehungen, wie er sie auch in seiner Darstellung des intimen Aufstiegs des Neoliberalismus dokumentiert. Man könnte sagen, er legt seinen Text in den Mund des demokratischen Despotismus. Der Neoliberalismus war nichts anderes als die Vervollkommnung der Südstaatenstrategie, wie sie Nixon und seine Helfer_innen verfeinert haben. Bei der Südstaatenstrategie ging es natürlich nie nur um den Süden der Vereinigten Staaten. Es ging um die globale Hegemonie der Plantagenbesitzer_innen. Eine globale Plantokratie, eine Plantagenherrschaft, auf der Basis des demokratischen Despotismus. In dieser Hinsicht ist Nixons politische Strategie für die Vereinigten Staaten eine Erweiterung der Außenpolitik der Brüder Dulles, die ihrerseits

74 Vgl. Michel Foucault, „Vorwort", in: ders., *Schriften in vier Bänden. Dits et Ecrits. Schriften , Band III: (1976-1979)*, 176-180 (im Original auf Englisch als Vorwort zu Gilles Deleuze / Félix Guattari, *Anti-Oedipus: Capitalism and Schizophrenia*, New York: Viking Press 1977, XI-XIV). Dieses Kapitel begann als Call and Response mit unseren Freund_innen bei BAK, Wietske Mass und Maria Hlavajova. Zum nicht aus dem Individuum abgeleiteten Dividuellen vgl. Gerald Raunig, *Dividuum. Maschinischer Kapitalismus und molekulare Revolution*, Band 1, Wien et al.: transversal texts 2015.

ein transnationales Echo der Unterdrückung der *Black Reconstruction in America* war.

Der Neoliberalismus besiegelte den Global Deal des demokratischen Despotismus. Wie Du Bois erklärt, war der demokratische Despotismus eine innovative Form der globalen Color Line. Arbeiter_innen würden als Weiße bezeichnet, und ihnen würden Stellvertreterpositionen in der Herrschaft eines jeden Landes angeboten, im Austausch dafür, dass sie sich mit den herrschenden Klassen gegen People of Color innerhalb und außerhalb der Grenzen dieser Nation verbündeten. Bei der Lektüre von Du Bois erkennen wir jedoch eine zweite Dimension dieser Stellvertreterschaft, die Absicherung des Deals durch ein – wenn auch stets vereiteltes – Individuierungsversprechen für diese Arbeiter_innen. Oder, heute: für diese Hausbesitzer_innen. Das heißt, es ging beim demokratischen Despotismus auch um die Demokratisierung der Despotie. Wir haben diese Demokratisierung als *policy*, als „Police" bezeichnet. Aber ein derart gehacktes Wort sollte die Brutalität der Vereinbarung nicht verbergen. Jeder dieser Personen wurde die Möglichkeit geboten, sich durch despotische Gewalt gegen das Schwarzsein zu individuieren (was hier am besten als die Verweigerung des verweigerten Zugriffs auf die Einheit von Weißsein und Personsein zu verstehen ist). In dieser despotischen Gewalt bestand tatsächlich der zentrale Herstellungsprozess des vereitelten Individuums. Die Produktion weißer Leute im industriellen Maßstab erforderte diese Demokratisierung der Despotie. Die Zustimmung zu einer Welt des Despotismus, in der man sein „Selbst" durch fortwährende räuberische Gewalt gegen diejenigen beweist, die die von ihnen dargestellten Unterschiede beanspruchen, erforderte es natürlich, dass man die Demokratisierung des Despotismus als allgemeines Prinzip akzeptierte. Das bedeutete, ihn im Militär, im Staat und vor allem am Arbeitsplatz zu akzeptieren, mit anderen Worten als Fordismus und später als logistischen Kapitalismus, die jeweils auf ihre Weise einen brutalen kleinen Diktator an jedem Arbeitsplatz erforderlich machen und fabrizieren. Und sobald der Despotismus von den weißen Leuten akzeptiert wird, in und als jedes kleine Ritual ihrer eigenen Selbstakzeptanz, die alle auf eine endlose Verzögerung, einen ewigen Aufschub hinauslaufen, wird das Interpersonale zur einzigen Möglichkeit, ihn zu beschwichtigen. Wenn interpersonale Beziehungen das Reservoir des Weißseins bilden, das die Leute für tote Energie und unnachhaltigen Unterhalt anzapfen, dann wird das Intersektionale zum einzigen Weg für die, die auf das Warten warten, deren doppelt unendliches Warten die Form der Kritik annimmt, die den ständig verdoppelten Despotismus, den sie erfahren, beschwichtigt. So oder so warten alle (Körper) vergeblich.

Aber das Interpersonale ist nicht nur der Aufgabe der Beschwichtigung nicht gewachsen, es reproduziert und verfeinert sogar die vereitelte Individuierung und den demokratischen Despotismus. Das sind die Bedingungen, unter denen die Südstaaten-Strategie aufgeblüht ist; das ist die verstreute Erde der Plantokratie. Und nun beweist der Abriss der Konföderierten-Statue, dass die Strategie triumphiert hat. Die globale Plantokratie regiert, wenn die Denkmäler gehen lernen und in Menschengestalt wüten können, wie Patrouillen zur Gefangennahme entlaufener Sklav_innen. Aber wie können wir Foxconn oder Goldman Sachs als Plantagenbesitzer_innen bezeichnen? Weil sie daran arbeiten, die Bedingung aller Plantokratien zu erfüllen. Plantagenbesitzer_innen versuchen, das ganze Land, das ganze Wasser, die ganze Luft, alle Nahrungsmittel, Tiere und Pflanzen zu kontrollieren und zu konzentrieren. Die Leute in Fabriken zu drängen, war nur eine vorübergehende Taktik in dieser Kontrolle und Konzentration, nicht das Endspiel. Der Marxismus hat das nicht verstanden. Das Endspiel besteht darin, dass niemand außerhalb ihrer Herrschaft überleben kann, dass jeder und alles in den Rachen der Plantagenbesitzer_in wandern muss oder, anders ausgedrückt, dass die Erde selbst konsumiert werden muss. Das Finanzwesen ist ganz eindeutig in der Lage, seine bedrohlichen Mittel einzusetzen, um dies zu erreichen. Ebenso die Logistik. Das sind die Wissenschaften der Plantagenbesitzer_in. Dieses Regime als eine Plantokratie zu verstehen, die in der individuierenden Gewalt des demokratischen Despotismus gedeiht, führt jedoch nicht zur Vorstellung, dass es kein Außen der Welt gäbe.

Es führt dazu, ein Land zu finden, das und mit dem man teilen kann. Denn angesichts dieses Despotismus brauchen wir einen Ort, an dem wir wirklich Sorge tragen können, und das bedeutet die kollektive Zerstörung des Interpersonalen und mit ihr und durch sie die Zerstörung des Trugbilds vom Individuum, in offenen Praktiken des Willkommenheißens und des Besuchens. Das kann nicht im Konflikt mit der Plantokratie geschehen, wo das Interpersonale oder die Freiheit oder das nichtfaschistische Leben zu unserer unzulänglichen Waffe wird. Es ist eine Schlacht, die nur im militanten, selbstverteidigenden, selbstvernichtenden Rückzug der neuen Angreifer_innen gewonnen werden kann. Und angesichts des Wesens der Herrschaft in der Plantokratie bedeutet Rückzug, Land zu finden, das flüchtig ist, das die Herrschaft über Land, Wasser, Luft usw. flieht, und dann dieses Land anautonom genug einzurichten, um die Behandlung zu beginnen. Das Land kann eine besetzte Garage in der Stadt oder eine verlassene Mühle auf dem Lande sein. Die Behandlung kann darin bestehen, eine Band zu gründen, ein Barbecue zu veranstalten, zu tanzen und zu trinken. Es kann ein Bauernhof und eine Kindertagesstätte sein, ein experimentelles Schreibkollektiv oder eine feinmechanische Werkstatt. Jede Form der Entgiftung aus dem Interpersonalen. Es wird keine Verbündete geben, keine Vorladungen, keine Gegendarstellungen. Jede Aggression wird massiv sein. Und wenn wir gewinnen, wird es Schwarzsein in Sonnenschauern regnen, und die Zeit wird verschwinden.

2.

Für diejenigen unter uns, die aus der schwarzen radikalen Tradition kommen, ist es schwierig, uns die derzeit populäre Zeitlinie in Bezug auf den Faschismus zu eigen zu machen. Wenn der Faschismus zurück ist, worauf der Common Sense in Europa und den USA zu dringen scheint: Wann ist er dann verschwunden? In den 1950er Jahren mit Apartheid und Jim Crow? In den 1960er und 70er Jahren? – Nicht für Lateinamerikaner_innen. In den 1980er Jahren? – Nicht für Indonesier_innen oder Kongoles_innen. In den 1990er Jahren, dem Jahrzehnt der intensivierten staatlichen Gefängnisgewalt gegen schwarze Leute in den Vereinigten Staaten? Wir wollen die besondere Mischung aus Fortbestehen und Wiederaufleben des Faschismus in Europa nicht leugnen, die zur vermeintlich antifaschistischen

Haltung wurde, sobald Immigrant_innen damit begannen, Europa nach seiner letzten rassistisch-kapitalistischen Selbstzerstörung wieder aufzubauen; aber wir wollen sehr wohl etwas sagen über den grundlegenden Unterschied zwischen einem Leben mit den Commons und dem Undercommons-Leben, denn wir folgen der schwarzen radikalen Tradition und ihrem erweiterten Verständnis von historischem Verlauf und geografischer Reichweite des Faschismus.

Die Idee der Commons als eine Reihe von Ressourcen und Beziehungen, die wir, als ansonsten Ausgebeutete und Enteignete, aufbauen oder schützen, verwalten oder ausbeuten, bedingt mehrere Annahmen und folgt zugleich aus ihnen. An erster Stelle steht die Annahme, dass wir niemals etwas anderes als schon geteilt und schon teilend sein können. In der Tat ist die Bedingung unserer Fähigkeit zu teilen, dass wir geteilt sind. Mit anderen Worten sind wir keine Individuen, die sich entschieden haben, mit oder durch die Commons in Beziehung zu treten. Die Commons können uns nicht versammeln. Wir sind bereits versammelt, da wir bereits verstreut und eingestreut sind. Die Idee der Commons führt zur Vorannahme interpersonaler Beziehungen und damit der Person als einer unabhängigen, strategischen Akteur_in. In diesem Weltbild machen solche Personen nicht nur Commons, sie machen Staaten und Nationen.

Die Undercommons sind die Verweigerung des Interpersonalen und damit auch des Internationalen, auf dem Politik aufbaut. Undercommons zu sein bedeutet, unvollkommen und im Dienste einer geteilten Unvollkommenheit zu leben, die die Funktionsuntüchigkeit des Individuums und der Nation einräumt und auf ihr beharrt, während diese brutalen und unhaltbaren Fantasien und alle materiellen Effekte, die sie hervorbringen, im immer kürzer werdenden Intervall zwischen Liberalismus und Faschismus oszillieren. Diese funktionsuntüchtigen Formen versuchen immer noch, durch uns zu funktionieren.

Wenn die Undercommons nicht die Commons sind, wenn das neue Wort etwas am alten Wort Unangemessenes aussagt, dann wäre es dies: dass die Undercommons keine Ansammlung von Individuen-in-Beziehung sind, was genau die Form ist, wie die Commons traditionell theoretisiert worden sind. Wir haben versucht, etwas unterhalb die Individuierung zu sehen, die die Commons tragen und verstecken und zu regulieren versuchen. Es ist das, was in der Unmöglichkeit des Einen *und* der Erschöpfung der Idee des Einen selbst gegeben ist. Was, wenn es bei der Praxis des gemeinsamen Lebens nicht um neue Definitionen von Macht geht, nicht um neue Beziehungen über die Differenz hinweg? Was ist, wenn die Idee neuer Definitionen von Macht und neuer Beziehungen über die Differenz hinweg selbst nichts anderes wäre als eine Entfremdungsmaschine?

3.

Was würde geschehen, wenn das Wort „Universität" jedes Mal, wenn es benutzt wird, so klänge wie „Fabrik"? Warum glauben die Leute, dass die Arbeit an der Universität etwas Besonderes ist? Die Universität ist eine Ansammlung von Chancen und Ressourcen; ein Lager von Waffen und Vorräten; eine Konzentration von Gefahren und Fallstricken. Sie ist kein Ort, den man besetzt oder bewohnt, sondern ein Ort, an dem man arbeitet, an dem man so schnell und raubgierig ein- und ausgeht, dass seine Grenzen verschwinden. All diese Arbeit sollte darin bestehen, die Fähigkeit zu sichern, diese Ressourcen zu nutzen und diese Chancen zu ergreifen und sie in dem Maße weiterzugeben, wie sie nützlich sind. Sie ist nicht ein Punkt auf einer Linie. Sie ist kein ambitionierter Anfang, kein ambitioniertes Ende; sie ist ein Atmungsorgan, das ganz sicher mit Bösartigkeit durchsetzt ist. Als ob sie tatsächlich etwas mit uns zu tun hätte, verlangt sie von uns, dass wir uns Gedanken darüber machen, was Bauern über die Arbeit auf einem Bauernhof denken, bevor diese Tätigkeit in der Identität „Bauer" geronnen ist. In diesem Sinne geht es bei den Undercommons, wenn überhaupt, nur am Rande um die Universität; und es geht bei den Undercommons entscheidend um eine Sozialität, die nicht auf dem Individuum basiert. Wir würden sie auch nicht als eine beschreiben, die aus dem Individuum abgeleitet ist – bei den Undercommons geht es weder um das Dividuelle noch um das Prä-Individuelle oder das Supra-Individuelle. Undercommons sind eine Verbundenheit, eine Gemeinsamkeit, eine Diffunität, eine Geteiltheit. Wenn wir die Universität überhaupt hervorgehoben haben, dann deshalb, weil sie die Fabrik war, in der wir zum Zeitpunkt unserer Analyse arbeiteten.

Das alles bedeutet, dass die Undercommons keine besondere Beziehung, keinen relativen Antagonismus zu einem durch die kapitalistische Arbeitsteilung geschaffenen Sektor namens Hochschulbildung haben. Wie Marx sagte, schafft der Kriminelle das Strafrechtssystem. Wir finden „informelles und situiertes Wissen" unter den Gefangenen, den Familien der Gefangenen, den Gerichtsschreiber_innen und –reporter_innen u.s.w. Es ist diese Undercommons-Arbeit, die der Rechtssektor ausbeutet. Anwält_innen und Richter_innen sind in erster Linie Aufsichtspersonal. Und so ist es auch bei der heilenden Arbeit von Patient_innen und Familien, die den Gesundheitssektor ausmacht. Ärzt_innen und Pfleger_innen sind in erster Linie Aufsichtspersonal. Jenseits aller Ideologie von der besonderen Aufgabe des Hochschulsektors lohnt es sich, an zwei Dinge zu erinnern. Erstens: Die Studierenden machen das Hochschulsystem aus. Professor_innen sind in erster Linie Aufsichtspersonal. Zweitens: Studierende, die darauf hinarbeiten, Lehrer_innen zu werden, egal in welchem Bereich, werden – alle – für das Management aufgebaut. Die Studierenden spüren diesen Widerspruch, und es tut weh, weil sie von der Fertigung ins Management wechseln. Aber Tatsache ist, dass, wenn man in unserem System für Geld unterrichten will, von einem_r erwartet wird, dass sie Aufsicht hält. Das alles müsste nicht gesagt werden, wenn wir über die Automobilbranche sprechen würden. Diejenigen, die in einem Automobilwerk arbeiten, kennen ihre Rolle. Wenn sie löten, sind sie Arbeiter_innen. Wenn sie die Qualität und Geschwindigkeit des Lötens evaluieren, sind sie Management. Natürlich werden auch Manager_innen bewertet, und manchmal scheint so etwas aufzutauchen, wie ein Appetit darauf, benotet (und damit degradiert) zu werden, der mit dem Appetit auf das Benoten/Degradieren einhergeht. Aber das ist ein kleiner Maßstab, verglichen mit der Mechanik der „Lehrenden-Studierenden-Beziehung", der sich das Studium verweigert.

Die Erkenntnis, dass man in unserem System Aufsichtspersonal werden muss, um für Geld zu lehren, selbst für lausiges Geld, kann dann zu zwei Formen der kollektiven Organisation führen. Wir können unser Geld aus dem Job holen und gemeinsam etwas anderes machen, oder wir können daran arbeiten, ein System zu stürzen, das Studium an Aufsicht kettet, denn nur dieser Umsturz wird jene Linie durchbrechen. Und da jeder Exodus sowohl nirgendwo hingeht als auch das untergräbt, was er hinter sich lässt, kommen diese beiden Formen des Organisierens an einem bestimmten Punkt zusammen. Jeder andere Ansatz wartet nur darauf, als „Aufseher_in des Monats" oder mit einem „Preis für hervorragende Lehre" ausgezeichnet zu werden.

Natürlich gehört es zur Ideologie des universitären Exzeptionalismus, dass es der Universität unter dieser kapitalistischen Arbeitsteilung erlaubt ist, Wissen zu sammeln, also nicht nur ihren eigenen Sektor und ihre Studierenden zu betreuen, sondern auch andere Sektoren zu beaufsichtigen. Sie schafft durch Forschung agrarwissenschaftliche Abteilungen, um an der Aufsicht des Agrarsektors teilzuhaben, oder eine Kunstabteilung, um an der Aufsicht des Kunstmarkts teilzuhaben. Aber das sollte uns nicht täuschen. Es ist gleich wie im Bankensektor, wo Aufsicht und Überwachung anderer Sektoren Papiere und Berichte produzieren.

4.

In Gesprächen über die Praxis des Studiums thematisieren wir oft, dass das System, sobald wir die Praxis des Studiums beginnen, auf uns zukommen wird, egal wie unbedeutend uns unser Studium erscheint. Und so gibt es wirklich keine Möglichkeit, uns aus dieser Bindung zu lösen, angesichts des ständigen Potenzials, das wir in uns tragen, Engagement hervorzurufen. Das Leben verlangt, dass wir dieses Potenzial immer wieder hervorbringen, trotz der Konsequenzen.

Engagement selbst richtet uns jedoch auch immer wieder auf eine Art und Weise aus, die uns in einer Vorstellung von uns selbst als strategischen Akteur_innen gefangenhält, mit antagonistischen Beziehungen zu Machtsystemen. Der allgemeine Antagonismus lässt weder Strategie noch strategische Beziehungen noch strategische Akteur_innen zu. Vielmehr verweist er auf den fundamentalen Antagonismus von allem *als* Differenz: Aufeinanderprallen, Gegeneinanderstehen, Entstehen und Vergehen ohne Akteur_innen oder Strategien. Akteur_innen mit Strategien, d.h. Individuen, missverstehen diese Differenz als etwas, aus dem heraus sie Wahlmöglichkeiten, Entscheidungen oder Beziehungen gestalten können, d.h. auch, aus dem heraus sie sich selbst gestalten können. Aber der allgemeine Antagonismus wird dich, egal wie sehr es dich treibt, nicht loslassen, denn er ist wir. Deine Bemühungen, dich selbst zu erkennen und erkannt zu werden, werden an dir Amok laufen.

Aus diesem Grund finden wir *Komplizität* nützlich. Wenn die Leute angesichts von Komplizität besorgt sind, dann ist das genau die Angst vor dem allgemeinen Antagonismus. Wenn jemand typischerweise darüber besorgt ist, wie seine künstlerische oder kuratorische Praxis durch die Komplizität mit dem Museum kompromittiert wird, oder darüber besorgt ist, wie ihre Forschung und Lehre durch die Komplizität mit der Universität kompromittiert wird, dann liegt dieser Sorge die Angst zugrunde, sich inmitten dieser Komplizität nicht selbst sortieren zu können. Die Person kann nicht sagen: Das bin „ich“, das ist meine Strategie und mein Verhältnis zur Institution. Komplizität bedeutet eine Weise, in etwas hineinzufallen, sodass man das, was man als sich selbst sieht, nicht mehr von der Institution und ihrer (Anti-)Sozialität trennen kann. Die Person fürchtet, nicht sagen zu können, dass dies die Schwelle ist, fürchtet, dass die Grenze sie überschreitet. Aber keine noch so gute Strategie, keine noch so gute Entscheidung oder Beziehung kann uns entwirren. Die Institution scheint so viel erfolgreicher als wir darin zu sein, den allgemeinen Antagonismus in den Grund der Individuierung zu verwandeln. Aber warum fühlen wir uns so, wenn das eigentliche Gefühl, das wir von der Institution bekommen, das genaue Gegenteil ist, nämlich das der Verwicklung?

Vielleicht sollte, um mit diesem Widerstand gegen den allgemeinen Antagonismus umzugehen, der durch die Angst vor Komplizität mit einer Institution bewirkt wird, die andere Bedeutung von Komplizität aufgerufen werden. Mit anderen mitschuldig zu sein, ein_e Kompliz_in zu sein, auf eine Art und Weise zu leben, die immer eine Verschwörung auslöst, eine Verschwörung ohne Plan, bei der die Verschwörung der Plan *ist* – dieser Gebrauch von Komplizität kann uns helfen. Diese zweite Bedeutung von Komplizität betont unsere Unvollkommenheit – wenn man uns sieht, sieht man, dass etwas fehlt, unsere Kompliz_innen, oder etwas mehr, unsere Verschwörung. Es ist alles gut, es ist nur nicht alles da. Allein machen wir keinen Sinn. Es muss mehr von uns geben, wir müssen mehr zu bieten haben. Für uns allein passen wir nicht zusammen. Und das ist es, was wir sind, und das ist es, was wir in der Institution sind, und wie wir in der Institution sind, komplizenhaft mit anderen, die nicht in der Institution sind, verschwörerisch mit ihnen, während wir drinnen sind, verwickelt in die Institution mit dem Gedanken oder dem Klang oder dem Gefühl des Außen, das in uns ist, das wir teilen in diesem Teilen mit, diesem fortwährenden Falten mit, diesem unerfüllbaren *com + pli*. Diese Art von Komplizität kann sogar vertieft werden, wenn wir unseren Platz in der Institution vertiefen, wenn wir uns durch sie hindurchgraben. Nicht eine Strategie des Drinnen und Dagegen wollen wir hier forcieren, sondern eine Lebensweise, die innerhalb und gegen die Strategie ist, nicht als Position, Beziehung oder Politik, sondern als Widerspruch, eine Umarmung des allgemeinen Antagonismus, von dem sich die Institutionen nähren, und den sie zugleich verleugnen im Namen von Strategie, Vision und Zweck. Unsere Komplizität verweigert das Zweckbestimmte als Lohn für sich selbst, und je mehr sie wächst, desto mehr überwältigt die grundlegende Verwicklung der Institution ihre Strategie. Wir werden der Institution gegenüber gewalttätig oder in ihr bösartig gewesen sein, indem wir sie ins Nichts zusammen auseinandergeschnitten haben, wie Karen Barad sagen würde.

Ein anderes Wort dafür ist Kommunismus. Wir können nicht in einem Atemzug mit der League of Revolutionary Black Workers genannt werden, aber wir können versuchen, ihrem Beispiel insoweit zu folgen, als es nicht der Fall zu sein scheint, dass sie sich bezüglich ihrer Komplizität mit der Autoindustrie viel Händeringen und Nabelschau hingegeben hätten. Sie haben sich nicht schuldig oder widersprüchlich gefühlt, weil sie für General Motors gearbeitet haben. Weder haben sie sich mit GM identifiziert noch ihre Identität aus ihrer

Feindseligkeit gegenüber GM abgeleitet. Manchmal werden wir von Studierenden gefragt, ob wir uns scheinheilig fühlen, weil wir „Karriere-Akademiker_innen“ wären. Fühlte sich General Baker – nach dem, so könnten wir sagen, und das wäre nur ein halber Scherz, der allgemeine Antagonismus, *general antagonism*, benannt ist – scheinheilig, weil er ein Karriere-Automechaniker war? Wir beantworten solche Fragen lieber, indem wir sagen, warum wir sie nicht beantworten können. Wir studieren mit Baker und Robinson, auch heute noch, und ihnen ist gemeinsam, wie sie die metaphysischen Grundlagen von Politik und politischer Theorie ablehnen. Wir studieren auch mit Audre Lorde und Foucault, aber wenn wir uns auf ihre Vorwegnahme seiner Anerkennung des „Faschismus in uns allen“ stützen, befreit uns das nicht von der Aufgabe, – durch die beiden hindurch, in ihrem Gefolge, unter ihrem Einfluss und Schutz – gegen den Strich ihrer metaphysisch-politischen Verpflichtungen zur Individuierung zu lesen, die beide in einer gewissen „Sorge um das Selbst“ artikulieren. Was wäre, wenn das, worum immer Sorge getragen wurde, nicht dieses oder jenes Selbst wäre, sondern die Idee des Selbst selbst, die den Kern anti-sozial reproduktiver Sorglosigkeit bildet? Wir sagten, nicht-faschistisches Leben ist Verweigerung des Kommunismus. Ist es auch. Es ist Verweigerung der Komplizität. Es ist eine unmögliche Ethik der Individuierung-in-Beziehung. Individuen müssen, können aber gleichzeitig nicht in Beziehung sein. In zunehmendem Maße leben und erleiden wir den Widerspruch als den Genozid und Geozid, den wir studieren, um zu überleben. *Nella complicità!*

5.

Stellen wir uns vor, dass Foucault ein Problem mit uns gemein hatte, und dieses Problem sind die metaphysischen Grundlagen der Politik. Diese Metaphysik besagt, dass es Individuen gibt, die Rechte und Moral besitzen, die vom Staat geschützt werden müssen. Politik ist dann die Art und Weise, wie sich diese Individuen zueinander, zu ihrem eigenen Selbst und zur Regierung verhalten, einer Regierung, die aus dem Inneren dieser Politik heraus entsteht, aber auch sozusagen außerhalb dieser Politik durch und als Ausdruck einer Autorität, deren Grund nicht nur, wie Derrida sagt, mystisch ist, sondern auch in und aus einer harten, brutalen, real(istisch)en Präsenz. Foucault glaubte freilich nicht an diese Metaphysik. Er dachte, das Individuum, das vom Staat geschützt worden sein soll, aber in Wirklichkeit vom Staat geschaffen wurde, wäre ein Gefängnis – aber ein so subtil und verführerisch beschaffenes, dass wir die Tür in es hinein selbst öffnen und es uns selbst verschließen würden. Seine Taktik bestand darin, dieses Individuum zugunsten eines Selbst zurückzuweisen, das direkt von dem betreffenden beseelten Körper gepflegt wird. Wir wollen nun Foucaults Zurückweisung der metaphysischen Grundlagen der Politik, in denen wir uns gefangen sehen, teilen. Wir teilen diese Verweigerung in der Tat, ob wir wollen oder nicht. Das ist der erste Sinn unserer Komplizität, dieses Teilen, das ein Teilen von und im Begehren ist. Nur ist dies ein Teilen, das weder in der ersten noch in der letzten Instanz verkörpert ist, weil es weder eine erste noch eine letzte Instanz gibt. Wie Spillers uns aus dem Feld schwarzer feministischer Theorie und Praxis lehrt, das auch Lorde kultiviert, ist Teilen eine fleischliche Beseelung, die sich störend in der metaphysisch-politischen Individuierung oder, wenn man so will, im Staatskörper bewegt, während sie diesen auch umgibt. In Komplizität teilen wir diese Bewegung im Inneren, die zugleich auch umgibt. Es geht nicht darum, dass das, was wir wollen, mit der Politik verbunden ist. Es geht darum, dass wir uns durch die Politik reduziert oder aufgehalten fühlen und uns zu dem „zurück" kämpfen müssen, was nicht von der Politik begrenzt wird. Jenes Anderswo, wo Karte und Territorium verschwimmen, wo Rückkehr jenseits von Zugehörigkeit verblasst, so dass zurück vor wird, in Schrecken und Schönheit, wie Dionne Brand im versunkenen, kartographischen Gehen, jenes Anderswo kann nicht auf dem Weg gefunden werden, den Foucault sich bahnt, denn dieser Weg, der der Weg des beseelten Körpers ist, wurde dem Fleisch, und daher ganz besonders schwarzen Leuten immer verweigert, die aus historischen Gründen gewaltsam mit der Bewahrung dessen betraut sind, was im Teilen zu dem wird, was es immer war, Schwarzsein, jener unursprüngliche Kommunismus, von dem Morrison als Liebe des Fleisches spricht, bevor sie von der Sorge für die Quellen des Selbst und seiner Achtung spricht.[75] Indem sie die ihnen verweigerten „Selbste" und „Körper" verweigern, leben schwarze Leute unter dem Zwang des totalen Zugriffs (des Staats bzw. des politischen Körpers des rassistischen Kapitals) – Spillers nennt es eine furchtbare Verfügbarkeit – auf das, was sie schützen, aber nicht haben, was die absolute Verwundbarkeit gegenüber Bewertung,

---

75 Vgl. Dionne Brand, *A Map to the Door of No Return. Notes to Belonging*, Toronto: Vintage Books 2002, und Toni Morrison, *Beloved*, New York: Knopf 1987, 2004.

Erfassung und Inbesitznahme des absolut Unbewertbaren, Unfassbaren und enteignend Enteigneten ist und bleiben muss. Folgt man also dem abschweifenden Pfad dieses Zugriffs, der um den Preis des Offengelassenwerdens offengehalten werden muss, muss man, und man tut es, einen anderen Weg finden.

Die Verweigerung der Metaphysik, die wir mit Foucault teilen, die Foucaults Brillanz in uns zum Leuchten bringt, muss dennoch von seinem Weg abweichen, so wie sie ständig in flüchtiger Flucht vor der Freiheit von ihrem eigenen Weg abweicht, als Vorbereiterin, Begleiterin und verfolgte Überlebende der Sklaverei. Deshalb müssen wir sowohl die Metaphysik des Individuums als auch die der Beziehungen, ja des (Inter-) Personalen in Frage stellen. Marx will, dass wir unsere Mächte als soziale Mächte organisieren, und er warnt uns, dass wir uns nicht emanzipieren, solange wir unsere sozialen Mächte in Form von politischen Mächten von uns selbst trennen. Aber das Problem geht noch weiter, wenn wir begreifen, dass die einzige Vorstellung von Emanzipation, die wir haben können, eine politische ist. Und so müssen wir an und für einen Kommunismus arbeiten, der sich nicht in Freiheit oder Emanzipation auflöst, nachdem wir all diese Arbeit gegen das Politische geleistet haben. Und der Weg dazu ist, die Marxsche Formulierung unter der Führung derer zu verschieben, deren Emanzipation hinter ihnen liegt, hart auf den Fersen, wie Hartman zeigt und beweist. Andernfalls würden wir uns durch die Individuen-in-Beziehung der Emanzipation gegenseitig unterwerfen, jene allzu freien Subjekte, die nichts anderes tun können als zu privatisieren, zu externalisieren und zu brutalisieren, wie es freie Subjekte tatsächlich schon immer getan haben.

Stattdessen können wir uns eine Verwicklung des Lebens, ein ständiges Aufblühen inmitten erdigen Verfalls vorstellen, über die die fortgeschrittene Eurokritikalität nur in steriler und abstrakter Abscheu spotten kann. Wir können sie uns vorstellen, weil sie sich überall dort abspielt, wo das soziale Leben das politische Leben umgibt, das uns von unseren Kräften zu trennen sucht, indem es uns Macht anbietet, oder schlimmer noch, das Recht, einen Anteil an dem zu fordern, was wir gezwungen sind, herzustellen und zu beschneiden, um die Bedingungen der Nachfrage zu erfüllen. Wir können ihn uns vorstellen, den unursprünglichen Kommunismus, weil er überall dort gelebt wird, wo Schwarzsein gegen sich selbst kämpft – immer dann, wenn, wie Sly Stone sagt, ein Aufruhr im Gange ist, *there's a riot going on*. Und wir können ihn uns leider auch vorstellen, weil die regulierende Kraft der Politik, der Individuen und der Beziehungen zwischen vermeintlich vereinzelten und souveränen Menschen, wie Robert Johnson sagt, ein Höllenhund auf unserer Spur ist.

6.

Der Akt, sich selbst in Zeit und Raum zu kerben, ist – vielleicht zunächst paradoxerweise – auch der Akt, ganz und gar nirgendwo zu sein. Der Punkt, den du gekerbt hast, ist dimensionslos. Er kann nicht gefunden werden, gerade weil dein Akt behauptet, dass der Punkt, den du besetzt haben wirst, universell ist, der abstrakte Punkt, den jedes Individuum machen kann und muss und von dem aus Humanität möglich wird, mit und durch und an dem sich der Mensch selbst findet. Und weil er nirgendwo ist, ist seine Beziehung zum Ort in der Tat eine der Straflosigkeit. Es ist diese Straflosigkeit, die die moderne Moral und die Idee der Verantwortung oder Nachhaltigkeit begründet, die dieser Akt der Straflosigkeit dann als seinen Sicherheitsdienst anheuert. Kann es eine bessere Beschreibung des Menschen geben: das Wesen, das straflos auf der Erde lebt und sich dafür entschuldigt? So lässt sich die Frage danach, was geschehen ist, mit der Frage danach, was geschehen wird, in einer Weise zusammenbringen, der normativ-ethische Fragestellungen Raum verschaffen. Gegen diese abstrakte Vorbereitung auf den Sieg der Vernunft über ihre Rivalen, dieses Kippen des Spielbretts auf einen Punkt hin, gibt es eine Art, Geschichte und Ort zu leben, die nicht Teil der Humanisierung, das heißt der Rassifizierung unserer Erde und ihrer Reduktion auf Welt ist, der Degradierung ihrer Mittel zu bloßen logistischen Zwecken und ihres Verlusts des Teilens an den bloßen Besitz, die alle die Kerbung und ihre Herrschaft erfordern und von ihnen instanziiert sind. Amiri Baraka nennt diese Verwicklung von Geschichte und Ort *place/meant*, und wir hören ihn jetzt durch M. NourbeSe Philips Verstärkung von *dis place*, als ob mit diesem irrenden und ergänzenden „a" eine Bewegung von und an einem Ort bezeichnet werden sollte, eine radikale und unumstößliche Bewegung, die unsere Undercommons-Indigenität konstituiert, unsere geteilte, eingeborene, vor-geborene Umkehr aus der (Wieder-)Kehr heraus.[76] Wenn die Kerbung die

76 Amiri Baraka (LeRoi Jones), „Return of the Native", in: William J. Harris (Hg.), *The LeRoi Jones/Amiri Baraka Reader*, New York: Basic Books 1999, 217, und M. NourbeSe Philip, „Dis Place – The Space Between", in: dies., *A Genealogy of Resistance and Other Essays*, Toronto: The Mercury Press 1997, 74-112.

Art und Weise ist, wie wir die Undercommons für ein gemeinsames Grab aufgeben, dann ist *dis place/meant* die Art und Weise, wie wir den surrealistischen Fleck finden und markieren.

Die schwarze Imagination im Angesicht des Faschismus ist sicherlich ein Beispiel dafür, die Geschichte und den Ort zu leben, ohne sich völlig dieser Kerbung zu unterwerfen; aber das heißt nicht, in einer Form des Lebens zu leben, die „realer" ist. Das ist nicht der Punkt. Es geht nicht einmal um den Punkt und es geht nicht um das auf den Punkt bringen. Einige der frühesten Beispiele spekulativer Fiktion sind schwarze spekulative Fiktion, als Antwort auf den amerikanischen Faschismus geschrieben, und sie sind Teil dessen, was heute die am längsten andauernde und vielleicht erfolgreichste, das heißt, nicht dem „Erfolg" erlegene, antikoloniale Bewegung der Erde ist – der Kampf schwarzer Leute *auf der ganzen Welt* gegen die faschistische koloniale Ordnung, die sich die Vereinigten Staaten von Amerika nennt. Von Martin Delany bis Octavia Butler, von Mary Prince bis Frankétienne wird die Kerbung in den Namen der Bewegungen beständig unterbrochen. Und wir könnten, um uns mit Spivak weiterzuwenden, auch auf die ständigen zwanglosen Verlagerungen des Begehrens hinweisen, die die schwarze Musik konstituieren, die weder Metapher noch Allegorie ist, die nichts anderes ist als das generell ante-generische schwarze soziale Leben, wie es seine Geschichte mit sich herumträgt und seinen Platz immer wieder und wieder aufmischt.

Dies ist es, was uns sagt: Die Antwort auf die Frage „Was tun?" ist, was wir tun – C.L.R.s und Ettas Zukunft in der Gegenwart, dieser Zug, von dem Schwester Rosetta Tharpe immer spricht, der saubere, auf dem

Woody Guthrie schläft, als Kissen, mit all den außerplanmäßigen Calypso-Sänger_innen in geteilter Logistikalität; Gladys Knights Midnight Train, der Love Train der O'Jays, Bob Marleys and the Wailers' Zion Train, Tranes Sonnenschiff, Sun Ras Funkadelic Spaceship, die allgemeinen Gefährte von uns blinden Passagieren. Die Kerbung von Zeit und Raum ist grundlegend für jeden kapitalistischen Produktionsprozess, für alle Kreisläufe und Metriken der Produktion, angefangen bei der Produktion der menschlichen Arbeiter_in. Zeit und Raum unserem schrägtaktigen Takt und unserem deplatzierten Platz zu beugen, wird das alles versauen, weil es das schon tut. Wenn du also was brauchst, komm, hols dir, bevor es zu spät ist. Solang du nicht stiehlst, teilen wir.

WER ENTSCHEIDET, OB ETWAS BEWOHNBAR IST?

1.

In bestimmten funkigen Praktiken des Einen ist Komplizität implizit als die gemeinsame und schmerzhafterotisch präzise Verweigerung der politischen Geometrie des dimensionslosen Punkts. Wenn es eine Lektion zu lernen gibt, die Funk offensichtlich predigt und zugleich lehrt, dann ist es die, dass das Eigene das ist, was der vorgängigen Unangemessenheit angetan wird, die wir teilen. Komplizität ist das bereits gegebene Geben und Nehmen der Unvollkommenheit; schwarze Rede und schwarzer Gesang versuchen ständig, dir zu zeigen, dass sie dir etwas nicht ganz sagen können, ein Zustand, der unendlich schlecht ist, aber nur ein kleines bisschen besser.[77] Hip-Hop ist Subsistenzmusik, die Spoken Word beharrlich behauptet, als radikal sentimentale Bildung. Sie sollte immer schon wie spielende Kinder klingen, mit spielenden Kindern, in Bewegung in und mit ihrer Flotte, selbststilisierbar selbstzerstörerisches Gemurmel. Leute, die versuchen, herauszufinden, wie sie ihren Lebensunterhalt verdienen können. Leute, die sehen, ob sie irgendwo leben können.

---

77 Auf eine andere, ausführlichere und erhellendere Weise erörtert Kaiama L. Glover in einer generativen Begegnung zwischen Frankétienne und Édouard Glissant, die ihre Beziehung vertieft und über sie hinausgeht, diese Unterscheidung zwischen Zeigen und Erzählen (vgl. „Showing vs. Telling. 'Spiralisme' in the Light of 'Antillanité'", in: *Journal of Haitian Studies* 14(1), Frühjahr 2008, 91-117, und *Haiti Unbound. A Spiralist Challenge to the Postcolonial Canon*, Liverpool: Liverpool University Press 2010, 179-237).

2.

Der Weg zur gelebten Erfahrung der unmöglichen Individuierung führt über die starre Konformität, deren abgetrennte, abgesonderte Leistungen streng abgerechnet werden. Die Schule ist der Ort, an dem der Gesellschaftsvertrag an den Kindern ausgetragen wird. In guten Schulen wird die Kontaktfinsternis des Netzwerks mit großer Effizienz inszeniert; in schlechten Schulen kann ein Experiment stattfinden, entweder zufällig, wo Netzwerke und die Vernetzten nicht passen, oder unter dem Schutz einer Idee von Alternative. Der Empathieverlust in der Unterwerfung des Sozialen unter das Vertragliche sollte uns immer nur dazu bringen zu fragen: Kann es einen kybernetischen Bluterguss geben? Eine kybernetische Zärtlichkeit? Ein kybernetisches Gefühl? Dies fragen wir in Erinnerung an den allgemeinen Antagonismus und den Generalstreik, den wir immer wieder aufführen, indem wir erkennen, dass diese Fragen nicht aus der Verfügbarkeit neuer Computer-Hardware erwachsen, sondern aus den Werten, die die alte Computer-Software beseelen – eine geistlose Theorie der Koordination von Geist und Hand, die sich am deutlichsten in der Reduktion von achtsamer Berührung auf instrumentellen Zugriff manifestiert. Es geht nicht darum, dass Berührung gewaltlos wäre. Es geht darum, dass wir diese Gewalt liebevoll von der Ressourcenoptimierung zurück zu ihren multiplen Quellen führen müssen. Wir wollen unser nachdenkliches Gefühl schlechter Komplizität im Interesse ihrer Bürstung gegen das Gute so intensivieren, dass niemand mehr sagen kann: „Schau mir zu, wie ich meinen Weg durch diesen Mist finde." Die Erfahrung zeigt, dass niemand die Schläge einstecken kann und intakt bleibt in dem Bemühen, intakt zu bleiben, das nur im Einstecken der Schläge gegeben ist. Wenn wir für das Gute kämpfen wollen, müssen wir das Schlechte umstürzen, statt es mitten in der Menge einsam selbst zu navigieren. Es ist alles windelweich und aus allen Fugen – Dread, Null, knotig, ungezogen, Dred, wie abgenutzte Hülle und gespaltenes Schiff. Das Altsein, die Altklugheit der Leute ist gegeben in ihrer Anerkennung und Verweigerung dieser Turbulenz, die wir durchmachen. Dort studieren sie, was auch dort nicht sein kann. Wie eine Band, die sich gegen die Entwicklung stemmt, die versucht, eine Musik zu machen, die sie studiert und gleichzeitig vermeidet. Gibt es einen Punkt, an dem man nicht mehr unendlich weitermachen kann? Ist dieser Raum begrenzt oder unbegrenzt? Die gebrochene Dokumentation eines Workshops, der durch den Ausbruch aus dem Basteln von Gedichten in die Poesie ausbricht, ist ein Konzertfilm. Die Aufnahme eines fürsorglichen Spiels wird zum Theaterstück.

3.

„Es muss das Verständnis geben, dass es nichts, nichts, nichts, absolut nichts gibt, was du tun kannst, um dich selbst zu verbessern, zu transformieren oder zu vervollkommnen", sagte Krishnamurti.[78] Es gibt in der Tat nichts, was du mit dem falschen und blutigen Instrument deiner selbst tun kannst. Du kannst nichts (von) selbst hacken. Du kannst nichts (von) selbst besetzen.

78 Zit. nach Alan Watts, *In My Own Way. An Autobiography*, Novato: New World Library 1972, 106.

Du kannst nichts (von) selbst stehlen. Du kannst dich nicht (von) selbst wegstehlen. Du kannst dich nicht selbst stehlen. Du kannst dich nicht selbst fühlen. Du kannst dich nicht von selbst schlecht fühlen. Und doch fühlen wir uns mitschuldig an „meiner" Individuierung, als „meine" Individuierung! Wir fühlen das Bedürfnis nach Strategie! Die Künstler_in, die Akademiker_in, die Kurator_in, die Kreative. Die Müllabfuhrarbeiter_in, die Krankenpfleger_in, die Lehrer_in, die Bäuer_in. Dort, wo wir arbeiten, wird jeder Zentimeter unseres institutionellen Lebens nach Produktivität, Effizienz, Verbesserung und Profit durchforstet und durchstöbert. Das gilt auch für jedes unserer Worte und jede unserer Handlungen, jeden Gedanken und jedes Gefühl. Dieser navigierte Ort ohne Wellen, ohne Salz, ist „begierig darauf, unsere Lebensstromlogistik zu unterstützen, zu organisieren und zu strukturieren."[79] Wir fühlen, wie er uns begradigt, uns glättet, diese Finger auf unserer Kopfhaut. Und wir sagen: Aber das ist nicht *meine* Verbesserung, *meine* Transformation, *meine* Praxis. Also versuchen wir, die Arbeit auszutricksen, die Organisation auszumanövrieren, gegen den Strom zu schwimmen. Dabei fallen wir direkt in die Fänge des Produktivitätstools. Denn die Arbeit auszutricksen, Strategien zu entwickeln, wie man in der Institution sein kann, während man versucht, keine Kompromisse einzugehen, während man versucht, *sich* nicht mitschuldig zu *fühlen*, *ist* das Produktivitätswerkzeug. Wir müssen uns nur daran erinnern, was wir nie vergessen wollten: Die Arbeiter_in produziert zuerst sich selbst, aber dabei

---

79 Carolin Wiedemann und Soenke Zehle, „Depletion Design", in: dies. (Hg.), *Depletion Design. A Glossary of Network Ecologies*, Amsterdam: Institute of Network Cultures 2012, 5.

produziert sie nicht nur sich selbst, sondern auch die Beziehungen des Kapitals selbst. Ob informelle oder formelle Arbeit, alle Arbeit ist heute Arbeit des Austricksens. Das ist der Job. Alle Arbeit zielt heute auf die Schaffung des Individuums ab, das spielt, das hebelt, das mit Aktien handelt, das einsam mitten in der Menge arbeitet. Zeig uns jemanden mit einer schamhaften Karrierestrategie, und wir werden dir ein Rädchen mit Gefühlen zeigen.

4.

Aber das Gefühl, d.h. die Umarmung der Unvollkommenheit, unbestimmt von der Ökonomie der Un/freiwilligkeit, kann nicht in ein ganzes Bündel von anästhesierten Gefühlen unterteilt werden, die irgendwie mit unserer Unvollkommenheit zu tun haben. Zu sagen, dass wir uns in und als unsere Individuierung mitschuldig fühlen, bedeutet, dass wir uns *durch* unsere Individuierung mitschuldig fühlen. Sich mitschuldig zu fühlen an der Arbeit einer Organisation, eines Berufs, eines Unternehmens, ist keine Form des Bewusstseins (von denen das Unbewusste nicht nur eines unter vielen ist). Es kann geistige Arbeit nicht von Handarbeit, gute nicht von schlechten Jobs unterscheiden. Sich ganz allein mitschuldig zu fühlen, heißt, ein_e gute_r Angestellte_r zu sein. Es heißt auch, ein_e gute_r Bürger_in zu sein, strategisch zu wählen, Police zu machen, sich schlecht zu fühlen, wenn man seine Stadt liebt. Sich in all unserer Unvollkommenheit dagegen komplizitär zu fühlen, heißt revolutionär zu sein – so sehr, dass man es sogar etwas anders nennen könnte als

„zu sein". Sich mit Kompliz_innen zu verdingen, mit unsichtbaren Freund_innen zu arbeiten, jeden Tag mit jemandem zu planen, mit jemandem zu sein, ist so viel mehr als jemand zu sein, wenn man zugleich weniger als jemand ist. Die gefühlte Komplizität eines Individuums mit einer Organisation ist (un)vergleichlich mit einer wirklichen Komplizität im Gefühl, die unallein ist. Über den Punkt des bloßen Seins hinaus mit-sein zu wollen, die Zuflucht all der Übrigen außer Sicht zu fühlen, Kompliz_innen in allem zu haben, was man tut – das ist wirkliche Komplizität, immer noch gefaltet, immer noch nautisch, allseits Null.

5.

Sich mitschuldig fühlen und komplizitäres Nichtsein im Fühlen – die beiden können nicht zusammenleben, auch wenn sie in unserer Komplizität zusammenleben. Kompliz_innen stören die Individuierung der Komplizität, die wir in der Organisation fühlen. Aber die Organisation – das Museum, das Krankenhaus, die Schule – unterbricht und verletzt auch ständig die Komplizität, die wir aufbauen. Und dennoch funktionieren, je mehr wir unsere komplizitären, kollektiven, unkorrigierten Freundschaften vertiefen, die Individuierungsmaschine und ihre „strategische Karriere innerhalb und außerhalb der Institution" immer schlechter. Wie Robinson gern sagte, „vertiefen wir den Widerspruch". Mahalia Jackson vorverstärkt diese Formulierung, indem sie davon singt, jemandem auf dem Weg zur Abschaffung der effizienten Instituierung von jemandem weiterzuhelfen; in ihrem Dub spricht Silva davon, dass Nicht-Körper

Nicht-Körpern helfen, die Wertgleichungen aufzulösen. Wenn wir an unseren Komplizitäten festhalten, können die zwei nicht gelten. Und du kannst es auch nicht. Und ich auch nicht. Irgendetwas muss geben, und was gibt, gibt. Du und ich sind nicht mitschuldig. Wir fühlen – wir teilen – Komplizität.

6.

Was ist dann das Verhältnis zwischen Absolution und Insolvenz? Zwischen Unsouveränität und der Verweigerung des Absoluten? Ein wenig Loslassen. Das Losewerden der Umarmung. Wie wenn die Erlösung jene gegenwärtige und absolute Taktilität des Felds ist, die nur einheitlich ist, insofern sie unerreichbar und ungreifbar ist. Lösen Führer_innen etwas oder lösen sie sich auf oder beides? Sind sie aufgelöst? Sind sie zügellos? Dient Lösung der Reduktion? Ist Lysis der Weg zur Unvollkommenheit? Hätte die Tragödie vermieden werden können, wenn er früher gesagt hätte: „Hey Fragment, geh nicht nach Hause"? Dann ist es nicht so, dass wir verzeihen, sondern dass wir schulden, was in der Verlagerung verziehen wird. Jede Lösung, zu der die Kinder kommen, löst sich auf – sie wird aufgelöst und löst den vorherigen Zustand auf. Wären wir eine Glocke, würden wir sagen, die Schwerkraft des Spiels ist untrennbar von seiner Anarchie. In der Tat kommen wir vom Prinzip zur Anarchie, wie Martin Heideggers besserer Engel, Reiner Schürmann.[80] Nur zu sprechen heißt, die

80 Reiner Schürmann, *Heidegger on Being and Acting. From Principles to Anarchy*, Bloomington: Indiana University Press 1987.

Zersetzung zu verfügen. Wenn wir sagen: „Zuerst war hier eine Wüste, dann haben wir eine Stadt gebaut", verleumden wir. Das halbgesprochene Wort, nach dem Spoken Word fragt, hat mit Verunsicherung, mit Entsiedlung zu tun. Und interessanterweise klingt *roi* genauso wie *loi*, wenn es von den abolitionistischen Kids von Paris gerufen wird, unseren entschlossen zügellosen Ante-Republikaner_innen, die Faden und Fransen und Stopps und Verzierungen einer Idee von Gesellschaft spielen. In der Werkstatt und in der Spielgruppe gibt es einen Lehrplan, ein Projekt, das irgendwann losgelassen wird. Was das fertige Produkt erreicht haben wird, wenn es überhaupt je erreicht wird, wenn es überhaupt je etwas erreicht, sind die Bedingungen seiner Zerstörung und seines Wiederaufbaus, was das Gesetz ist, das LeRoi Jones sanft für William Carlos Williams in Paterson über *Paterson* festlegte, indem er das offene Werk wieder eröffnete, um das Ende des Workshops einzufordern, noch bevor er begonnen hatte, denn wir spielen weit über den Punkt des Spielens hinaus, und unsere Praxis ist das Spiel.[81]

7.

Adelita Husni-Bey macht Filme über die Schule, Kunst über Leute, die versuchen, Welten zu machen, wo man sehen kann, wie Welten gemacht werden. Ihr Genre ist

81 Vgl. LeRoi Jones, „A contract. (for the destruction and rebuilding of Paterson)", in: ders., *The Dead Lecturer*, New York: Grove Press 1964, 10f.; William Carlos Williams, *Paterson*, New York: New Directions 1995, und Allen Iversons Entwurf einer Theorie der Praxis und des Spiels, online zugänglich unter https://youtu.be/eGDBR2L5kzI.

die Metatragödie (der Aktualisierung) der Commons. Sie zeigt Leute, die zeigen, wie die Fantasie der einsamen Insel und die Fantasie des vitruvianischen Menschen zusammenpassen, um jeweils den Untergang des anderen einzuleiten. „Zu welchem Preis?", fragt sie sie, während sie nach den Kosten fragen. Der vitruvianische Mensch ist *The Martian*, der, indem er martialisch ist, in seiner praktischen und sinnlichen Aktivität die Problematik der Kosten und ihrer Verteilung fast unmittelbar aufwirft.[82] Verliebt in die Fruchtbarkeit seiner eigenen Scheiße, inszeniert er unkritisch die Dialektik von Wachstum und Verschwendung und sagt: „Seht, wie ich die Wüste zum Blühen gebracht habe." Worauf werden indessen die Kosten auferlegt? Wir sagen „worauf", aber nicht „wem", denn die Inhumanität, die das „was" impliziert, untermauert die Erniedrigung, die dem „wem" auferlegt wird, der in der unerschrockenen Selbstachtung des Entdeckers zur Dinghaftigkeit verblasst oder, einfacher gesagt, zur Erde fällt. „Lasst uns über Imperialismus und Entwicklung reden", oder über das *manifest destiny*, die „offensichtliche Bestimmung" – sie, die die Verbesserung von allem war – während wir das workshoppen, was wir workshoppen, bis es weg ist. Wir brauchen Techniken des Willkommenheißens und des Ausschlusses, des Unterhalts und der Zerstörung, der Arbeitsteilung und der Verteilung von Ressourcen, der Intimität und der Öffentlichkeit. Die Fantasie von der einsamen Insel setzt einen dreiwöchigen Entwicklungsbogen in Gang. In rascher Folge gehen wir von „Freundschaft. Freundschaft ist essenziell" zu „Das ist sie, aber nicht um ein Tipi zu bauen. Schau mal. Wir brauchen Seile, Stangen und ein Laken", weiter

82 *The Martian*, Regie: Ridley Scott, Los Angeles: Twentieth Century Fox 2015.

zu „Jemand muss das Essen verteilen“, zu „Wer wählt gegen Geld?“, zu „Es ist keine schöne Sache, aber wir müssen Leute bestrafen“, und zu „Kein König, kein Gesetz“. Es ist, als ob die Anarchie unser Ziel ist, zumindest in der École Vitruve, der Schule der Mikrokosmografie, wo der Mensch das Maß aller Dinge ist. Dort lernen wir, dass die Symmetrie im Spiel zusammenbricht und alles aus allen Fugen ist. Vielleicht hat die Produktion des Renaissance-Menschen, die Gegenstand einer gewissen anarchistischen Schulung ist, die Widerlegung der Renaissance-Idee des Menschen zum Ziel, der in einen Kreis und ein Quadrat, einen Globus und eine Karte, eine Welt und eine Zelle passt, als das (leere) Zentrum der (unnachhaltigen) Schwerkraft, eine Singularität, die nach den Scherben ihrer Unmöglichkeit greift, die dieses Arschloch Information nennt, die dieses Arschloch als Repräsentation beansprucht, die dieses verrückte Arschloch für uns hält. Die rigorose und kritische Vereinigung von Kunst und (frisch abgeworfener) Wissenschaft ist auf anderen Planeten und einsamen Inseln chaotisch. Sie erfordert die anarchitektonische Abschaffung des Rathauses und die Absetzung der Performance, damit wir lernen können, dass „wir hier unsere Lektion lernen müssen“, denn „niemand sucht nach uns“. Also suchen wir uns mit Husni-Bey und fragen uns, wie wir uns von der unendlichen Probe abgewandt haben und uns ihr wieder zuwenden werden, die das Studium verrückt macht, oder schwarz, indem wir mit denen zusammenstehen, die kein Standing haben, bis wir ihnen zugestimmt haben. Mit uns. Den Komplizitären. Den Verdammten. Wer entscheidet dann?[83]

---

83 Vgl. Adelita Husni-Bey et al., *Emotional Depletion. An Immigration Lawyer's Handbook*, New York: Adelita Husni-Bey 2018.

SCHWARZER (ANTE)HEROISMUS

Respekt

Vor dem Hintergrund und unter dem fortwährenden Schutz (und selbst noch im Verschwinden) ihrer 1967 konzipierten, gemalten und eingeweihten *Wall of Respect* erlaubt und verlangt die Organization of Black American Culture von uns, dass wir über Heroismus nachdenken. Dies erlaubt sie uns mit einer sanften, kämpferischen Forderung, die in ihrer Arbeitsweise und in ihren Arbeitsbedingungen gegeben ist. Und so sind wir veranlasst zu sagen, dass sie auf heldenhafte Weise eine Wall of Heroes hervorgebracht haben, im endlosen Klimawandel des rassistischen Kapitalismus, der unsere Held_innen ebenso allgegenwärtig wie unmöglich macht. Sie geben ihre Leidenschaft an uns weiter, sie haben uns nie übergangen, und wir können das nicht ohne Andenken vorübergehen lassen. Aber auf die Gefahr hin, missverstanden zu werden, vor allem missverstanden in unserem tiefen Respekt für die OBA-C und in unserer eigenen „schwarze-Held_innen"-Verehrung ihrer Mitglieder, flüstert uns die OBA-C eine Frage ins Ohr: Ist die schwarze Held_in ein Oxymoron? Wenn wir die schwarze Held_in nicht als eine Version eines weißen Helden verstehen wollen – das heißt, als ein Monument für ein Volk, das er instanziiert und exemplifiziert –, dann müssen wir darauf hinweisen, dass die schwarze Held_in irgendwie und gegen unsere eigenen Empfindungen als unheroisch verstanden werden muss, oder genauer gesagt, als anti-heroisch oder sogar (ante) heroisch. Insofern das schwarze Heroische in Beziehung zum Heroischen steht, muss es in der Tat anti-heroisch sein, und insofern es sich außerhalb des Heroischen formiert, muss es (ante)heroisch sein. Sein Unvermögen, die Beziehung zwischen Held_in und Volk zu formen, macht es anti-heroisch, doch seine Bewahrung (in) der Deformierung von etwas so Regulativem wie dem Einsatz und dem Einstehen eines individuierten und monumentalisierten Helden für sein Volk kennzeichnet es als (ante)heroisch.

Es scheint klar zu sein, dass das Verständnis der schwarzen Held_in als eine Derivation des weißen Helden nur die deriviierteste Klasse befriedigt, die am meisten regulierende und selbstregulierte Klasse. Tatsächlich ist der weiße Held selbst Derivat eines Derivats, Derivat eines Volks, das selbst Derivat des Menschen ist, eine Kategorie, die ein Spektrum von Differenzen durch eine Rassifizierungsmechanik reguliert, die die Idee des Spezies-Seins selbst immer schon in sich trägt. Das ist das Phänomen, von dem *ein* Volk eine (Di-)Version ist. Der weiße Held wird zur Monumentalisierung eines Volks aufgerichtet, um einen Teil der sogenannten Menschheit in einem konflikthaften, regulativen Verhältnis zu anderen Völkern mit eigenen Helden und Denkmälern zu fixieren. Ist der Held das individuierte Monument eines Konfliktprotokolls, das nicht als Konflikt eingedämmt werden kann, dann kann Rassifizierung – wenn Theorien des Afropessimismus zu Recht die Gewalt ihrer allgemeinen Anwendung behaupten – als Relais zwischen Antagonismus und Konflikt verstanden werden. Dieses Relais entspricht der Unterscheidung zwischen der Feind_in, die durch den Konflikt innerhalb einer angenommenen Gleichheit zur Freund_in werden kann, und der rassifizierten Antagonist_in, die als Feind_in (und damit als Möglichkeitsbedingung) der gesamten Menschheit gegeben ist. In dem so abgesteckten politischen Schlachtfeld ist das Monument notwendigerweise ein rassistisches Artefakt, ein regulativer Fetisch eines Volks in der Gestalt des Individuums, Eines und Viele, die nun in trügerischer Beziehung gegeben sind. Auf diese Weise rastert sich, in dieser abgeleiteten Kette illegitimer Gegebenheiten gegeben, in Einkaufszentren und Boulevards und Gärten aus kaltem, weißem Stein, die Staatsformation eines Volks in Monumenten. Wenn alles, was die *Wall of Respect* jemals getan hat oder tun sollte, darin bestand, reflexiv und reflektierend genau dagegen zu stehen, wer könnte gegen einen solchen gerechten Einwand etwas einwenden? Glücklicherweise kappt die *Wall of Respect* diese (metaphysischen und politischen, rassistischen und psychischen Grundlagen der) Respektabilität bis auf die Knochen.

Es gibt einen vielsagenden Moment in einer berüchtigten Rede Martin Heideggers von 1933, den Noam Chomsky in seinem berühmten Essay „Die Verantwortlichkeit der Intellektuellen“ aus dem Jahr 1967 in brillanter Weise kommentiert. Heidegger spricht – und Chomsky kritisiert es hämisch und richtigerweise – von „Wahrheit [als] Offenbarkeit dessen, was ein Volk in seinem Handeln und Wissen sicher, hell und stark macht.“ Man könnte sagen, dass der Held diese Wahrheit verkörpert, und genau in dieser Hinsicht ist der Held ein Monument für ein Volk. *Aber eine solche Monumentalität kann nicht die unsere sein*, eine Bedingung, die uns dazu zwingt, darüber nachzudenken, was es bedeutet, ein Volk zu sein. Sind schwarze Leute „ein Volk“? Wie nennen wir den alltäglichen Verzicht auf die Fantasie, ein Volk zu sein, auf den sich schwarze Völker eingelassen haben? Wie nennen wir diese intensive Verwicklung von Solidarität und Differenzierung, die ständig und radikal Sicherheit, Helle und jede Modalität von Stärke unterbricht, die sie begleitet? Wir sagen, die Schönheit schwarzer Leute liegt in ihrer beständigen Weigerung, ein Volk zu konstituieren. Wir gehen gegen Heroismus und Monumentalität an, und wir brauchen ein Wort, oder etwas, das der Schönheit und Intensität dieser Bewegung entspricht. Wenn wir uns auf irgendein solches Wort oder Etwas berufen haben, hat zugleich keines jemals wirklich gepasst, keines hat jemals wirklich überdauert oder überlebt, wie es einem erfolgreichen Monument entspricht. Und so wollen wir, unter Verzicht auf jede Geste der Absolution, die den Kräften der Erosion unserer Monumente erteilt werden könnte, auch sagen, dass die *Wall of Respect* selbst in ihrem Verschwinden wunderbarerweise über jede Anrufung der Monumentalität hinausgeht.

Sicherlich hat dies mit einer hemisphärischen Tradition des Muralismus zu tun, die die OBA-C (und ihre Kolleg_innen von AfriCOBRA – der African Commune of Bad Relevant Artists) mit dem Sindicato de Obreros Tecnicos Pintores y Escultores in Mexiko verbindet; und ebenso sicher hat es mit dem allgemeinen Beziehungsfeld zwischen Weißsein, Subjektivität und Heroismus zu tun, einer fantasmatischen Konvergenz, von der die Subjektivität in den Vereinigten Staaten auf spezifische Weisen modelliert wird. Wo gemeinsame Traditionen unter ständigem Druck in der gemeinsamen Produktion und Rezeption eines unregulierbar differenziellen Stils hervorbrechen, ist die schwarze Anti-Held_in oder das schwarze (Ante)Heroische nicht so sehr in einer Figur als vielmehr im Zuschnitt einer Figur gegeben, um Richard Powells erhellende Formulierung zu verwenden und auch ein wenig zu missbrauchen. Die Solist_in ist das niedrige Vorzimmer einer sozialen Praxis; ein andauerndes Vorwort, eine Schwingtür, eine blutbefleckte Schrankenlosigkeit, ein Vestibül, wie Spillers sagt, das zum Bruch, zur Bewahrung in der Deformierung des schwarzen sozialen Lebens führt, und zwar nur ohne Einladung. Das Individuum ist in dieser Hinsicht und auf diesem Porträt weder eins noch alle; in solcher Konstellation gegeben, zerteilt oder teilt oder rekonfiguriert es die Figur. Gibt es eine Präfiguration von und durch das Individuum auf der *Wall of Respect*, die der Kraft des Prä-Hispanischen in Diego Riveras *Fiesta de la Flor* entspricht? Dann ist dies das schwarze (Ante)Heroische, dessen eingeklammerte Vorsilbe darauf verweist, dass Heroismus nicht das richtige Wort ist, bis was Schwarzes davor gesetzt wird, das nicht kaputt zu kriegen ist.

Un-ehre

Kann es sein, dass der weiße Held fallen und die schwarze Held_in scheitern muss? In diesem Sinn sollten diejenigen, die wir lieben und die Teil der *Wall of Respect* sind, mit etwas mehr und weniger als Heroismus geehrt werden. Sie sollten stattdessen mit einem geschwärzten Heroismus geehrt werden, mit einer Ehre, die nicht aus der Geschichte der Unehre, sondern aus der Geschichte der Enteignung der Ehre geboren ist, die nicht die Kollektivierung der Ehre ist, sondern die sozialisierte Verweigerung ihres individuierenden Spiels. Diese Verweigerung dessen, was nach Patterson und seinen Vorfahren die (eigentlich politische) Subjektivität als Machteffekt und Degradierung der Sozialität konstituiert, findet statt, bevor sie sich zeigt. Hier könnten wir dieses Unvermögen, die Ehre zu ehren, mit Huey P. Newton erschließen. H. Rap Brown und Stokely Carmichael waren Teil der *Wall of Respect*, während Newton gerade seinen Aufstieg begann, als die *Wall* fiel. Er sollte sich in einem doppelten Sinne durch den Heroismus durchkämpfen. Geehrt als schwarzer Held, war er ein Verfechter des revolutionären Selbstmords. War das mehr als für das Volk zu sterben? Kann es sein, dass Newton mit der Idee des revolutionären Selbstmords, wo der Tod Teil des gemeinsamen Lebens ist, und nicht seine singuläre Monumentalisierung, andeutet, dass die schwarze Held_in nicht ein Opfer für das Volk darbringt, sondern für das Volk geopfert *wird*? Eine solche schwarze heroische Passion trägt eine irreduzible Sozialität in sich. Was aber, wenn darüber hinaus das, was für *das* Volk sterben muss, nicht nur die Held_in ist, sondern auch die Idee *eines* Volks selbst? Die schwarze (Ante)Held_in wird geopfert, um die antizipatorische und antiregulatorische Deformierung des Volks gegen den Strich der Monumentalisierung und der Formierung eines Volks zu bewahren.

Nähern wir uns dieser Frage wieder über die besondere Stringenz des Afropessimismus. Ohne Sklav_in keine Welt, wie Frank Wilderson sagt; und da diese Mauer wie ihre schwarzen Held_innen in der Welt errichtet wird und wieder fällt, sind diese Held_innen (an der Abschaffung) gescheitert; und so bleibt auch die Welt bestehen, in all ihrem geozidal-genozidal extraktivistischen Verhältnis zur Erde und den Differenzen, die die Erde in sich trägt. Eine solche Analyse konzentriert sich auf das unleugbar Anheroische, die Heldin, die scheitert, die sich nicht zum Monumentalen kohärieren kann, die keine Kohärenz eines Volks als Statue, Statut, Status oder Staat instanziiert. Sie würde auf verheerendste Weise erscheinen, als wäre sie nie aufgerichtet, nie abgerissen worden, als wäre sie unfähig zu fallen, da sie immer schon gefallen ist, hingegeben und enteignet.

Diese Analyse wäscht die Mauer für eine weitere Revision des schwarzen (Ante)Heroischen, für die Bewahrung und Priorität dieses Wegwaschens, dieses Über- und Unterwaschens. Robinson schreibt über die Bewahrung der ontologischen Totalität. Das ist seine Antwort auf die Frage, wie etwas, das angesichts der Gesetze des Helden und seines Volks unmöglich sein sollte, dennoch existiert. Die ontologische Totalität ist eine Beschwörung des kollektiven afrikanischen Seins im Moment des Kampfes, auf dem Höhepunkt des Aufstands und sogar im Moment des Tods in der Schlacht. Aber in entscheidender und erschütternder Weise formt die Unmöglichkeit ihre Bedingung als unbedingte Deformierung. Die Afrikanität der ontologischen Totalität ist daher mehr und weniger als afrikanisch und anders als ein Sein. Ihre Bewahrung erfordert ihre Öffnung, Inkohärenz, Weigerung, zu so etwas wie einem Volk zu verschmelzen. Sie ist, mit anderen Worten, nicht afrikanisch, sondern panafrikanisch. Schrecklich, schön, schrecklich, schön, ist sie für uns und in uns vorausgegeben, um weggegeben zu werden – eine solche Zerstreuung ist selbst das Gegenteil des Heroischen und geht eher in Richtung des profanen, pandämonischen Opfers. Was ständig geopfert wird, ist die Solist_in im ständigen Erscheinen der Solist_in, ihr ständiges Auftauchen, um geopfert und zerstreut zu werden, damit das Experiment im Scheitern seiner Monumentalisierung bewahrt bleibt. Das ist die unerträgliche Brutalität der schwarzen Kunst. Albert Murray kann in *The Hero and the Blues* nicht richtig begreifen, wie abgefuckt das ist. Kein geschwärzter Existenzialismus, kein schattiertes tragisches Bewusstsein genügt hier. Dennoch halten Nanny Grigg oder Nat Turner, so lehrt uns Robinson, durch ihren sicheren Tod hindurch etwas in Gang, etwas, das unter der Herrschaft des Helden und seines Volks nicht gewinnen kann, sondern in etwas Erschöpfenderem überlebt. Darin liegt etwas Unheroisches, das Unvermögen zu siegen, und auch etwas anderes als das Heroische. Unter dem Gesetz des Helden werden sogar tragische Helden trotz ihres eigenen Falls oder Tods durch den Sieg *eines* Volks in Erinnerung behalten. Sie werden monumentalisiert, weil sie auf dem Weg zum Erfolg gefallen sind. Oder zumindest ist dies die Art und Weise, wie ein weißer Held konzipiert wird. Aber das schwarze Anti- und (Ante)Heroische wird im Opfer für den Sieg *des* Volks durch die ontologische Totalität in ihrer antagonistischen Beziehung mit *einem Volk* verdichtet und zerstreut. Mit Hilfe von OBA-C, AfriCOBRA und AACM (Association for the Advancement of Creative Musicians) können wir uns eine andere Art vorstellen, über die Solist_innen nachzudenken, über die Frauen und Männer, die wir schwarze Held_innen nennen, über bestimmte Schwarze, die in Liebe grooven. Was haben sie getan, was haben sie geleistet, jenseits des Heroischen und Unheroischen, wie es uns in dieser Welt begegnet? Diese Fragen zu stellen, die zu der Frage zurückführen, die sie uns stellen, bedeutet, genau genug hinzuschauen, um in ihrer Arbeit mehr zu hören, und in ihrer Art (durch die Arbeit) zu arbeiten, und an dem Ort, wo ihre Arbeit weiterging.

Alltag

Wenn wir uns bemühen, darauf zu achten, bemerken wir wieder, dass die OBA-C, die Straßengangs, der

Kneipenbetreiber, die Nachbar_innen unter alltäglichen Bedingungen überlebten, von denen wir sonst vielleicht sagen würden – aber nicht zu leichtfertig sagen sollten –, dass sie das Heroische hervorbringen. Der Ort, an dem die Arbeit weiterging, und die Leute, die diese Arbeit verrichteten, entstanden aus dem schwarzen sozialen Leben, aus dem unmöglichen, täglich gelebten Alltag. Alltägliche Leute leben (ante)heroisch in der Welt des verleugneten und verweigerten Volkseins. Der strapazierte Superlativ, das gebrochene Perfekt, das Unmögliche unter den verallgemeinerten Bedingungen der Unmöglichkeit, sie alle bewegen sich im Raum um die Mauer herum vom Nicht-Sehen-Können zum Nicht-Sehen-Können. In der belasteten, burlesken Zersetzung des Heroismus sehen wir die Qualität der alltäglichen Tat, ihre ständige Revision, ihre gemeinsame Bedingung, ihre Störung, ihre unmonumentale Apposition. Wir müssen uns jedoch dagegen wehren, diese unmonumentale Apposition von der Vorstellung zu trennen, dass alltägliche schwarze Leute heroisch sind, und uns, ohne diese Vorstellung zu leugnen, stattdessen auf ihre Umgebung konzentrieren: darauf, dass das schwarze (ante)Heroische (eine ständige Variation der) Routine ist. Es geht nicht so sehr darum, dass das tägliche Leben von Heldentaten durchdrungen ist, sondern vielmehr darum, dass Heroismus als tägliches kollektives soziales Leben, das heißt, als prosaisches, wiederholtes, revidiertes, variiertes, experimentelles, diskontinuierlich neu begonnenes Leben überarbeitet oder unbearbeitet ist. All das Gedränge und Geschiebe, das sich an der Mauer abspielt, ist immer wieder in all dem gegeben, was mit der Mauer geschah. Es gab vor allem das, was Romi Crawford „ein gegenwärtig- und um-die-Mauer-herum-sein“ nennt. Vor ihr wurde

Theater veranstaltet und Musik gespielt. Teile wurden übermalt, es regnete auf sie, sie begleitete unermessliche Dramen; eine Leiche wurde an ihr abgestellt, das FBI machte Fotos von ihr, sie wurde abgebrannt. Der Ereignisreichtum der Mauer wird manchmal als das dargestellt, was sie durchgemacht hat – ein Zeichen der Zeit und Symbol des Orts. Aber in Wirklichkeit *war* das die Mauer, nicht das, was sie durchmachte; das war die OBA-C, und ihr Anti-Heroismus existierte im Dienst des schwarzen (Ante)Heroischen, als alltägliches Bekenntnis zur nichtenden Vorläufigkeit des Seins, das zugleich total war. Wenn wir uns Fotos ansehen, die wir von der Malerei haben, und die Poesie um die Wand herum und die Musik hören, begegnen wir immer wieder dem Antagonismus, dem Übermalen, Fassadenfarbe und Weißwäsche, Pappe und Schnur, sowie einem totalen Bekenntnis zur Unbeständigkeit der Form, denn die Form ist zum Benutzen da, wie ein Alltagsding. Man benutzt sie, das heißt, man verformt sie; man benutzt sie, ohne sie zu besitzen, ohne Nutzungsgenehmigung; man bewahrt sie nicht für einen monumentalen Anlass auf, sondern bewahrt sie, indem man sie loslässt, indem man ihre Verwandlung zulässt und aufführt, im und für den Alltag.

Es ging nie darum, dass diese oder jene Person gesehen wird; es ging immer darum, dass durch diese oder jene Person hindurchgeschaut wird. Es ging auch nie darum, durch die spezielle Held_in hindurch aus der Nähe auf ihre oder seine Version zu sehen. Kein Hindurchsehen durch das Undurchsichtige, sondern ein Spiegeln, das in der Transparenz gegeben ist. Aber die Transbluesendenz der Mauer, der verstärkte Delta-Dunst, den sie immer noch verströmt, lässt uns verkennen, zieht uns den Mantel darüber, wie die Bestätigung der Alltagsheld_in das Bewahren dieser ontologischen Totalität bedroht. Sie wehrt es ab und lenkt es um, unter die Reaktion unterworfen zu sein, gerade weil die Verleihung des Heldentums im Interesse der Wahrheit *eines* Volks falsch klingt in der Unmöglichkeit seiner Beziehung zur schwarzen und offenen Allgemeinheit der Leute.

Mit anderen Worten: Ziel der Mauer war nicht *ihre* Bewahrung, die nie verhindert haben wird, was wir ihr Verschwinden nennen würden, sondern gerade ihre Transformation im Interesse der Bewahrung der ontologischen Totalität. Darin unterscheidet sie sich vom Monumentalen. Streng genommen war ihr Ziel auch nicht die Bewahrung der Held_innen gegen den allgemeinen Anti- und (Ante)Heroismus, der sie aussandte. Und ebenso, und das ist letztlich das Wichtigste, war das Ziel nicht die Bewahrung eines Volks, seine Monumentalisierung. Was die OBA-C uns gibt, ist die Deformierung eines Volks im Namen von etwas anderem, etwas Seltsamerem und Schönerem – ein allgemeiner Antagonismus zum Spezies-Sein.

Die Mauer und ihre Geschichten helfen uns zu sehen, dass ein Volk nur eine regulative Reduktion der Leute ist; und eine Person ist einfach das Zeichen eines Volks oder, besser noch, die Werteinheit eines Volks, die in wechselseitiger Unmöglichkeit an den Helden geheftet ist. Diese reduktive Formel trägt die national(istisch)e Unterwerfung der Verrücktheit der Leute in sich, deren ständige Ausdifferenzierung – in und als Undercommons-Praxis, in und als irreduzibel haptische und topographische soziale Poiesis, in und als Studium – durch arithmetische Trennung kohärent gemacht worden sein wird. So passen Nationalismus und Individuierung zusammen, so kann es diese scheinbar paradoxe Kombination von Nationalcharakter und absoluter Singularität von Personen geben, denn die Verrücktheit muss individuiert und dann gesammelt werden, um entschärft zu werden. Das Monument, Erweiterung und Intensivierung der Logik des Porträts, ist die Kristallisierung, Auflösung und/oder Verkörperung dieses Paradoxes: das nationale Individuum im Glanz einer allgemeinen Äquivalenz, für die es steht, gleichzeitig abstrakt und einzigartig – der repräsentative Mensch als eine Art Währung, die Landeswährung. Aber die Differenzierung ist weder Individuierung noch Pluralisierung. Sie verweigert sich dem Gesetz der Ganzzahl. Wenn ihr sehen wollt, wie diese Verrücktheit unter Zwang zur Schau gestellt wird, geht in eine beliebige Bar, und ihr werdet sehen, wie sie versucht, ihre Sichselbstlosigkeit zu verteidigen. Geht in einen schwarzen Club oder in eine schwarze Kirche, und ihr werdet sehen, wie dies mit der größten und zartesten Gewalttechnik geschieht und die Bewahrung in einem unermesslichen Spektrum von Zerstreuung und Ausschüttung gegeben ist, als unsere romantische Disposition, unsere mantische Deposition, unsere groteske Apposition. Wir waren so verrückt, dass wir unser eigenes Monument zerrissen haben – es immer wieder mit den wütenden Fragen, die es uns zu stellen lehrte, abrieben, es immer wieder dem schrecklichen Genuss unserer Bedingung unterwarfen, bis es verschwand. Mackey würde sagen, dass die *Wall of Respect* eine weitere Instanziierung unserer „erodierenden Zeugenschaft" ist. In dieser Hinsicht ist schwarzer Nationalismus Anti- und (Ante) Nationalismus, so wie schwarzer Heroismus Anti- und (Ante)Heroismus ist. Das ist das afrikanische Pan.

Unsere Arbeit Waschen

Was könnte das nun für diejenigen von uns bedeuten, die heute in den Fußstapfen der OBA-C wandeln wollen, d.h. in den Fußstapfen der schwarzen radikalen Tradition und in den Fußstapfen des alltäglichen schwarzen sozialen Lebens als der kollektiven Ehre, die Ehre zu verweigern, des schwarzen (Ante)Heroischen? Nun, wir hatten schon immer schwarze Held_innen. Was bedeutet es also, sie mit diesem Verständnis des (Ante)Heroischen in unsere Arbeit, in unser Schreiben zu übersetzen? Wie machen wir das? Bedeutet es, dass wir mit OBA-C Wege finden müssen, unsere Arbeit und die Arbeit, über die wir schreiben oder malen oder singen, zu demonumentalisieren? Ist es unfair zu sagen, dass die gegenwärtige kulturelle Form, insofern sie im schwarzen künstlerischen und intellektuellen Leben adaptiert wurde, das schwarze Studium der Gefahr der Monumentalisierung aussetzt, das Heroische sucht, sich vom schwarzen (Ante)Heroischen entfernt?

Eine Version dieser Monumentalisierung ist das Maß an Ehre, das einer individualisierten Position zuteil wird. Spillers nennt das die List oder den Köder der Persönlichkeit. Die bloße Anwesenheit der schwarzen Gelehrten, der schwarzen Künstler_in, der Figur, die die Figur zuschneidet, wird als ein zu bewahrender Sieg verstanden, anstatt als Effekt eines Kompromisses, der den Kulturinstitutionen von der Bewegung der schwarzen Leute aufgezwungen wurde und der Bewegung der schwarzen Leute wiederum von den Kräften, die die Kulturinstitutionen operationalisieren. Wenn wir das zulassen, ist es nicht nur so, dass diese bloße Anwesenheit in der Institution ein Modell der heroischen Repräsentation eines Volks annimmt, sondern auch, dass diese Haltung versucht, das zu regulieren, was jene Bewegung inmitten der Derivationen von Ernennung und Position vielleicht wirklich verschwinden lassen oder überwaschen möchte. Es gibt keine Krönung des Volks in individualisierten Einheiten.

Wenn wir andererseits OBA-C, AfriCOBRA, AACM und andere nicht nur dafür schätzen, wie sie uns inspirieren, sondern auch dafür, wie sie uns demontieren, wie ihre (ante-)heroischen Taten die Chance bewahren, die Versuchungen des Monumentalen und die Lügen des Helden und seines Volks zu untergraben, können wir vielleicht anfangen, einander zu helfen, zu verschwinden, uns gegenseitig zu übermalen, uns zu überspielen, unsere Soli in unser Rauschen übergehen zu lassen. Die *Wall of Respect* stand im Dienst einer Undercommons-Flucht aus dem Sein, und des Kämpfens durch das Sein. Sie war nicht das Objekt. Sie setzte sich nicht bloß zur Wehr. Ihr Widerspruch gedieh unter und um ihre Objekthaftigkeit herum. Und solange Jobs und Shows und Bücher das Objekt sind (und als Notwendigkeit gesehen werden, anstatt dass ihre Notwendigkeit gesehen und durchlebt würde), werden wir heroisch sein. Wir müssen neue Arbeitsweisen finden, die auf der Unbeständigkeit der Monumente in erschöpfter, inkonsistenter Totalität bestehen. Wie können wir auf diesem Weg unseren Lebensunterhalt verdienen? Wie kann dieser Weg unser Leben sein? Er wird mehr gewesen sein als eine Umkehrung von allem, was wir tun, obwohl er das ist; er ist ein Opfer, das niemand von uns auch nur freiwillig bringen kann. Opfern – das Teilen der Opfergabe, des Genusses, der Trauer, des Erinnerns – wird heute oft als obszön angesehen, während der Einzelanspruch auf soziale Stellung als Tugend gepriesen wird. Schwarze Virtuosität, schwarzer Heroismus sollten dagegen so richtig übel sein!

SELBSTMORD ALS KLASSE

In „Die Theorie als Waffe" sagt Amílcar Cabral, dass das Kleinbürgertum am besten in der Lage sei, nach dem Kolonialismus an die Macht zu kommen, auch weil diese Klasse in der Tat über ein Verständnis des Imperialismus verfügt. Denn wer würde die Verweigerung des Personseins, die der Imperialismus als politisch-ökonomisches Instrument und als Effekt einsetzt, heftiger fühlen als diejenigen, die sich ihm am nächsten fühlen? Wer ist sich der unüberbrückbaren Distanz zwischen sich und dem Personsein mehr bewusst als diejenigen, die die ständige und brutal offensichtliche Nähe dieses unmöglichen Subjekts und Objekts des Begehrens ertragen, die der Imperialismus mit solch teuflischer Strenge auferlegt? Auf komplizierte Weise haben wir uns sowohl mit als auch gegen Cabral (und Septima Clark und Frantz Fanon und Elma Francois und Fred Hampton und Claudia Jones und Paule Marshall und George Padmore und Funmilayo Ransome-Kuti und Walter Rodney und Barbara Smith) an die unausgesprochene Vorstellung gewöhnt, dass diejenigen, die dermaßen im Gleichgewicht sind, am natürlichsten und effektivsten über und für den antikolonialen Antrieb und Anspruch sprechen. Aber wenn Cabral so klar sagt, dass es keinen Widerspruch zwischen einer Analyse des Imperialismus und der Zugehörigkeit zum Kleinbürgertum gibt, und wenn er so nachdrücklich sagt, dass eine solche Analyse ein wesentliches Merkmal des Kleinbürgertums im und nach dem Kolonialismus ist, und wenn wir uns der Arbeit bewusst bleiben, die das Kleinbürgertum beim Aufbau und bei der Aufrechterhaltung von Kolonialismus und Imperialismus im und nach dem Kolonialismus und

Imperialismus leistet, in den Ländern und Völkern, die ihnen weiterhin unterworfen sind, wo Nachwirkungen und Immersion konsubstanziell sind, dann können wir vielleicht die Chance ergreifen – die Cabral uns bietet –, unsere Gewohnheiten zu überdenken. Dies ist eine Chance für das schwarze Studium, sich mit einem für das schwarze Studium grundlegenden Problem zu befassen, das am Beginn und in der fortwährenden Evolution der Black Studies auftaucht, wo Revolution und Devolution viel zu nahe beieinander liegen, in Behaglichkeit.

Wenn wir jetzt, hoffentlich unter dem Schutz Cabrals, von der Neokolonisierung des schwarzen Studiums durch den akademisch-künstlerischen Komplex sprechen, dann nicht, um mit dem Finger auf andere oder auf uns selbst zu zeigen, sondern um zu versuchen zu denken, in unserer Tradition, anindexikalisch, in liebevoller Unbehaglichkeit, im gemeinsamen Reiben. Betrachten wir also, im Interesse einer manchmal notwendigen Aktualität, das gegenwärtige Aufflammen des andauernden Kampfes zwischen Einheimischer_m und Immigrant_in im afrodiasporischen Teil der US-Akademie, weniger *Game of Thrones* als *Gangs of New York*, insofern am Ende eines jeden Tages das traurige Phänomen einer kleinbürgerlichen Elite übrigbleibt, die sich gegenseitig bekämpft, während schwarze Arbeiter_innen versuchen, etwas Luft zum Atmen zu bekommen. Diese Luft genossen und genießen ihre kleinbürgerlichen Pendants mehr als die schwarzen Arbeiter_innen in der unterdrückerischen, genozidalen Atmosphäre der andauernden und sich ständig verschärfenden faschistischen Aufstandsbekämpfung des Weißseins.

Bedenken wir auch, dass es keine altgedienteren und nützlicheren Kategorien für die Produktion, die

Reproduktion und den Schutz der imperialen Macht und ihrer Operationen gibt – und für die Unterdrückung des Vermögens, dass Völker und Leute sich bewegen und zur Ruhe kommen, in Ablehnung der Heimat, völlig ungeachtet nationaler Grenzen oder Identitäten – als einheimisch und migrantisch. Das gilt besonders für die Vereinigten Staaten, deren Variante des nordamerikanischen Weißseins schon immer eine giftige Mischung aus dieser falschen Alternative war. Die Überreste dieser blutigen Industrie, die den nicht-weißen kleinbürgerlichen Subjektbürger_innen bleiben, ob sie nun das Amerikanisch-Werden beanspruchen oder verleugnen wollen, bestehen aus Fragmenten des einen oder des anderen, aber niemals aus der Fülle von beidem, und diese Wunde löst sich in eine schwarze Narbe auf einer weißen Maske auf, liquidiert die Undercommons-Differenzen im Namen einer kalten imperialen Trennung (innerhalb) des schwarzen sozialen Lebens, sowohl in den Vereinigten Staaten als auch überall dort auf der Welt, wo die Vereinigten Staaten mit immer mörderischerer Slapstick-Bestechlichkeit herrschen. Währenddessen arbeitet das Kleinbürgertum hart, wenn auch oft ungewollt daran, die metaphysischen Grundlagen eben jenes Imperialismus zu schützen, den es auf kritische Weise versteht. Seine performativen intellektuellen Reflexe gehen als eine Fantasie von Subjektivität durch, die auf ihrer Unfähigkeit, sie zu haben, beruht. Das Kleinbürgertum behauptet, – von einer Position aus, die es übernimmt, aber nicht eingestehen kann – für diejenigen zu sprechen, die den Sauerstoff aufspüren, den es kaum produzieren kann; es behauptet, für diejenigen zu atmen, die nicht mehr atmen können; es behauptet, hier und jetzt zu sein für diejenigen, deren Anwesenheit nie so leicht aufzuzeichnen war. Es verrichtet diese unbeabsichtigte, immaterielle Arbeit mit den besten Absichten, während die postkoloniale Malaise nicht die reale imperiale Macht heimsucht, sondern die kleinbürgerlichen Intellektuellen selbst – unwissentliche und sogar unwillige Zwischenhändler_innen, die jene moralistische Entrüstung und Rage rhetorischer Reinheit, zu der „Dekolonisierung" geworden ist, dem endlosen, flüchtigen, antikolonialen Kampf um das Überleben des antekolonialen Lebens „vorziehen", dem die Zeit davonläuft, wie immer.

Die Heftigkeit des Problems liegt darin, dass so ein Scheiß unter *uns* passiert, den guten Leuten eines jeden verrotteten, brutalen, wahnhaften Nationalstaats. Jede einzelne Person, die nicht wirklich eine ist und weiß, warum sie keine ist und keine sein kann, meint es gut, wenn sie für diejenigen spricht, für die ein solches Personsein weniger Objekt des Begehrens als gespenstische Angelegenheit war, die man meiden und unterlaufen und zerstören sollte. Verdammt, wir meinen es gut, wenn wir hoffen, dass etwas in dem, was wir sagen, das durchdringt, was wir als gegeben annehmen, wenn wir es sagen. Nur ist eine solche Hoffnung nichts ohne Praxis, ein solcher Glaube nichts ohne Arbeit, ohne Mühe, ohne jene ständige, aktive, untergründende Arbeit, deren Nebenprodukt unser Verschwinden gewesen sein wird. Dies ist der Inhalt von Cabrals prophetischer Darstellung. Er schärft die Waffe der Theorie für uns, damit wir die Theorie und uns selbst durchschneiden können. Er gibt uns die Chance, klarer zu sehen, dass die konkurrierenden Chauvinismen von Einheimischer und Immigrant_in, wenn die Color Line das Verbot ihrer gegenseitigen Annäherung begründet, den intra-diasporischen, intra- und internationalen Klassenkampf in jedem Vorposten und Zufluchtsort des afrodiasporischen Lebens verdecken. Das Leben und die Kämpfe, *The Life and Struggles of Negro Toilers* müssen noch weiter gedacht und bewohnt werden als unbeirrbare Apposition des Ungedachten, flüchtige Dekonstruktion der Welt und Rekonstruktion der Erde durch die Unwohnenden. Die Waffe der Theorie lässt uns bis hin zur sozialen Linse durchsehen, durch die wir sehen wollen, wenn auch wir *Negro Toilers* sind.[84]

In diesem Licht können wir beginnen, die seltsame Unfähigkeit des dekolonialen Kleinbürgertums zu verstehen, sich selbst als Klasse oder als revolutionär zu auszuweisen, während es eine nahezu konstante Kritik des Imperialismus vorbringt. Es stellt sich heraus, dass es gar nicht so rätselhaft ist, wenn wir uns quer zur analytischen Beschreibung bewegen und die Opposition von Beschreibung und Analyse verweigern, während wir uns zugleich auch weit wegarbeiten, seitlich von Selbstbeschreibung und Selbstanalyse. Vielleicht beginnt die analytische Beschreibung mit dem Bewusstsein, dass es mehr geben muss als die analytische Beschreibung, die nicht an und für sich eine para-zeremonielle Praxis ist. Schwarze kritische Reflexivität kann nicht einfach erklären, dem Spiegelkabinett entkommen zu sein, das den (selbst)repräsentativen Geist und seine politische Kunst ausmacht. Was sie öffentlich gemacht haben muss, hat sich eher einer Art hingebungsvoller Unvollkommenheit zu öffnen als der Verleugnung der Unvollkommenheit. Mit welchen Schwestern wird Cabral die

84 George Padmore, *The Life and Struggles of Negro Toilers*, London: Red International of Labour of Unions 1931.

Grundlagen geschaffen haben, als er die Waffe der Theorie schärfte, rund um einen Küchentisch in Abwesenheit einer Küche?

Was, wenn die Abwesenheit der Küche eine Funktion von etwas ist, das da gewesen sein wird? Beachten wir den Titel der berühmten Rede von Cabral: Er verwendet die Formulierung „Waffe der Theorie", weil er ein Argument für die Theorie vorbringt. Er kommt so weit von der anderen Seite, dass er meint, diesen Punkt machen zu müssen. Er kommt so weit von der Praktik, oder besser gesagt, von der Praxis, von so weit außerhalb des Hauses, wo die Abwesenheit der Küche den Küchentisch möglich macht, dass er das Gefühl hat, sein Publikum daran erinnern zu müssen, dass die Theorie eine Waffe ist und dass sie *unsere* Waffe ist. Er kommt vom Land, wo er Bodenanalysen gemacht hat, und aus dem Zelt, wo er einen Angriff zur gemeinsamen Verteidigung plant, in und auch aus und auch abseits dieser Grundlagen, und sagt, Theorie ist nicht nur Theorie, sondern auch eine Waffe. Nun bedenken wir, wie völlig überflüssig dieser Satz heute im akademisch-künstlerischen Komplex und in ihn hinein klingt. Natürlich ist Theorie eine Waffe, wir hören es oft. Sie ist unsere Waffe der Wahl (aber auch der aufgeschobenen Notwendigkeit, des notwendigen Aufschubs). Aber dieser Schlachtruf der Theorie als Waffe, der fast überall auf den biennalen und triennalen Nebenstraßen und bei jeder Versammlung der institutionalisierten Gläubigen zu hören ist, hat den Inhalt der Worte verloren, die Cabral im Januar 1966 auf der ersten Trikontinentalen Konferenz der Völker Asiens, Afrikas und Lateinamerikas in Havanna sprach. Er sagte uns, dass die Theorie zum Arsenal der Revolution gehört; er sagte nicht, dass sie die

Repräsentation der Revolution oder ein Besitz derjenigen ist, die repräsentieren.

Aber was bedeutet dieser Schlachtruf „Theorie ist meine Waffe“ heute? Und welcher Praxis entspringt die Theorie innerhalb des akademisch-künstlerischen Komplexes? Sie entspringt einer Praxis, in der Theorie von einem realistischen Punkt des gemeinsamen Sehens auf einen abstrakten, unbesetzbaren Punkt des individuellen Ausdrucks reduziert wird. Es ist keine Frage, dass dieser Komplex ebenso tautologisch ist wie der militärisch-industrielle, der unsere Sicherheit gewährleistet, indem er die Welt gefährlicher macht, und im Namen der Sicherheit Prekarität durchsetzt. Cabral sagt, dass wir hier nicht versammelt sind, um den Imperialismus anzuschreien. Das ist nicht die Art, wie diese Waffe funktioniert. Und der Hauptgrund, warum sie nicht so funktioniert, ist funktional, nicht theoretisch. Theorie kann nicht von einer Theoretiker_in betrieben werden. Sie kann nicht von einer einzelnen Stimme, und auch nicht von einem Chor einzelner Stimmen, die den Feind anschreien, erhoben oder in Anschlag gebracht werden. So wird unsere Waffe aus unseren eigenen toten, individuierten Händen gerissen und gegen uns eingesetzt – auf den körperlichen Überresten, die wir unser Eigen nennen und in denen wir vorgeblich herumlaufen – als ein Instrument der Folter und Beschämung. Das ist keine revolutionäre Waffe. Wenn wir nun darüber nachdenken, was eine solche Waffe wäre, nachdem die Praxis der Revolution durch die Vernichtung jeglicher Illusionen von Reparatur (die schließlich nicht denjenigen galt, die gebrochen wurden, sondern immer dem System, das sie brach) klarer zur Geltung gekommen ist, haben wir den richtigen Grund und die richtigen

Werkzeuge, um ein Gefühl für die Bedeutung dessen zu bekommen, was das Kleinbürgertum, von dem man heute sagen kann, dass es die Filialleiter_innen, Ladenbesitzer_innen und unabhängigen Unternehmer_innen des akademisch-künstlerischen Komplexes umfasst, tun kann und nicht tun kann, tun darf und nicht tun darf.

Berühmt ist Cabrals Aussage, dass, sobald es die Macht übernommen hat, „das revolutionäre Kleinbürgertum dazu fähig sein [muss], als Klasse *Selbstmord zu begehen*, um im revolutionären Arbeiter, der sich voll und ganz mit den tiefsten Bestrebungen seines Volkes identifiziert, wieder aufzuerstehen." Außerdem sagt er, dass „die Bedingungen, unter denen sich die nationale Befreiung entwickelt, wenn sie auch im wesentlichen ein politisches Problem ist, ihr einige Merkmale aus dem Bereich der Moral aufprägen."[85] Cabral sagt hier nicht, „Begeht Klassenselbstmord!" Er sagt, „Begeht Selbstmord als Klasse!" Denn was wäre, wenn gerade die Idee des Klassenselbstmords den Aufschub des Selbstmords als Klasse bedeutete? Was wäre, wenn dieser letzte Akt des Klassenwillens, unternommen von einem anderen Subjekt der Geschichte, das an die Stelle des einen – des Proletariats – tritt, das durch all seine unübersehbaren Lumpen und seine Restlumpenheit hindurch einfach nie agieren wird, nichts anderes ist als ein letzter, endlos verschlimmernder Akt der Politik, in und auf ihren Ordnungsbedingungen und ihrer metaphysischen Vervollkommnung, wo Staat und Subjekt in der abtötenden und antidifferenziellen Verschmelzung von Individuum und Kollektiv ihre verfallende

85 Amílcar Cabral, „Die Theorie als Waffe", in: ders., *Die Theorie als Waffe. Schriften zur Befreiung in Afrika*, übers. v. Kathrein Tallowitz, Bremen: Edition CON 1983, 245-265, hier: 264.

gegenseitige Umlaufbahn tanzen? Nein, sagt Cabral, begehen wir Selbstmord als Klasse, was sich seiner Meinung nach als moralisches Problem herausstellen wird, wenn wir die politische Szene analytisch korrekt beschreiben. Was aber, wenn die korrekte analytische Beschreibung eine ist, in der die Klassenanerkennung, die in der Verleugnung eines ständig aufgeführten Klassenstatus gegeben ist, durch eine ständige, experimentelle Übung in Antagonismus ersetzt wird, in der die Ökonomie der Ver-/Aner-kennung aufgegeben wird? Hier steht weniger die Beauftragung von gesammelten individualisierten Akten auf dem Spiel als vielmehr der Verzicht auf die Metaphysik, die die Untercommons-Praxis auf Politik reduziert, die nichts anderes ist als der Akt des Individuums. Was, wenn das moralische Problem aus seiner Subsumtion unter das politische Problem hervorgeht, wenn die Macht weder ergriffen noch demokratisiert, sondern vielmehr verweigert wird? Klassenselbstmord ist ein politischer Akt, eine Reihe von politischen Akten; Selbstmord als Klasse ist anti- und ante-politische Praxis. Dieses Reich der Moral ist also nicht der Raum/die Arbeit zwischen relationalen Subjekten, entgegen der landläufigen und wissenschaftlichen Meinung, seit der Westen damit begonnen hat, sich selbst zu gebären, und seit er dann damit begonnen hat, sich selbst zu sichern, indem er all das einschloss, von dem er – in verschiedenen Prozessen hyperrationaler Verblendung – bestimmte, dass es nicht er selbst war. Dadurch ist das alte Problem der Vorstellung, um nicht zu sagen der (Un-)Möglichkeit einer politischen Moral oder einer moralischen Politik (auf-)gelöst. Moral und/oder Ethik und/oder Ästhetik operieren nicht im imaginären Raum zwischen Subjekten (und Objekten).

Praktische, antipolitische Verweigerung der Metaphysik der Klassen-„Moral" ist eine Sache des Rauschens. Die Aspirationen der Leute, zu denen man gehört, voll zu spüren, bringt eine schreckliche und schöne Differenzierung im Rauschen mit sich, eine harmonische Unschlüssigkeit von und mit und in dem Chor, in Erwartung einer Verschiebung in der Schar, wo die Zugehörigkeit auf der Flucht vor der Zugehörigkeit im Teilen ist, in einer Unruhe ständiger topographischer Bewegung ruhend. Die Waffe der Theorie ist eine Konferenz der Vögel. Der Küchentisch ist ihre Öffentlichkeit und ihr Verlag.

Versuchen wir, genauer zu erläutern, wie Selbstmord als Klasse – die Verweigerung der Klasse und ihrer Strukturen und Rituale der Zugehörigkeit, die die gleichzeitige Inszenierung und Verleugnung der Klassenidentität umfassen – funktioniert, und zwar jenseits der Unterscheidung zwischen (Akten der) Beauftragung und Unterlassung. Erinnern Sie sich an William Munny in *Unforgiven*? Er sagt: „Es ist eine höllische Sache, einen Mann zu töten – man nimmt ihm alles, was er hat und was er jemals haben wird." Was für eine Sache aber ist der Selbstmord? In welchem Verhältnis steht der Selbstmord zum nicht-einzigartigen Nicht-Sein des Einverständnisses? Die massive Arbeit der Selbstauflösung impliziert eine noch massivere Praxis der gegenseitigen Hilfe, wo sich analytische Beschreibung in gemeinschaftliche Praxis umfaltet oder sich an ihr reibt. Vielleicht muss man durch jene Hölle gehen, als Reaktion auf die brutale Störung der Xenogenerosität zum Mord berechtigt zu sein, eine enteignende Verfügbarkeit, wobei Mord oder Selbstmord die Subjektreaktion ist, die Teil des selbstherrlichen, selbstbestimmenden, selbstbetrügerischen, nationalistischen, etatistischen, neokolonial dekolonialen Programms des Kleinbürgertums ist, das immer entweder aus der Position der_s selbststilisierten Immigrant_in oder jener der_s selbsternannten Einheimischen geltend gemacht werden kann. Wenn nationale Befreiung – so wie sie sich durch den Diskurs der Selbstbestimmung bewegt – ein politisches Problem ist, dann sollte sie in gleichem Maße nicht unser Problem sein, so sehr sie uns auch Probleme bereitet, uns, die wir das Leben und die Kämpfe der *Negro Toilers* leben und/oder leben wollen, die in ihrem Profil, in ihrer Üppigkeit, in ihrer ungleichmäßigen Grundlage, in ihrer Töne beugenden, Schreie twistenden Lumpenheit keine Klasse haben (wie Marx mit unfehlbarer, aber unverständiger Einsicht bekräftigt haben wird, wie die Panthers wussten). Ihre Nicht-Mitgliedschaft ist eine Praxis der Nicht-Zugehörigkeit.

Nunmehr können wir die (politischen Probleme der) Leute betrachten, die sich selbst für das „revolutionäre Kleinbürgertum" halten. Das erste Problem ist natürlich, dass sich niemand für so etwas hält. Diese Marxsche Klassenkategorie wird jetzt vor allem im Dienst eines seltsamen Antikommunismus verwendet, während alte bürgerliche Kategorien wie „Mittelschicht" oder „Fachpersonal" oder neue wie das „Prekariat" oder die „Kreativen" beiläufig eingesetzt werden und – im Namen der „Analyse" – als nicht-analytische Schlagwörter für Komponenten in einem statischen System funktionieren. Es ist ebenso unklar, ob diese „Klasse, die sich nicht als Klasse bezeichnen wird", sich selbst für revolutionär hält, oder zumindest Mitglieder dieser sich selbst verleugnenden Klasse dieses Wort in der Öffentlichkeit benutzen würden, um ihre Anschauung zu beschreiben, geschweige denn ihre täglichen Aktivitäten, mit ein paar exilierten Ausnahmen. Dennoch gibt es eine Klasse, die sich selbst nicht Klasse nennt und sich selbst nicht öffentlich als revolutionär bezeichnen wird, die aber sehr wohl ein „Verständnis“ des Imperialismus hat, das man als revolutionär bezeichnen könnte, und die sich darüber hinaus in diesem Verständnis, als Trägerin dieses Verständnisses und, was noch wichtiger und verlogener ist, als das ständig erneuerbare Ziel dieser Revolution erkennt. Was sollen wir von diesem gezielten Aufklaffen halten? Erstens: Aufschub ist vielleicht ein besseres Wort. Die Aufschübe, keine „Klasse zu sein“ und sich nicht „für oder von der Revolution“ zu erklären, verhindern, dass Analysen oder Beschreibungen des Imperialismus insbesondere eine grundlegende Konsequenz hätten: Selbstmord. Andererseits werfen sie auch eine tiefere Frage auf: Warum sollten wir überhaupt wollen, dass dieses Kleinbürgertum Selbstmord begeht? Oder, noch deutlicher, warum sollten wir es überhaupt wollen? Verlangen wir das, was wir begehren? Das, was nicht vom, sondern eher für das Kleinbürgertum ist, das als Komplize wenigstens im Antiimperialismus/-kolonialismus, wenn nicht gar in der Revolution auftritt, ein Widerspruch, in dem es sich selbst (zurück-)hält? Schließlich stellt sich die Frage, was wir von und für uns selbst wollen. Leiden wir am Scheitern oder an einem Überfluss an Selbstbewusstsein als Klasse? Wie weisen wir dieses seltsame selbstbewusste Ausagieren des Klassenunbewussten des revolutionären Kleinbürgertums zurück?

Der Punkt, um den es hier geht, ist sehr quälend. Vielleicht war es falsch, vorzuschlagen, dass das Kleinbürgertum die Entscheidung treffen könnte, als Klasse

Selbstmord zu begehen. Newton arbeitet an diesem Problem mit seiner Idee des revolutionären Selbstmords. Er scheint nicht die Gesamtheit der Klasse einzubeziehen, aber gleichzeitig einen Weg zu suchen, damit diese Partialität nicht in Individualismus verfällt. Es handelt sich nicht einfach um eine avantgardistische Askese – dass die Führung „für das Volk sterben" muss –, sondern um ein Verständnis dafür, wie das Kleinbürgertum beides haben konnte, oder anders gesagt, wie das Kleinbürgertum eine wahre Klasse war/ist, die zwischen der Bourgeoisie und den Arbeiter_innen agierte. Dies war die Klasse, der Newton in Oakland begegnete, als sein Vater ihn mitnahm, wenn es für die Leute Zeit war, die monatliche Rechnung für die gekaufte Wohnungseinrichtung pünktlich zu bezahlen. Er sah die Beständigkeit einer Klasse lokaler Eintreiber, die den bösartig destillierten Reichtum der Nachbarschaft einsammelten und dabei die unverzichtbare Rolle spielten, Arbeiter_innen und Lumpen durch die Funktion von Management und Finanzen zu unterscheiden; er sah auch durch die bloße Analyse hindurch, die an sich so bequem in der Hand der Police liegt wie eine Keule oder ein Spieß; er sah durch das hindurch, was Cabral die Struktur des „Eigentums in der Gesellschaft" nannte, die sich nie direkt mit dem Eigentum *der* Gesellschaft überschneidet, auf das Möbelhändler_innen, Möbelhersteller_innen und Professor_innen Anspruch erheben.

Natürlich sagt Cabral das dem Kleinbürgertum beständig und unmissverständlich: Ihr solltet euch besser entscheiden. Aber Newton sah, dass dieser Aufschub der Revolution – der auch und mit der sanftesten, aber sichersten Verwüstung im Wesen einer revolutionären Klasse für sich und für andere gegeben ist, deren Ethik ständig in antiimperialen oder antirassistischen oder antitrans-/homophoben Handlungen oder Haltungen oder Stimmungen oder Absichten geprobt wird – die grundlegende materielle Bedingung des revolutionären Kleinbürgertums *ist*. Wenn ein Mitglied dieser Klasse etwas sagt wie: Wenn ich eine Festanstellung bekomme, oder wenn ich mein Buch veröffentlicht habe, oder wenn ich befördert werde, oder wenn die Kinder ihren Abschluss gemacht haben, oder in meiner zweiten Amtszeit, oder wenn ich meinen News-Blog gestartet haben werde, deutet das nicht auf strategische Fehlkalkulation oder persönlichen Makel oder Feigheit oder Unmoral hin – unabhängig davon, wer sagt, solche Gedankenverbrechen sollten mit Canceln bestraft werden können, ein Satz, der oft von den etymologisch Herausgeforderten geäußert und ausgeführt wird, die behaupten, gegen Einkerkerung zu sein? Aber solche Dinge zu sagen und diejenigen zu canceln, die solche Dinge sagen, macht die grundlegende Bedingung aus, in dieser Klasse zu sein, selbst wenn diejenigen, die aufschieben, sich selbst vormachen, dass sie angekommen sind, und selbst wenn diejenigen, die aufschieben, eine Analyse ihres ständigen Nicht-Ankommens haben, wobei das Angekommen-Sein im Nie-Angekommen-Sein die ultimative Aufschiebung des Selbstmords als Klasse ist.

Dankenswerterweise erinnert uns Cabral daran, dass das antiimperiale Kleinbürgertum eine reale, wenn auch keine ewige Klasse ist. Sie ist real, weil sie in der sich entwickelnden Produktionsweise produziert wird. Logistische Produktion teilt das Management auf. Sie reduziert es nicht und löst es nicht auf. Es wird jetzt zum Beispiel auf dem Kunstmarkt rauf und runter gespielt.

Selbstmanagement oder Autor_innenschaft sind der Irrglaube, auf dem die kleinbürgerliche Klassenmacht basiert. Auf jeden Fall lebt ein Teil dieses Kleinbürgertums heute, fünfzig Jahre nach Cabral, in einem Schwebezustand des Aufschubs und der Trennung, während er jeden Tag seine Analyse macht. Aber vielleicht war das immer ihr wirklicher Zustand, der immer auch ihr falscher Zustand war. Denn wenn sie als Klasse irgendwie Selbstmord begehen würden, wenn das jemals ihre gemeinsame Praxis wäre, würden sie nicht erkennen, dass die Revolution bereits da ist, vielmehr würden sie als nichts anderes als die Revolution „existieren", als und in ihrer militanten Bewahrung, wie die *Negro Toilers*.

Wie aber sortiert unterdessen die Analyse, wie sortiert die Police als Police das revolutionäre Kleinbürgertum, die Arbeiter_innen und die Lumpen, und wie und warum wird diese Sortierung in den Händen der Bourgeoisie belassen, nicht als Funktion, sondern als ein Vorrecht? Wie steht dieses Vermächtnis dem entgegen, was nach Ansicht von Martin Luther Kilson Jr. in einigen Fällen angewandt wurde und in allen angewandt werden sollte – eine vorrangige Option für die Armen[86] (im Gegensatz zu dem begabten Zehntel, das dafür vorgesehen ist, sie innezuhaben und auszuüben)? Wie kam es dazu, dass das Gegenteil des Imperialismus als antikommunistisch gerahmt wurde? Als Freiheit? Als individuierter Gedanke: „Was hat es für einen Sinn, mir selbst zu verweigern, was sie (ihr wisst schon, sie, die weiße Bourgeoisie, die *wirkliche* Bourgeoisie) sich gegenseitig gegeben haben?"

---

86 Martin L. Kilson, *The Transformation of the African American Intelligentsia, 1880-2012*, Cambridge: Harvard University Press 2014.

In einer weiteren Rede wendet sich Cabral an die Regierungsangestellten, die noch unter der portugiesischen Verwaltung der Kolonie arbeiten. Er fordert *sie* auf, in *ihren* Kampf einzutreten, und sagt: „Jeder Arbeitsplatz sollte ein Gefechtsposten werden." Wenn jeder Job ein Gefechtsposten ist, dann wird, wie die Dinge liegen, jeder Posten parteiisch. Was, wenn die bevorzugte Option nichts anderes ist als die gemeinsame Verteidigung gegen die gegenwärtige Option, gegen jede Beschäftigung, die gegen uns geschaffen wird – einschließlich der Selbstbeschäftigung, einschließlich der Verweigerung der Selbstverleugnung durch die Selbstsorge, die die Essenz so ziemlich jedes Jobs ist, gegeben in einer riesigen Bandbreite von Mischungen aus Selbsterhöhung und Selbsterniedrigung, so dass jeder verdammte Job der schlimmste verdammte Job ist, den man haben kann, ein Zustand, den man allein weder innerhalb noch außerhalb der Arbeitszeit bekämpfen kann. Sorry, Godfather, aber unsere Aufgabe ist es nicht, den Job zu besitzen. Wir müssen den Job bekämpfen. Wir müssen die Bedingungen bekämpfen, die Ausschlüsse und Trennungen, die unsere Arbeit ihrem Job unterordnen. Die Theorie muss unsere Waffe in diesem Kampf sein, und sie muss in unserer Praxis gegeben sein, in der Art und Weise, wie wir uns versammeln, auf unserem Weg. Denn es geht nicht wirklich darum, was wir sagen, wenn dieses Sagen nicht aus der Arbeit, die wir tun, hervorgeht und in sie zurückfällt. Kein individueller Akt, keine Ansammlung individueller Akte des Ausdrucks, auf die selbst der bewaffnete Widerstand in der Institutionalisierung des Gedächtnisses reduziert wird, kann die Waffe der Theorie repräsentieren, geschweige denn in Anschlag bringen. Solche Waffen zu tragen, wird in der Praxis, die wir teilen und verteidigen, gegeben sein, indem wir unsere Differenzen gemeinsam tragen und uns militant um sie sorgen, was außerhalb jeder Struktur oder Ökonomie der politischen Moral der Klassenindividuierung liegt. Im Namen einer ethischen Sozioökologie, in der Hoffnung auf eine allgemeine Verweigerung der Kleinbürgerlichkeit, hier spricht die revolutionäre Bourgeoisie, Ende der Durchsage.

DIE GABE DER KORRUPTION

> Dies ist *das Schachtelnest der Natur*: Der *Himmel* enthält die *Erde*, die *Erde Städte*, *Städte Menschen*. Und sie alle sind *konzentrisch*; die allen gemeinsame *Mitte* ist *Verfall*, ist *Ruin*; nur das ist *exzentrisch*, was nie gemacht wurde; nur der Ort, oder das Gewand eher, das wir uns *vorstellen*, aber nicht *darstellen* können, dieses Licht, das ebendie Emanation des Lichts *Gottes* ist, in der die *Heiligen* wohnen werden, mit der die *Heiligen* gewand't sein werden, nur das neigt sich nicht zu dieser *Mitte*, zum *Ruin*; nicht aus *Nichts* Gemachtes ist nicht von dieser Vernichtigung bedroht. Alle anderen Dinge sind es, auch die *Engel*, und sogar unsere *Seelen*; sie bewegen sich auf denselben *Polen*, sie neigen sich zur selben *Mitte*; und wären sie nicht durch *Bewahrung* unsterblich gemacht, könnte ihre *Natur* sie nicht davor bewahren, in diese *Mitte* zu sinken, die *Vernichtigung*.
> (John Donne)

1.

Schwarze Völker bewahren und verteidigen das Unbewertbare für alle, während sie selbst keinen vollen Zugriff darauf haben. Dieses Paradox wird durch die Tatsache verschärft, dass dieser nicht vollständige, nicht einfache Zugriff in Praktiken schwarzer Völker gegeben und verschlossen ist. Darüber hinaus und als Folge bewirkt ihr partialer Zugriff den unbegrenzten Zwang und den brutalen Widerstand, der sie aus und in der Welt heimsucht, die entweder totalen Zugriff voraussetzt und zu erzwingen sucht oder überhaupt keinen. So dass das, worauf zugegriffen wird – was zurückgehalten und bewacht wird, was, wie Humberto Maturana sagt, konserviert wird –, das ist, was Chandler und Andrew Benjamin die unursprüngliche Verlagerung einer tief verwurzelten, verstreuten Indigenität nennen würden, die eine einzige Art in unbegrenzter Variation ist. Es ist, als ob, wenn die Welt nicht hinschaut, oder vielleicht sollten wir sagen, wenn sie nicht hinsieht oder hinhört, was immer und alles andere als nie ist, als ob schwarze Völker dieses unbewertbare kleine Alles-was-wir-brauchen hervorziehen und daran arbeiten, damit spielen, es lieben und hassen, es in die Hand nehmen und niemals loslassen. Aber diese ästhetische Sozialität, wie Laura Harris es nennt, wird beschnitten, und zwar nicht nur von weißen suprematistischen, kapitalistischen Teufeln; irgendwie können schwarze Völker sie auch berühren, auch wenn sie außer Reichweite ist, sie hören, auch wenn sie außer Hörweite ist, und sie sehen, auch wenn sie weg ist. Dieses unsinnige Gefühl – Okiji hat es unsinnlich genannt – ist der Fluch der Aufseher_in, die Chance der Geber_in, der Übergang, der nicht übergangen werden kann.

Der Fokus auf Begriff und Thema der Korruption war schon immer daneben. Es ist, als wären wir von Anfang an von der Korruption der Korruption korrumpiert. Mackey spricht von Baraka, der von John Tchicais Spiel sagt, dass es immer „vom Vorgeschlagenen wegschlittert“, und dieses Schlittern, dieses Glissando, dieses Auf- und Abgleiten, oder vielleicht von einer Seite zur anderen Gleiten, entlang der Skala, dieses Ungleichgewicht, dieses Unmaß ist im Wort Korruption schon da. Es ist da in der Art und Weise, wie „Korruption“ sich nicht vor dem schützen kann, was in einer Art semantischem Schwarm auf sie zustürmt: Verfall, Unreinheit,

Gefallensein, Sünde. Die Korruption kann sich nicht vor dem Außen schützen, das schon in ihr ist, als ihre innerste Essenz, der wir insofern zum Opfer gefallen sind, als wir schon die Emanation dieser Essenz waren. Wer sind wir, dass wir von Korruption sprechen können, wenn wir selbst ihre Gabe sind? Da wir gefallen sind und uns nicht mehr erheben können, können wir nur versuchen, mit der Korruption abzuhängen; aber sehr bald erscheint uns das als Diebstahl, und nicht nur als Wegstehlen. Korruption besteht in der Weise, wie die Dinge innerhalb der allgemeinen Problematik auseinanderfallen, darin, dass Dinge nie ganz zusammenkommen, und dieses Ding, das wir tun, dieses Ereignis, ist genau in dieser Mischung, Mitte, *mist*, Mysterium, alles alles oder nichts hier drin oben, alles da draußen als allgemeine Tendenz.

Die Gabe der Korruption ist eine afformative Fantasie; ein ante-statischer, metamorphologischer Übergang. Die erste Art und Weise, wie wir versuchen, an dieses Ding heranzukommen, in dem wir schon sind, das schon ganz in uns drinnen ist als unser eigenes Wesen und Verderben, geht über John Donne oder, wie wir ihn gerne in falscher Übersetzung nennen, John Gift, oder John Give. Ein großer Teil von dem, was Donne gibt, von dem, was in Donne gibt, von der allgemeinen Gabe, die in Donnes Nähe gegeben wird, von dem, was dort, vor allem im Spätwerk des als Donne bekannten Göttlichen, abfällt, ist eine massive Meditation über den Tod, diesen immer wiederkehrenden Anlass. Die Problematik des Tods ist für Donne und in seiner Eschatologie untrennbar mit der der Geburt und, allgemeiner, der Schöpfung verbunden. Alles, was wir jetzt dazu anbieten können, sind Reste. Wir hatten etwas aufgegeben, was wir für Stephen Booth über die zehnte Meditation aus Donnes *Devotions Upon Emergent Occasions* schreiben wollten. Von Donne lernen und verlernen wir immer wieder einige Dinge über das Bewahren – Booth nennt es Konservierung. Das Buch, für das diese Fetzen vorgesehen waren, ist schon lange erschienen, wir haben sie aber bewahrt, auch wenn sie schon veraltet, abgelaufen oder teilweise abgenutzt sind. Wir wollen immer noch eine Lesart der kalypsonischen Faszination d(ies)er Meditation vorschlagen, ihrer grüblerischen Gewalt, der Art, in der die Unmöglichkeit sie überwinden oder hinter sich lassen zu können dazu veranlasst, gegen ihren Strich zu gehen. Vielleicht ist die Aufmerksamkeit für den Strich gerade gegen ihn, widersteht ihm, oder erregt seinen Widerstand. Wünschen wir uns eine Poetik der Auferstehung? Vielleicht ist die allgemeine Praxis eine textuelle Ökologie, und was wir zu sehen und zu hören versuchen, ist das, was keinen Wert hat, was nicht verbessert, sondern nur gebraucht werden kann, immer und immer wieder, in einer Art Verfall, einer Art Fall, in der seltsam bewahrenden Spirale der verfallenen Umlaufbahn. Immer wieder gibt es nichts zu gewinnen, also könnte man es Bewahrung und Nutzlosigkeit nennen, wie Booth es täte, aber mit einem gewissen welkenden Withers'schen Wohlgefühl angesichts der Ausgaben.

Vielleicht ist Auferstehung, wenn sie ganz in eine Revolution verwickelt ist, wie sie Fanon prophezeit, nur diese völlig nackte, konsubstanzielle Abschüssigkeit. Vielleicht erlaubt es die Vorstellung derart unterhalb und jenseits der Darstellung, die Natur der Personalität zu untersuchen, ihre innere Verfasstheit, Syntax und brutale Grammatik. Vielleicht wird es möglich sein, zu so etwas wie der Göttlichkeit – gegeben in ihrer Nutzlosigkeit, gegeben in der Verweigerung ihrer Nützlichkeit und gleichzeitig in der Umarmung ihrer Instrumentalität – der von Menschen gemachten Dinge oder des nichtgemachten Menschen zu kommen. Aber wir sollten präziser sein und sagen, dass wir nicht so sehr daran interessiert sind, eine Lesart von Donne anzubieten oder Booth als Leser von Donne zu verstehen. (Mag Booth Donne überhaupt? Es gibt ein vestibuläres Gefühl, das Booth wertschätzt, eine Erfahrung, an der Schwelle zur Entdeckung dessen zu stehen, was noch nicht ganz da ist, ein Potenzial an Potenzialität in „einem Geist, kurz bevor er die geistreiche Verbindung von disparaten Dingen erfasst“ [87], das Donne, so würde Booth vermutlich sagen, in der Grandiosität seiner Gabe zu oft nimmt, bevor es gegeben wurde. Vielleicht gibt es zu viel auffällige Selbstbeweihräucherung, zu viel Heraldik in Donnes Scharfsinn. Vielleicht wird nicht genug in Reserve gehalten, damit sein flottes Nicht-Erscheinen entdeckt werden kann. Vielleicht lässt Donne nicht genug ungemacht, zu ungestüm und scharfsinnig macht er uns auf das aufmerksam, was wir ohne Absicht erfahren sollten; vielleicht lässt er nichts zu bewahren übrig in dem einfachen, unkalkulierbar komplizierten Akt, auf das hinzuweisen, was nie ganz geschehen sein wird). Aber vielleicht gibt Donne in seiner ostentativen Großzügigkeit eine Einsicht in die Art von Ding, die Booth in seiner Kritik leistet, alles in dem Interesse, die Verkündigung zu verbreiten.

Die Bewahrung der *potenza*, dessen, was noch nicht geschehen ist; *die Bewahrung der Tendenz*; die

---

87 Stephen Booth, *Precious Nonsense. The Gettysburg Address, Ben Jonson's Epitaphs on His Children, and Twelfth Night*, Berkeley: University of California Press 1998, 72.

Konservierung der Konjunktivität, die in der Figur des Quarks gegeben ist, der Einheit von Materie/Energie, die in Distanz zu dem steht, was Booth „aktive, wesentlich informative Mehrdeutigkeit"[88] nennt, und die dadurch die spezifische Art der (Inter-)Artikulation ermöglicht, die laut Booth poetische Größe ausmacht („die Interaktion von ausgebeuteten und latenten Energien")[89]: Dieser serielle Verweis auf den Punkt und den Moment der Entdeckung ist die Art und Weise, wie sich Booths Arbeit entfaltet; das ist die irritierende Sanftheit seines „close reading without readings", die Beharrlichkeit, mit der er Texte auf falsche Weise abreibt und ihre eucharistische Präsenz in einem gewissen radikalen Missverständnis der Hostie abschmeckt. Hier gibt es eine anaphänomenologische Verweigerung des etatistischen Impulses, und man ist daran erinnert, dass es sogar in dieser Welt Dinge gibt, die Subjekte nicht machen, als ob das Weltmachen selbst auf der Annahme beruhte, mit einer Art irdischer Freude sogar darauf verzichten zu können.

2.

Was ist das Verhältnis zwischen Sinn und Tod oder zwischen Sinn und Staat oder zwischen Erklärung und Verhör, zwischen all dem und Folter? Ist das unaufhörliche Reiben der Kritik das, was Samuel Delany ein „Spiel von Zeit und Schmerz"[90] genannt hat? Ist das die Kehrseite,

---

88 Ebd., 69.

89 Ebd., 72.

90 Samuel Delany, „The Game of Time and Pain", in: ders., *The Bridge of Lost Desire*, New York: Arbor House 1987, 1-136.

das schreckliche Abseits der Aussetzung, einer bestimmten textuellen Ökologie des Irrtums, des irdischen Lebens in/als Unterseite und Apposition der Welt? Was, wenn der Zweck der Kritik die Aussetzung ist – buchstäblich in der Luft zu bleiben, die Scheiße in der Luft zu halten oder zu lassen, sie hochzuhalten, wie Ali schon Floyd Patterson oder Ernie Terrell hochhielt – jeder Schlag, ergänzt durch die verbale Begleitung eines endlosen Quiz, das aus einer Frage bestand, die nicht zu beantworten war („Was ist mein Name?"), wurde zu einer strukturellen Stütze, die das aufrecht hielt, was durch die vorgetragene Serien-Belehrung schon umgehauen wurde, wie ein Riemen an es angelegt. Dies war eine Aktion ähnlich der Erfahrung des Mondathleten, zu dem wir laut Booth alle werden, wenn wir Shakespeares Sonette lesen – der Unterschied ist allerdings, dass nicht nur der Text, sondern auch wir selbst in diese spiralförmige Levitation versetzt werden, wo Fallen sich immer wie Fliegen anfühlt, wo Verstärkung nominative Gewalt ist. Dies ist die Aggressivität von Booths Konservatismus – in der Bewahrung als Akt der irruptiven, korrumpierenden In(ter)vention –, eine qualvolle Tätigkeit und Aneignung von Erkenntnis(sen), bei denen Magie nur insoweit magisch bleibt, als sie erklärt wird. Über Ben Jonson schreibt Booth:

> Das Einbeziehen von Erinnerungen an unbequeme Denkweisen über den Tod des Kinds in das Couplet gibt einer noch immer banalen und allzu simplen Geste die Anmutung einer Philosophie, die getestet und für ausreichend befunden wurde. Lassen Sie mich das erklären.[91]

---

91 Booth, *Precious Nonsense*, 73.

Unsinn facht erneut ein Problem der philosophischen Übersetzung wie auch der Angemessenheit an: Sinn*/*sense*/*meaning* wird gerade ins Spiel gebracht, insofern Vieles von dem, was Booth tut, wenn er Unsinn bewahrt – wenn er ihn enthüllt, erklärt, aufwertet –, darin besteht, die referenzielle Spannung in ihrem unendlich exzentrischen Fall offen zu halten oder ihre Öffnung weiterzubetreiben. So reiben sich Sinn* und Sünde, Sünde und Korruption auf richtige Weise aneinander. So geht es auch um den Abstieg der Transsubstanziation in die Konsubstanzialität. Was ist es, das ein Text für uns wird, durch ein Ritual, in der Verkündigung, wie die reale Präsenz Christi in der Eucharistie? Man möchte weglaufen: vor der Andacht, der Dreifaltigkeit und der dreiteiligen Form, hin zum Unsinn eines durchbrochenen Kreises. Wenn Donne gepaart wird mit Henry Dumas, erhält man eine Art Trane, dessen Meditationen, wie auch die von Mingus, alle die Intra-Aktion von Unsinn und spiritueller Nahrung streifen. Was bedeutet es, vom Substanzlosen genährt zu werden? Gibt es eine Materialität des Substanzlosen? Vielleicht ist es das, was Literatur ist. Aber wenn sie es ist, wenn sie das Tun dieser Arbeit ist, dann ist sie es in und als das Geschenk der Korruption. Es ist, als ob, wenn die Worte „nehmet hin und esset; das ist mein Leib“ ausgesprochen werden, das Problem des Aufstands in gefährlicher und überwältigender Nähe zum Versprechen der Auferstehung steht. In Donnes Meditation zeigt sich dies als ein Welt- und Körperproblem, ein Problem der Körperlichkeit und der Institutionalität, das Jan Potoçka in *Body, Community, Language, World* zu beleuchten hilft. Er schreibt dort:

> Wir sind zu dem Schluss gekommen, dass die Welt im Sinne der vorangehenden Totalität, die das Erfassen von Existentem ermöglicht, auf zwei Arten verstanden werden kann: (a) als das, was uns Wahrheit ermöglicht, und (b) als das, was es den einzelnen Dingen innerhalb des Universums und dem Universum als Summe der Dinge ermöglicht, zu sein. Auch hier dürfte das Phänomen der menschlichen Körperlichkeit zentral sein, denn unsere Erhebung aus der Welt, unsere Individuierung in der Welt, ist eine Individuierung unserer subjektiven Körperlichkeit; wir sind Individuen im Vollzug der Bewegungen unserer lebendigen, unserer körperlichen Bewegungen. Individuierung – das bedeutet Bewegungen in einer Welt, die nicht eine bloße Summe von Individuen ist, einer Welt, die einen nicht-individuellen Aspekt hat, der dem Individuum vorgeordnet ist. So wie Kant es in seiner Vorstellung von Raum und Zeit als Formen erahnt hat, die zuerst verstanden werden müssen, um zu erkennen, dass es Partikularien gibt, die zu einer vereinheitlichten Wirklichkeit gehören. Als körperlich sind wir individuell. In ihrer Körperlichkeit stehen die Menschen an der Grenze zwischen dem sich selbst und allem anderen gegenüber indifferenten Sein und der Existenz im Sinne eines reinen Verhältnisses zur Totalität von allem, was ist. Auf der Basis ihrer Körperlichkeit sind die Menschen nicht nur Wesen der Distanz, sondern auch Wesen der Nähe, verwurzelte Wesen, nicht nur innerweltliche Wesen, sondern auch Wesen in der Welt.[92]

Wer ist nun dieses „Wir“, von dem Patoçka spricht? Das „Wir“, das zu diesem Schluss gekommen ist? Na ja, *we are the world*, in gewissem Sinn. Wir sind die Welt,

92 Jan Patočka, *Body, Community, Language, World*, Chicago: Open Court 1998, 178.

insofern wir zu Schlüssen über die Welt kommen können – genauer gesagt, zu dem Schluss, dass die Welt das ist, was uns Wahrheit und Individuierung ermöglicht. Die Welt ist unsere gemeinsame Körperlichkeit, sozusagen ihre Institution, innerhalb derer unsere Individuierung in und als Körper gegeben ist, worin diese Individuierung in und auf und als sie selbst zurückrollt als Möglichkeitsbedingung der Erkenntnis von und in der Welt. Wir sind das Wir, das die Welt ist, insofern wir (einige) Körper sind und haben. Aber dieses stetige staatliche System, in dem Körper und Welt als Bedingung der Möglichkeit und Bewahrung des jeweils anderen gegeben sind, ist durch die anti/biotische Dynamik belastet, die es eingrenzen soll.

Wenn die Begriffe des Körpers und der Welt in und als eine Art gegenseitiger Einbalsamierung entstehen, in der die Philosophie das übersieht, was die Theologie wiederkäuen muss, dann ist Donnes Wiederkäuen als ein ständiges, rückständiges Ausrasten über die Fleischlichkeit gegeben, die weder der Körper noch sein Diebstahl, weder der Begriff des Körpers noch seine juridisch-philosophische Einbehaltung eingrenzen kann. Innerweltliche Wesen ertragen Kafkas innerlichste Bedrängung, aber sie können sie nicht ertragen; unterweltliche Nichtwesen ertragen Fragen aus einer Entkörperlichung, die Fanon für unerträglich hält. Wenn der Begriff des Körpers und der der Welt als eine Art kollektiver epistemischer Staatskörper auf eine Art mumifizierte Institutionalität hinausläuft, so geschieht dies im Kontext eines ständigen Sprechens über Korruption, einer ständigen, selbstgesteuerten Korruptionsanklage, die tatsächlich eine Art Einbalsamierung darstellt. In dieser Hinsicht bewahrt die Angst vor Korruption den

Körper und den Körper in der Welt. Wir sprechen über unsere korrupten Institutionen, damit sie reformiert werden können; über unsere korrupten Institutionen zu sprechen, bedeutet in der Tat, sie zu reformieren. So wird das Zusammenspiel von so genannter Öffentlichkeitsarbeit und so genannter investigativer Berichterstattung zur pseudodemokratischen Selbstbeweihräucherung, in der sich die betreffende Institution weigert, zu verfallen, zu zerfallen, sich zu deformieren. Genauer gesagt: Es geht nicht um die Reform von Institutionen, sondern um die Deformierung der Institution als solcher. Wie wird dies vollzogen worden sein? Durch so etwas wie militante Bewahrung. Aber genau hier wird es heikel – in der erneuten Verdoppelung der unzähligen kleinen Kanten der Korruption.

Korruption ist die Beeinträchtigung der Reinheit. Ihre Wurzeln liegen in einem Verb, das „brechen" bedeutet. Die Wege dieser Wurzeln sind unverankert, mangrovisch und unermesslich. Man folgt ihnen bis zur Verwicklung von Generativität und Verfall, und verschwindet dann. Was, wenn die Begriffe von Körper und Welt selbst die Einbalsamierung des jeweils anderen sind? Was, wenn das kämpferische Bewahren untrennbar mit einer Art von Verfall verbunden ist? Dann müssten wir uns nicht nur damit beschäftigen, was die Korruption mit der Institutionalität, die uns tötet, tut, sondern auch damit, was sie im Namen der Bewahrung für uns tut. Das Paradox der politischen Korruption ist, dass sie die Modalität ist, durch die brutale Institutionalität aufrechterhalten wird. Das Paradox der biosozialen Korruption ist, dass sie die militante Bewahrung einer allgemeinen, generativen Fähigkeit zur Differenz und Diffusion konstituiert. Diese Paradoxien verbinden sich, um die Kante der Korruption zu vergolden, sie in eine Gabe zu verwandeln, die bereits doppelkantig war, die wir tragen oder anlegen können, als wäre sie der Stoff unserer Haut.

Anziehen, ankleiden, anlegen wie in „Legte sie sein Wissen an, gemeinsam mit seiner Macht?“ soll an eines der Wörter erinnern, die Donne am liebsten anlegt: *apparel'd*, gewand't. Er spricht, als weiteres Beispiel, in „A Lent-Sermon, Preached at Whitehall, 2/20/1628“ davon, was es bedeutet, unsere Meditationen in Worte zu gewanden, davon, wie solches Kleiden des Gedankens in Worte, das untrennbar ist von jenem Kleiden des Worts in Fleisch, das unser Erlöser ist, und jenes Durchdringen des Fleisches, jenes Bedecken des Fleisches im Fühlen, das unsere Erlösung ist, eine notwendige Kette des Verfalls bilden, die als wunderbarer Protest gestaltet ist. Sich zu kleiden, zu schmücken, zu schminken oder zu überarbeiten, ist die Art und Weise, wie die Erlösung sich uns zeigt, sich für uns gibt, und es ist die Art und Weise, wie und dass wir uns der Erlösung in Dankbarkeit und Anerkennung zeigen. Aber das Zeigen, dieses Zusammenspiel von Erscheinen und dem, was zu gewanden ist, ist auch in und als unser Gefallensein, unsere Sündhaftigkeit, unsere unbesessene Partialität, von Anfang an gegeben. Donne spricht davon, dass wir, trotz unserer angeborenen Nacktheit, in Sünde gewand't sind. Die Sünde als Kleid, als Kostüm, ist unser ureigenster Geburtstagsanzug, so dass das, was für uns am authentischsten ist, dieses Gefallensein, unser Innerstes, zu unserer äußeren Kleidung wird. Wir kommen nackt zur Welt, unbekleidet, tragen nichts als unsere Sünde; aber, wie Donne sagt: „Die Sünde ist so weit davon entfernt, nichts zu sein, da es nichts anderes als Sünde in uns gibt." So bedeutungsvoll sind wir.

Ist nun der Krach, der, wie Glissant sagt, unser Diskurs ist, die Summe von Sünde + Anziehen, *din* die Summe von *sin* + *don*? Ist unsere verdammte Vergebung – diese schreckliche Praxis, schon einmal da gewesen zu sein, im Wegsein, im Losgehen – das revolutionäre Geschenk, das durch uns hindurchgeht oder dem wir als Blätter an oder in einem gemeinsamen Wind angehängt sind, so dass wir von dem getragen werden, was uns antreibt und durchdringt, so dass wir den Atem begleiten, den wir in unserer Zerstreuung tragen, in der Art, wie wir das Nichtsein teilen in einem Übergang, einer Franse oder einem Soufflé aus Asche? Ist Gefallensein – unsere Fleischlichkeit, unsere Monstrosität als Geschenk – nur diese Verwicklung von Verwicklung und Verfall und Überleben, die damit einhergeht, dass wir in dieser Tendenz des Hängig-Seins gehalten und berührt und weitergereicht werden, als ob alles, was wir sind, untrennbar nur dieses fortwährende Zerbrochen- und Abgebrochenwerden wäre? Ist dieses Prinzip der Unvollkommenheit in Gemeinsamkeit, des mit nackter Haut Bekleidet-Seins, des in Sünde Gewand't-Seins, des Angezogenhabens unseres Fleisches in einer allgemeinen, atmosphärischen Intra-Vulnerabilität, nur zu beanspruchen, wenn es verloren geht, wenn es gestohlen wird, wenn es geteilt wird in einer unendlichen Verzögerung des hautnahen *dis place/meant*? Wir waren schon immer darauf eingestimmt, dass wir hier sterben, dass wir ständig sterben, in diesem Überleben, das wir teilen. Wir wurden schon immer verachtet für diese Gestimmtheit, im Überleben, auf das Überleben bei der Weitergabe, verachtet von diesem (geistesgestörten) Mann, der für immer (getrennt) leben will. Die Überwachung wird uns erwartet haben, damit er bleiben und versuchen kann, alles abzuwehren, indem er alles stiehlt. Aber irgendwie entkommt das Gehaltenwerden dem epistemologischen und politisch-ökonomischen Zugriff des Halts und bewirkt die bruchartige Verweigerung des normativen polit-ökonomischen Diskurses über Korruption. Dieser Diskurs distanziert sich von der Korruption, projiziert sie auf eine neue Welt oder eine dritte Welt, während sie auf die fixierte Operationalisierung einer eingefleischten und brutalen Stabilität reduziert wird, die die Globalisierung der normativen politischen Ökonomie ausmacht. Die Beziehung des Neoliberalismus zur Korruption ist in dieser Hinsicht wie die Beziehung von Pat Boone zu Fats Domino. Was sie Korruption nennen, ist in Wirklichkeit eine Form der politisch-ökonomischen Einbalsamierung. Eine Mumifizierung des toten Staatskörpers gegen die degenerative und regenerative Kraft der sozialen Existenz.

Was wir suchen, ist der Unterschied zwischen unterwürfiger und militanter Bewahrung und zwischen reformierender und deformierender Korruption, wenn sich die göttlich gewaltsame Bosheit in den Dienst der Sichselbstlosigkeit stellt. Ist Sünde nichts anderes als dieses gnostische Knäuel von Bewahrung und Korruption?

Sünde, so wird gesagt, sei der Akt des Verstoßes gegen das göttliche Gesetz. Wenn wir aber innerhalb einer christlichen Eschatologie immer schon gefallen sind, unsere Umlaufbahn sozusagen schon im Verfall gegeben ist, dann ist unsere Illegalität ein natürlicher Zustand. Hier kommt das ins Spiel, was Robert M. Cover das rechthervorbringende Prinzip nennt, in all seiner Fruchtbarkeit, als eine unverbesserliche Paralegalität, die nicht nur gegen die souveräne Legalität gerichtet, sondern auch generativ für sie ist, als so etwas wie das, was Derrida den mystischen Grund der Autorität nennt. Nun, es ist so etwas wie mehr oder weniger + mehr + weniger als das; etwas Anafundamentales, etwas Anarchisches, etwas wie überhaupt nichts. Sünde ist auch Irren; es bedeutet daneben zu sein, neben der Spur zu sein, schief zu liegen, nicht zur Sache zu gehören. Kann es den Sinn des Unentschiedenen, des Verlagerten tragen; und ist Gefallensein daher hier, in dieser Hinsicht gegeben? Heidegger unterscheidet Gefallensein und Verfallenheit vom Sündenfall, aber sie stoßen hier aneinander. Im Diskurs der Hamartiologie kann unser Irren entweder von Adams Auflehnung losgelöst oder unwiederbringlich und irreduzibel in ihr gegeben sein; aber so oder so bleibt in seiner Tendenz immer noch das unerklärt und unerklärbar, was bereits auf uns wartete, hängig, angehängt, gewand't, gegeben in der gefalteten Unvollkommenheit, der buchstäblichen Invagination seines Körpers, der nicht der seine ist, indem er das ist, von dem er getragen wird, jener irrende Dienst, den jede Ursprungsgeschichte zu vergessen versucht. Es ist nicht so, dass Eva Adams Korruption ist; sie ist nicht seine Mama, auch nicht seine Baby-Mama. Vielmehr ist sie so etwas wie eine Resonanz, die davor und verkehrt herum liegt, als Prinzip eines untrennbaren Unterschieds, von dem man sagen kann, dass er dazugehört, als Zerstreuung der Zugehörigkeit. Sie ist wie ein homöomorpher Becher, der dorthin überläuft, wo Halt und Ganzes in ihrer gegenseitigen Erschöpfung gegeben sind.

Es ist, als ob der erste Moment des Rap, der die Korruption der Musik ist, der erste Moment der Musik wäre, der erste Moment, in dem jemand „Corrupshion! Ruckshion!" rief, auf dass die Leute tanzen können.

3.

Der Staat ist die Regulierung und Oligarchisierung der Korruption, des Reichtums, das zu halten, was gegeben ist, und das Gegebene loszulassen. Die fortwährende Korruption des Körpers, seiner Grenzen, die fortwährende Aufführung des Lebens als dieses Teilen der Materie mit der Umwelt, ist das, was der Staat zu stehlen veranlasst und gekauft wurde. Der Staat reguliert das Teilen zum Zwecke der Privatisierung; im Namen des Werts verübt und engagiert er sich für Verarmung. So dass das, was in der politischen Welt oder in der Welt der Entwicklungshilfe Korruption genannt wird, gewöhnlich die Metastase des Staats als eines Regulators der Korruption ist. Folglich sind Anti-Korruptions-Antriebe Re-Regulierungs-Antriebe, die darauf abzielen, die Regulierung der Korruption wiederherzustellen, oder daran zu scheitern; in beiden Fällen ist es unsere Korruption, die unter dem vergeblichen Versuch leidet, ein Stück von ihr zu privatisieren oder einen Moment davon in unserer fortwährenden Verwicklung zu isolieren. Die Regulierung unserer Korruption und die Extraktion aus ihr (auch durch vorbeugende Logistik oder Überwachung) muss unser kinky-geknicktes, gekrümmtes und mattiertes, massenhaftes, unverschlossenes Fleisch begradigen. Sie schneidet einen einzigen Weg durch unser geknäueltes Rendezvous, um uns auszuschauen. Und was, wenn Überwachung keine rechtliche und außerrechtliche Kategorie ist, sondern eine ökonomische?

Und was, wenn Korruption ein Weg ist, nicht nur die Einheit der politischen Ökonomie zu denken, sondern auch ihren Mangel? Was, wenn die Entblößung der Erde/des Fleisches, die wir an uns angelegt haben, darin besteht, die Sinne für die verarmten, nicht erneuerbaren Vergnügungen des Kapitalismus auszuschauen und zu trennen, wo Genuss selbst durch leere Zeit bereitgestellt werden muss? Aber das könnte einfach bedeuten, dass Schwarzsein und normalerweise auch schwarze Leute diese Art von kapitalistischem Wert durch Korruption erbringen – ob in einer erkennbaren ökonomischen Kategorie, einschließlich sozialer Reproduktion, oder auch nicht. Überwachung wird dann zu einer Form der Wertextraktion. Und was ist diese Form? Das Aussaugen eines Sinns, das Schaben eines Anteils, das Kräuseln einer Locke, das Aufteilen eines Lärms, ermöglicht durch temporäre, instabile Isolation in der Regulierung der Korruption. Die Mumifizierung der Lust, die aus der Regulierung der Korruption gewonnen wird, die sie immer verlieren, die immer verloren geht, in unseren Augen und Armen. Die Police-Frage nach dem Ausmaß der Korruption deines Staats ist also in Wirklichkeit die grundlegende Frage nach der Fähigkeit dieses Staats, sie zu regulieren.

Wenn der Staat die Korruption reguliert und versucht, sie von denen fernzuhalten, die aus ihr kommen, was wenn es Leistung ist, Meriten, die er uns in den Weg stellt, und wenn er unsere Wege mit seinem eigenen Gänsemarsch blockiert? Es wird uns gesagt, dass Meritokratie und Korruption Gegensätze seien, aber vielleicht ist staatlich sanktionierte, staatlich regulierte, staatlich konzipierte Korruption nur ein Werkzeug der Meritokratie. Wie können wir das also korrumpieren?

Nun, wir müssen damit beginnen, dass alle sagen werden, sie wüssten, dass die Gesellschaft keine Meritokratie ist. Es ist nur so, dass wir nicht aufhören können, so zu tun, als ob sie eine wäre. Wir wissen das aus unserem Job (aber nicht von unserer Arbeit). Wenn man Hochschullehrer_in ist, weiß man, dass der Arbeitsplatz keine Meritokratie ist. Niemand ist aufgrund von Leistungen dort. Das Klassenzimmer ist nicht wie eine Dose Narragansett-Bier, *sold on merit* und *made with honor*. Dennoch wird Leistung ständig beschworen, wenn nicht direkt, dann durch die Regeln, die darauf ausgelegt sind, sie durchzusetzen. Die Studierenden wollen Noten. Die Fakultätsmitglieder wollen eine Festanstellung. Sie verdienen sie, oder sie wollen sie verdienen, weil sie sie brauchen. Die Sprache der Leistung ist überall um uns herum, was eine andere Art ist zu sagen, dass die Auferlegung von Knappheit überall ist, zum Teil weil wir sie in unserer wehrlosen Abwehr ständig beschwören. Aber Leistung entscheidet nicht darüber, wer von uns die begrenzten Ressourcen bekommt, die uns zur Verfügung stehen. Sie begründet die Begrenzung selbst, indem sie Knappheit für jedes einzelne Individuum schafft. Warum ist nicht genug für alle da? Weil jeder sein Eigenes haben muss. Aber wer hat sein Eigenes? Niemand, was bedeutet, dass die Meritokratie sich selbst Lügen straft. Sie erzwingt individuelle Bewertung zum Zwecke der individuierten Verteilung, aber sie nimmt die Form der Schaffung von Leistungsbanden und Leistungsklassen an. Einsen und Zweien.

Wenn Kinder darüber streiten, wer der Greatest Of All Times ist, wissen sie wenigstens, dass es lächerlich ist: Die einzige Möglichkeit es zu entscheiden wäre, alles, was anders ist, aus jedem GOAT herauszuprügeln, um die Rangliste einzuhalten, so dass die erste Differenz, die wegfällt, die Differenz jedes GOAT zu dem Individuum ist, das als GOAT bezeichnet wird. Aber sagenau das tun wir in der Bildung. Wenn wir also sagen, dass die Meritokratie die Auferlegung von Knappheit ist, dann meinen wir, dass sie die Auferlegung der Knappheit der Differenz ist, wobei in diesem Albtraum des Gleichgewichts alle Dinge gleich sind.

Es stimmt, wie Paolo Do anmerkt, dass die Universität nicht mehr nur eine Festung ist. Sie ist auch eine Beraterin, was aber nicht bedeutet, dass die Universität die Produktionsmittel einfach an alle verteilt. Es gibt einen Trick, die Mittel des Studiums knapp erscheinen zu lassen. Die ganze Arbeit, die damit verbunden ist, eine Unterscheidung durchzusetzen – wer zugelassen wird, um zu „lehren“ oder zu „lernen“, wer in der Klasse sitzen darf, wer publizieren darf, wer Punkte bekommt, qualifiziert ist, einen Abschluss machen darf, hochtrabend reden darf –, fördert, operationalisiert und verstärkt die Fantasie, dass die Mittel des Studiums als Anteil der Generativität nicht allgemein und degeneriert sind – korrumpiert, korrosiv, transformativ. Und Studierende, Dozierende und Dekan_in-nen sind – wie die Dekan_innen sagen würden – hier auf Linie gebracht, alle Dinge sind gleich in der Knappheit. In dieser käuflichen Un/Gleichheit glauben alle an Qualität, an Exzellenz, an die Messung dessen, wer gut und wer besser ist. Alle glauben an die Schaffung individueller Einheiten zum Zweck des Vergleichs, der Verteilung von Ressourcen und der Beschränkung der Mittel zur Wissensproduktion. Die Dozierenden überwachen und bewerten sich unter dem Deckmantel der Leistung andauernd gegenseitig und entscheiden, wie die angeblich begrenzten Ressourcen an die angeblich unterschiedlich verdienstvollen Individuen aufgeteilt werden. Alle stimmen den Regeln zum Schutz der Leistung zu und berufen sich auf diese Regeln, vor allem diejenigen wie wir, die kritischerweise schlau genug sind, zu sagen, dass es natürlich keine Meritokratie gibt. Weil die Regeln verhindern, dass die Dinge allzu korrupt werden. So ist Leistung nicht das Gegenteil von regulierter Korruption. Sie arbeiten beide zusammen gegen uns, besonders wenn wir versuchen, sie zu unseren Gunsten zu bearbeiten. So dass wir sie nur allzu oft gegen uns selbst zusammenbringen. Jeder Ruf nach transparenter oder großzügiger Führung in der Universität – oder irgendeiner Institution, irgendeinem Museum, irgendeiner Stadtregierung – ist eine Anrufung der Regeln der Meritokratie, eine Anrufung, die Dinge knapper zu machen, angefangen bei den Dingen, die wir benutzen, um Dinge zu machen – den Mitteln. In Singapur gibt es einen ähnlichen Trick. Singapurs saubere Regierung ist keine Funktion ihrer Meritokratie (reiche Familien regieren den Ort wie die meisten Orte); sie ist stattdessen ein wirklich hoch entwickelter Mechanismus zur Auferlegung von Knappheit – hoch entwickelt, weil er so viel Zustimmung erreicht. Viele Singapurer_innen glauben, dass harte Arbeit belohnt werden wird. Die Belohnung ist ein abgestufter und kalibrierter Zugriff auf Singapurs Reichtum unter der Bedingung, dass man, genau wie viele Fakultätsmitglieder und Universitätsstudierende, starke Einschränkungen der Produktionsmittel akzeptiert und befürwortet. Man kann es auch so ausdrücken, dass starke Institutionen die Korruption als Produktionsmittel regulieren und einschränken und uns zur Entwicklung zwingen, wenn wir wirklich ruhiggestellt werden wollen, oder mit einem Narragansett-Bier auf einen netten netten netten Menschen anstoßen.

Wenden wir uns also wieder Duncan und Schrödinger zu:

> Unser Bewusstsein, und das Gedicht als höchste Anstrengung des Bewusstseins, erscheint in einer tanzenden Organisation zwischen persönlicher und kosmischer Identität. Welche Gnosis der Alten transzendiert geheimnisvoll die Vorstellung, die Schrödinger uns in *Was ist Leben?* von einer periodischen Struktur näherbringt: „... das immer kompliziertere organische Molekül, in dem jedes Atom und jede Gruppe von Atomen eine individuelle Rolle spielt, die nicht völlig gleichwertig ist mit der vieler anderer." „Lebendige Materie entzieht sich dem Verfall ins Gleichgewicht", betitelt Schrödinger einen Abschnitt seines Aufsatzes von 1944. „Wann gilt ein Stück Materie als lebendig?", fragt er und antwortet: „Wenn es fortfährt, 'etwas zu tun', sich zu bewegen, Material mit seiner Umgebung auszutauschen."
>
> Was mich hier interessiert, ist, dass dieses Bild einer kompliziert gegliederten Struktur, einer Form, die ein Ungleichgewicht oder ein Leben aufrechterhält – was immer es für den Biophysiker bedeutet – für den Dichter bedeutet, dass Leben von Natur aus geordnet ist ...[93]

Und dann wenden wir uns Gary Zukav und Werner Heisenberg zu:

> Wahrscheinlichkeitswellen, wie Bohr, Kramers und Slater sie sich vorstellten, waren eine völlig neue Idee. Wahrscheinlichkeit selbst war nicht neu, aber diese Art der Wahrscheinlichkeit. Es

---

93 Robert Duncan, „Towards an Open Universe", in: James Maynard (Hg.), *Robert Duncan. Collected Essays and Other Prose*, Berkeley: University of California Press 2014, 129. Duncan zitiert Erwin Schrödinger, *What is Life?*, Cambridge: Cambridge University Press 2012, 69.

> bezog sich darauf, was irgendwie bereits geschah, aber noch nicht aktualisiert worden war. Es bezog sich auf eine *Tendenz*, die geschehen würde, eine Tendenz, die auf unbestimmte Weise für sich existierte, selbst wenn sie nie zu einem Ereignis wurde …
>
> Das war etwas ganz anderes als die klassische Wahrscheinlichkeitsrechnung. Wenn wir in einem Kasino einen Würfel werfen, wissen wir, dass die Wahrscheinlichkeit, die gewünschte Zahl zu erhalten, wenn wir die klassische Wahrscheinlichkeit verwenden, eins zu sechs ist. Die Wahrscheinlichkeitswelle von Bohr, Kramers und Slater bedeutete viel mehr als das.
>
> Nach Heisenberg bedeutete sie eine Tendenz für etwas. Sie war eine quantitative Version des alten Begriffs der *potentia* in der aristotelischen Philosophie. Sie führte etwas ein, das in der Mitte zwischen der Idee eines Ereignisses und dem tatsächlichen Ereignis stand, eine seltsame Art von physischer Realität genau in der Mitte zwischen Möglichkeit und Wirklichkeit.[94]

Wir wenden uns ihnen zu, um uns durch sie hindurch zu wenden in der Spekulation und im Spiel des Informellen; für die sich formende, subsistierende Existenz des Lebens; als materiell-umweltlicher Austausch über den Punkt hinaus, wo Austausch, Umwelt und das Umweltete ihren trennbaren Sinn auf Kosten der materiellen Seele aufrechterhalten; gegen die Auftrennung von Idealität und Aktualität, wo und wenn das Ereignis eine Pause einlegt; mit der Entfugung der

---

94 Gary Zukav, *The Dancing Wu-Li Masters. An Overview of the New Physics*, New York: HarperOne 2001, 72. Zukav zitiert Werner Heisenberg, *Physics and Philosophy. The Revolution in Modern Science*, New York: Harper & Row 1962, 41.

begrifflichen Umgebung durch die Konsensualität; hin zu einem Nachdenken im Maß, das sich weigert, auszuschließen oder durch Messung erfasst zu werden, das auf sich selbst irreduzibel bleibt, insofern das Maß das ist, was es weder ausschließen noch erfassen kann; wie man so schön sagt, *under song*, unter dem Song, oder dem Gedicht, die in Musik aufgehen und in Dichtung, die in Sound aufgeht, und Sound, der der Bindebogen und Ante-Ursprung der Sprache ist. All das ist nur unser weiterlaufender Reiseplan, hier draußen, wo Tendenz auf Berührung, Gefühl und schreckliche Verfügbarkeit trifft, in einem *sense*, einem Sinn* oder einer Sünde, die Eve Sedgwick + Hortense Spillers sich erklären können.

Gestern, das ist jetzt viele Tage und viele Jahre her, wollte Zo sich Bilder von dem alten Haus in Los Angeles ansehen, von sich selbst als Baby und als kleiner Junge. Er lächelte und sagte: „Er ist so süß“, und fing an zu weinen, schon im Bewusstsein von etwas, das gegangen oder vergangen ist, und fühlte es tiefer, immer, als diejenigen, die erwachsen werden wollen. Es gibt keine Absicht, zur Form aufzusteigen, sondern durch die Form, andererseits, in einer unvorhersehbaren Tendenz zum Tun, deren Ausführung in der Nachbarschaft der Nachbarschaft konstant verweigert wird. Das ist nur die Spitze einer Intuition, durch Praxis, durch Studium, die Gelehrsamkeit und Wissenschaftlichkeit trotz ihrer Meriten wie eine Wasserbombe am Herzen halten. Es ist nur, um es noch einmal zu sagen, dass Entzug aus dem Verfall ins Gleichgewicht, von dem Schrödinger spricht, nicht Entzug aus dem Verfall im Allgemeinen ist. Vielmehr ist es die Bewahrung jenes Verfalls, die die Antwort auf die Frage „Was ist Leben?“ bei Geburts- und Todesanlässen hervorbringt, die nie ganz zu ihrem Recht kommen, die selbst immer dem Entzug unterliegen, wo sich, was zu spalten und was im Kommen ist, einfach reibt und reibt und reibt als eine allgemeine, generative Tendenz, die wir nichts anderes nennen können als Poesie, solange man sie so nennt, wo immer man sie sieht, was überall ist. Was ist, wenn Poesie nur die Korruption der Sprache ist, und was ist, wenn diese Korruption mit der Korruption der Gemeinschaft durch die Sozialität, mit der Korruption des Körpers durch das Fleisch und mit der Korruption der Welt durch die Erde korreliert? Dann ist der Sinn des Lebens seine Sündhaftigkeit. Ihre Korruption sind nicht wir. Unsere Korruption ist nicht die ihre. Schwarzsein ist der Sinn des Lebens. Partial, geheimgehalten, allen bereitgehalten, aber nicht allseits da für die, die halten, nicht unser, und alles, was wir haben, und los geht's, allseits unvollkommen.

transversal texts

transversal.at

Aus dem Programm 2016

Stefano Harney

Fred Moten

Die Undercommons

Flüchtige Planung und schwarzes Studium

Herausgegeben von Isabell Lorey

Zwischen Black Radical Tradition und ökonomischer Theorie, zwischen Poesie und Philosophie, zwischen Ethiko-Ästhetik und politischer Theorie - die Undercommons entfalten ihre soziopoetische Kraft in einem weiten Feld: *Unter* der neoliberalen Verwaltung der Universität, *vor* der ökonomischen Police neuester Logistik, *um* die schuldengetriebenen Governance *herum* suchen und finden Stefano Harney und Fred Moten den Reichtum sozialen Lebens gerade in den scheinbar unmöglichsten Lagen: als „Umgebung", „flüchtige Planung" oder „schwarzes Studium". Der Sound, der Rhythmus, die Grooves und die Hook-Lines von *Undercommons* treiben den antikolonialen Aufstand an, fort und weiter, die Marronage, die queeren Schulden, die Fluchtlinien, das Schwarz-Sein, die Haptikalität und die Logistikalität, die Liebe.

ISBN: 978-3-903046-07-8

Januar 2016

124 Seiten, broschiert, € 10,00

transversal texts
transversal.at
Aus dem Programm 2018

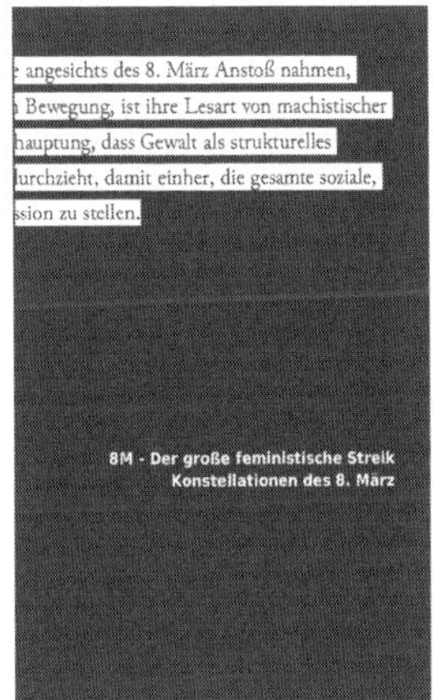

Mit Texten von
Verónica Gago, Raquel Gutiérrez Aguilar, Susana Draper, Mariana Menéndez Díaz, Marina Montanelli und Suely Rolnik.

8M
Der große feministische Streik. Konstellationen des 8. März

#VivasNosQueremos, #NosMueveElDeseo, #NosotrasParamos – Wir wollen uns lebend(ig). Uns bewegt der Wunsch. Wir Frauen streiken. So gelangen die Slogans neuer feministischer Bewegungen aus Lateinamerika seit 2016 als Hashtags zu uns. Die hier versammelten Texte untersuchen die Genealogien dieser vielfältigen Bewegungen, die aus einem lauten Aufschrei gegen blutige, regelmäßig ungestrafte Feminizide entstanden und schließlich als internationaler feministischer Streik 2017 und 2018 massive Dimensionen erreichten. Die Mitte dieses Streiks bildet allerorts die entscheidende Frage, wie Sorgearbeit bestreikt werden kann. Ausgehend von einem tiefen Überdruss gegenüber allen Formen machistischer Gewalt tritt der Streik hier als sorgfältiges Flechten eines gemeinsamen Gewebes, als gemeinsames Organisieren und Lernen auf, aber auch als unmissverständliche Warnung: Mujeres en huelga, se cae el mundo – Wenn die Frauen streiken, verfällt die Welt.

ISBN: 978-3-903046-18-4
November 2018
130 Seiten, broschiert, 10,- €

transversal texts
transversal.at
Aus dem Programm 2015

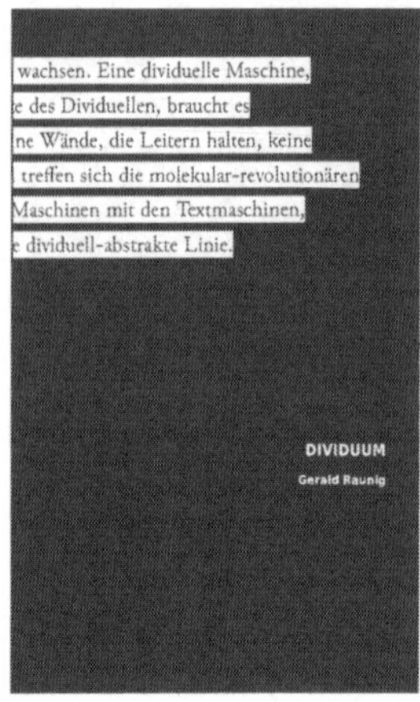

Gerald Raunig

DIVIDUUM

Maschinischer Kapitalismus und molekulare Revolution, Band 1

Die jahrhundertelange Konjunktur des Individuums gerät ins Wanken. Es beginnt das Zeitalter des Dividuellen. Die schlechte Nachricht von Gerald Raunigs Philosophie der Dividualität ist, dass sich das Dividuelle im maschinischen Kapitalismus vor allem als Verschärfung von Ausbeutung und Indienstnahme zeigt: In Algorithmen, Derivaten, Big Data und Social Media wirkt Dividualität als ausufernde Erweiterung von herrschaftlicher Teilung und Selbstzerteilung. Die gute Nachricht: Genau auf dem Terrain des Dividuellen wird auch eine neue Qualität von Widerstand möglich, als kritische Mannigfaltigkeit, molekulare Revolution und Con-division.

ISBN: 978-3-9501762-8-5
Januar 2015
256 Seiten, broschiert, 15,- €

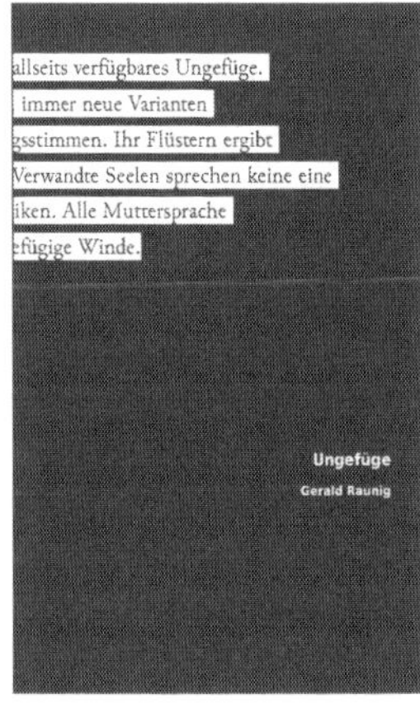

Gerald Raunig

Ungefüge
Maschinischer Kapitalismus
und molekulare Revolution,
Band 2

Nach *DIVIDUUM* (2015) legt Gerald Raunig den zweiten Band von „Maschinischer Kapitalismus und molekulare Revolution“ vor: *Ungefüge* entfaltet eine wilde Materialfülle der Ungefügigkeit, von den vielsprachigen Übersetzungsmaschinen in al-Andalus über die queere Mystik des Hochmittelalters und die kleinen Stimmen des Falsetts in Jazz und Soul des 20. Jahrhunderts bis zu heutigen Unfugen und Umfugen gegen die glatte Stadt der Ziffer im maschinischen Kapitalismus.

Ungefüge entwickelt nicht nur eine konzeptuelle Ökologie von Begriffen des Fugens und Fügens, der Verfügbarkeit und der Unfügsamkeit, sondern unternimmt auch ein Experiment der theoretischen Form. Halbfiktives verwebt sich mit akribisch untersuchten historischen Quellen, mystische Schriften mit Freundesbriefen, philosophische Fragmente mit poetischen Ritornellen. Mehr als eine Erzählung über Ungefüge aus sozialen Umgebungen, Ding- und Geisterwelten, ist das Buch selbst formal und inhaltlich eine dividuelle Mannigfaltigkeit, aus den Fugen, in den Fugen, Ungefüge.

ISBN: 978-3-903046-27-6
Februar 2021
340 Seiten, broschiert, 15,- €

- Precarias a la deriva
  Was ist dein Streik?
  10,- € / ISBN: 978-3-9501762-6-1

- Birgit Mennel, Stefan Nowotny (Hg.)
  Die Sprachen der Banlieues
  10,- € / ISBN: 978-3-9501762-7-8

- Gerald Raunig
  DIVIDUUM
  15,- € / ISBN: 978-3-9501762-8-5

- Gin Müller
  Possen des Performativen
  15,- € / ISBN: 978-3-9501762-5-4

- Félix Guattari, Antonio Negri
  Neue Räume der Freiheit
  10,- € / ISBN: 978-3-9501762-9-2

- Antonio Negri, Raúl Sánchez Cedillo
  Für einen konstituierenden Prozess in Europa
  10,- € / ISBN: 978-3-903046-06-1

- Birgit Mennel, Monika Mokre (Hg.)
  Das große Gefängnis
  15,- € / ISBN: 978-3-903046-00-9

- Rubia Salgado / maiz
  Aus der Praxis im Dissens
  15,- € / ISBN: 978-3-903046-02-3

- Monika Mokre
  Solidarität als Übersetzung
  vergriffen

- Gerald Raunig, Ulf Wuggenig (Hg.)
  Kritik der Kreativität
  20,- € / ISBN: 978-3-903046-01-6

- Stefano Harney, Fred Moten
  Die Undercommons
  10,- € / ISBN: 978-3-903046-07-8

- Stefan Nowotny, Gerald Raunig
  Instituierende Praxen
  15,- € / ISBN: 978-3-903046-04-7

- Lina Dokuzović
  Struggles for Living Learning
  15,- € / ISBN: 978-3-903046-09-2

- Brigitta Kuster
  Choix d'un passé
  12,- € / ISBN: 978-3-903046-05-4

- Isabell Lorey, Gundula Ludwig, Ruth Sonderegger
  Foucaults Gegenwart
  10,- € / ISBN: 978-3-903046-08-5

- Maurizio Lazzarato
  Marcel Duchamp und die Verweigerung der Arbeit
  10,- € / ISBN: 978-3-903046-11-5

- Isabell Lorey
  Immer Ärger mit dem Subjekt
  15,- € / ISBN: 978-3-903046-10-8

- Gerald Raunig
  Kunst und Revolution
  20,- € / ISBN: 978-3-903046-15-3

- Christoph Brunner, Niki Kubaczek, Kelly Mulvaney, Gerald Raunig (Hg.)
  Die neuen Munizipalismen
  10,- € / ISBN: 978-3-903046-12-2

- Tobias Bärtsch, Daniel Drognitz, Sarah Eschenmoser, Michael Grieder, Adrian Hanselmann, Alexander Kamber, Anna-Pia Rauch, Gerald Raunig, Pascale Schreibmüller, Nadine Schrick, Marilyn Umurungi, Jana Vanecek (Hg.)
  Ökologien der Sorge
  15,- € / ISBN: 978-3-903046-13-9

- Lucie Kolb
  Studium, nicht Kritik
  15,- € / ISBN: 978-3-903046-14-6

- Lucie Kolb
  Study, not critique
  15,- € / ISBN: 978-3-903046-19-1

- Raimund Minichbauer
  Facebook entkommen
  12,- € / 978-3-903046-17-7

- Cornelia Sollfrank (Hg.)
  Die schönen Kriegerinnen
  15,- € / 978-3-903046-16-0

- Christoph Brunner, Raimund Minichbauer, Kelly Mulvaney und Gerald Raunig (Hg.)
  Technökologien
  12,- € / ISBN: 978-3-903046-21-4

- Boris Buden, Lina Dokuzović (eds.)
  They'll never walk alone
  15,- € / ISBN: 978-3-903046-20-7

- Verónica Gago, Raquel Gutiérrez Aguilar, Susana Draper, Mariana Menéndez Díaz, Marina Montanelli, Marie Bardet / Suely Rolnik
  8M - Der große feministische Streik
  10,- € / ISBN 978-3-903046-18-4

- Gerald Raunig
  Maschinen Fabriken Industrien
  20,- € / ISBN: 978-3-903046-23-8

- Sofia Bempeza
  Geschichte(n) des Kunststreiks
  12,- € / ISBN: 978-3-903046-22-1

- edu-factory
  Alle Macht der selbstorganisierten Wissensproduktion
  10,- € / ISBN: 978-3-903046-25-2

- Sofia Bempeza, Christoph Brunner, Katharina Hausladen, Ines Kleesattel, Ruth Sonderegger
  Polyphone Ästhetik
  12,- € / ISBN: 978-3-903046-24-5

- Gerald Raunig
  Ungefüge
  15,- € / ISBN: 978-3-903046-27-6

- Gerald Raunig
  Maschinischer Kapitalismus und molekulare Revolution (Doppelband)
  Band 1: DIVIDUUM
  Band 2: Ungefüge
  25,- € / ISBN: 978-3-903046-28-3

- Niki Kubaczek, Monika Mokre (Hg.)
  Die Stadt als Stätte der Solidarität
  15,- € / ISBN: 978-3-903046-26-9

- Raúl Sánchez Cedillo
  Das Absolute der Demokratie
  15,- € / ISBN: 978-3-903046-29-0

- Manuela Zechner
  Commoning Care & Collective Power
  15,- € / ISBN: 978-3-903046-31-3

- Kike España
  Die sanfte Stadt
  15,- € / ISBN: 978-3-903046-30-6

- Jana Vanecek
  ID9606/2a-c
  12,- € / ISBN: 978-3-903046-33-7

- Stefano Harney, Fred Moten
  Allseits unvollkommen
  15,- € / ISBN: 978-3-903046-34-4